EEN AKKEFIETJE

Van dezelfde auteur verscheen eerder

Het wonderbaarlijke voorval met de hond in de nacht

Mark Haddon

Een akkefietje

Vertaald door Harry Pallemans

2006
Uitgeverij Contact
Amsterdam/Antwerpen

Eerste druk september 2006
Tweede druk september 2006

© 2006 Mark Haddon
© 2006 Nederlandse vertaling Harry Pallemans
Oorspronkelijke titel *A spot of bother*
Omslagontwerp Femke Tomberg
ISBN 90 254 2667 0
978 90 254 2667 5
D/2006/0108/949
NUR 302

www.uitgeverijcontact.nl

Voor mijn *continuity girl*

Met dank aan Sos Eltis, Clare Alexander, Dan Franklin en Bill Thomas

1

Het begon toen George een week voor de begrafenis van Bob Green een zwart pak paste bij Allders.

Het vooruitzicht van de begrafenis was niet wat hem van zijn stuk had gebracht. Noch de dood van Bob. Eerlijk gezegd had hij Bobs kleedkamerjovialiteit altijd een beetje vermoeiend gevonden, en was hij stiekem opgelucht dat ze nooit meer zouden squashen. Bovendien was de manier waarop Bob was gestorven (een hartaanval voor de televisie, bij het kijken naar de roeiwedstrijd tussen Oxford en Cambridge) op een merkwaardige manier geruststellend. Susan was bij haar zuster geweest, en toen ze terugkwam lag hij midden in de kamer op zijn rug met één hand over zijn ogen. Hij zag er zo vredig uit dat ze eerst nog dacht dat hij een dutje deed.

Het had natuurlijk pijn gedaan. Maar pijn kon je wel hebben. En de endorfine zou vrij snel aan het werk zijn gegaan, gevolgd door het gevoel dat je leven aan je voorbijflitst, dat George zelf een paar jaar eerder had ervaren toen hij van een ladder in het rotstuintje was gevallen, zijn elleboog had gebroken en van zijn stokje was gegaan, in zijn herinnering een niet onprettige gewaarwording (om de een of andere reden had het uitzicht vanaf de Tamar Bridge in Plymouth een prominente rol gespeeld). Hetzelfde gold waarschijnlijk voor die helder verlichte tunnel als het licht in de ogen doofde, gezien de vele mensen die de engelen hoorden roepen, en dan een jeugdige arts met een defibrillator boven zich zagen wanneer ze alsnog bijkwamen.

Daarna... niets. Het zou voorbij geweest zijn.

Het was natuurlijk te jong. Bob was eenenzestig. En het zou zwaar worden voor Susan en de jongens, ook al bloeide Susan wel op nu ze zelf haar zinnen mocht afmaken. Maar alles bij elkaar leek het een mooie manier om te gaan.

Nee, hij was de kluts kwijt door het plekje.

Hij had zijn broek uitgedaan en trok de pantalon van het pak aan, toen hij een ovaaltje gezwollen vlees op zijn heup zag dat donkerder was dan de omringende huid en een beetje schilferde. Zijn maag kwam omhoog en hij moest een kleine hoeveelheid braaksel wegslikken die achter in zijn mond verscheen.

Kanker.

Zo had hij zich niet meer gevoeld sinds John Zinewski's Fireball jaren geleden was omgeslagen en hij onder water met zijn enkel in de lus van een touw verstrikt was geraakt. Maar dat had hoogstens drie of vier tellen geduurd. En deze keer was er niemand die hem kon helpen om de boot weer recht te krijgen.

Hij zou zich van kant moeten maken.

Het was geen opbeurende gedachte, maar het was wel iets wat hij kon doen, en daardoor voelde hij dat hij wat meer greep op de situatie had.

De vraag was alleen hoe.

Van een hoog gebouw springen was een beangstigend idee. Langzaam je lichaamszwaartepunt over de rand laten zakken, de kans dat je je onderweg nog bedacht. En het laatste waaraan hij nu behoefte had, was nog meer angst.

Om je te verhangen had je materiaal nodig en hij bezat geen pistool.

Als hij genoeg whisky dronk, kon hij misschien de moed verzamelen om met de auto te verongelukken. Op de A16 aan deze kant van Stamford was een grote stenen poort. Daar kon hij zonder enig probleem met 150 kilometer per uur tegenaan knallen.

Maar als hij het op het laatste moment toch niet durfde? Of te dronken was om te kunnen rijden? Of als er net iemand de weg op draaide? En als die dan om het leven kwam en hijzelf verlamd raakte en in een rolstoel in de gevangenis aan kanker stierf?

'Meneer...? Wilt u zo vriendelijk zijn mee terug te lopen naar de winkel?'

Een jongeman van een jaar of achttien staarde George aan. Hij was een kop groter dan George, had rossige bakkebaarden en een marineblauw uniform dat een paar maten te groot voor hem was.

George besefte dat hij op de tegels voor de ingang van de winkel op zijn hurken zat.

'Meneer...?'

George kwam overeind. 'Het spijt me vreselijk.'

'Wilt u zo vriendelijk zijn om mee te gaan...?'

George keek omlaag en zag dat hij de pantalon van het pak nog aanhad en dat de gulp open stond. Die knoopte hij gauw dicht. 'Natuurlijk.'

Hij ging weer naar binnen en liep met de bewaker vlak achter zich tussen de handtassen en parfums door naar de afdeling herenkleding.

'Ik geloof dat ik een soort aanval heb gehad.'

'Ik vrees dat u dat met de afdelingschef zult moeten bespreken, meneer.'

De zwarte gedachten die nog maar een paar seconden geleden zijn hoofd hadden gevuld, leken zich nu lang geleden te hebben voorgedaan. Goed, hij stond wat wankel op zijn benen, zoals je je voelde wanneer je bijvoorbeeld met een beitel was uitgeschoten en een plakje van je duim had afgehaald, maar gegeven de omstandigheden voelde hij zich verrassend goed.

De chef van de afdeling herenkleding stond naast een rek pantoffels met zijn handen over elkaar voor zijn kruis. 'Dank je, John.'

De bewaker gaf een eerbiedig knikje, draaide zich snel om en liep weg.

'Zo, meneer...'

'Hall. George Hall. Mijn excuses. Ik...'

'Misschien moeten we even naar mijn kantoortje gaan,' zei de chef.

Er verscheen een vrouw met de broek van George. 'Deze heeft hij in de paskamer laten liggen. Zijn portefeuille zit in de zak.'

George ging door. 'Ik geloof dat ik een soort black-out heb gehad. Het was echt niet de bedoeling om moeilijkheden te maken.'

Wat was het prettig om met andere mensen te praten. Zij zeiden iets. Hij zei iets terug. Het regelmatige tik-tak van het gesprek. Hij had de hele middag zo door kunnen gaan.

'Gaat het wel, meneer?'

De vrouw hield een hand onder zijn elleboog en hij gleed omlaag en opzij op een stoel die steviger voelde, lekkerder zat en meer steun bood dan alle stoelen uit zijn herinnering.

Een paar minuten lang werd alles een beetje vaag.

Toen werd hem thee in zijn handen gestopt.

'Dank u.' Hij nam een slokje. Het was geen lekkere thee, maar hij was wel warm en zat in een fatsoenlijke porseleinen mok en het was een troost om die vast te houden.

'Misschien moeten we een taxi voor u bellen.'

Het was waarschijnlijk beter, dacht hij, om terug te gaan naar het dorp en het pak een andere keer te kopen.

2

Hij besloot niet tegen Jean te zeggen wat er was gebeurd. Die zou er toch maar over willen praten en dat zag hij niet zo zitten.

Praten werd wat George betrof overschat. Je kon tegenwoordig de televisie niet aanzetten of je zag mensen hun adoptie bespreken of uitleggen waarom ze hun man hadden vermoord. Niet dat hij iets tegen praten had. Praten was een van de genoegens van het leven. En iedereen had het nodig om af en toe bij een pot Ruddles te klagen over collega's die te weinig douchten of tienerzonen die diep in de nacht dronken thuiskwamen en in de hondenmand kotsten. Maar het veranderde niets.

Het geheim van de tevredenheid, vond George, lag in het geheel negeren van veel dingen. Hoe iemand tien jaar op hetzelfde kantoor kon werken of kinderen kon grootbrengen zonder bepaalde gedachten zo ver mogelijk weg te bergen was hem een raadsel. En met het oog op die akelige laatste ronde als je wel een katheter had maar geen tanden meer, mocht je je handen dichtknijpen als je je geheugen verloor.

Hij zei tegen Jean dat hij niet was geslaagd bij Allders en het maandag weer zou proberen wanneer hij het centrum van Peterborough niet met veertigduizend andere mensen hoefde te delen. Toen ging hij naar boven naar de badkamer en plakte een grote pleister op de plek, zodat je die niet meer zag.

Hij verkeerde het grootste deel van de nacht in diepe slaap en werd pas wakker toen Ronald Burrows, zijn lang verscheiden aardrijkskundeleraar, hem een stuk isolatietape op de mond had geplakt en met een lange draadnagel een gat in zijn borstwand had getimmerd. Vreemd genoeg was het de stank die hem het meest verontrustte, een stank die deed denken aan een slecht schoongehouden openbaar toilet dat onlangs was gebruikt door een erg ziek persoon, kruidig en bedwelmend, een stank, en dat was nog het allerergste, die uit de wond in zijn eigen lichaam leek te komen.

Hij hechtte zijn blik aan de lampenkap met kwastjes boven zijn hoofd en wachtte tot zijn hart wat rustiger werd, als iemand die uit een brandend gebouw is gered, nog steeds niet helemaal in staat om te geloven dat hij veilig is.

Zes uur.

Hij gleed uit bed en ging naar beneden. Hij deed twee boterhammen in de broodrooster en pakte de percolator die ze met kerst van Jamie hadden gekregen. Het was een belachelijk ding, dat ze om diplomatieke redenen niet wegborgen. Maar het voelde nu goed om het reservoirtje met water te vullen, koffie in het trechterbakje te doen, de rubberen afsluitring op zijn plaats te duwen en de twee aluminium delen aan elkaar te schroeven. Het apparaat deed hem vreemd genoeg denken aan Gareths stoommachine, waarmee George had mogen spelen bij het beruchte bezoek aan Poole in 1953. En het was een stuk beter dan de bomen achter in de tuin als zeemonsters heen en weer te zien zwaaien terwijl hij zat te wachten tot de waterkoker klaar was.

De blauwe vlam zuchtte onder de voet van de metalen percolator. Binnen kamperen. Een klein avontuur.

De toast plingde omhoog.

Dat was natuurlijk het weekend dat Gareth die kikker verbrandde. Wat vreemd om achteraf te constateren dat een heel leven zo duidelijk werd samengevat in vijf minuten op een middag in augustus.

Hij smeerde boter en marmelade op de toast terwijl de koffie door het apparaat gorgelde. Hij schonk de koffie in een beker en nam een slokje. Loeisterk. Hij deed er melk bij tot de kleur van pure chocola ontstond en ging zitten. Hij pakte het RIBA-*magazine*, dat Jamie bij zijn laatste bezoek had laten liggen.

Het Azman Owenhuis.

Houten luiken, glazen schuifdeuren, Bauhaus-eetstoelen, de ene vaas met witte lelies op de tafel. Goeie genade. Soms wou hij dat er op zo'n interieurfoto eens ergens een vuile onderbroek lag.

'Elektrische binnenvibratoren met hoge frequentie en constante amplitude werden gespecificeerd voor de compactie, om de tochtpotentie te minimaliseren en een uniforme compactie te garanderen...'

Het huis leek wel een bunker. Waarom toch altijd dat beton? Gingen de mensen over vijfhonderd jaar onder de viaducten over de M6 staan om de vlekken te bewonderen?

Hij legde het blad weg en begon aan het cryptogram in de *Daily Telegraph*.

Nanoseconde. Byzantium. Quetzal.

Jean verscheen om half acht in haar paarse badjas. 'Kon je niet slapen?'

'Ik werd om zes uur wakker. Het lukte me niet om in te dommelen.'

'Ik zie dat je Jamies dinges hebt gebruikt.'

'Het valt eigenlijk best mee,' zei George, hoewel de cafeïne hem eerlijk gezegd trillende handen had bezorgd en het onaangename gevoel dat je kreeg wanneer je slecht nieuws verwachtte.

'Wil je iets hebben? Of ben je helemaal voorzien?'

'Appelsap zou lekker zijn. Dank je.'

Op sommige ochtenden keek hij naar haar en voelde hij een lichte afkeer van deze vlezige vrouw op leeftijd met haar heksenhaar en halskwabben. Maar op een ochtend als deze... Liefde was misschien niet het goede woord, al hadden ze zichzelf een paar maanden terug in dat hotel in Blakeney verbaasd door tegelijk wakker te worden en geslachtsgemeenschap te hebben terwijl ze niet eens hun tanden hadden gepoetst.

Hij legde zijn arm om haar heupen en zij aaide zijn hoofd gedachteloos, zoals je een hond zou aaien.

Er waren dagen dat het benijdenswaardig leek om een hond te zijn.

'Dat vergat ik nog te zeggen.' Ze draaide zich los. 'Katie belde gisteravond. Ze komen vanmiddag eten.'

'Ze?'

'Zij met Jacob en Ray. Katie wou graag een dagje weg uit Londen.'

Allejezus. Daar zat hij nou net op te wachten.

Jean boog zich voorover de koelkast in. 'Probeer je fatsoen te houden.'

3

Jean spoelde de gestreepte bekers om en zette ze op het rek.

Een paar minuten later verscheen George weer in zijn werkkleren en liep de tuin in om in de motregen te gaan metselen.

Stiekem was ze heel trots op hem. Met de man van Pauline was het bergafwaarts gegaan vanaf het moment dat hij de karaf met inscriptie overhandigd kreeg. Twee maanden later zat hij 's middags om drie uur met een fles whisky in zijn lijf midden op het gazon als een hond te blaffen.

Toen George haar de tekeningen voor zijn atelier liet zien, had ze moeten denken aan Jamies tekeningen voor dat toestel om de Kerstman mee te vangen. Maar daar stond het, aan de overkant van het gazon, de fundamenten, vijf rijen stenen, raamkozijnen op een stapel onder blauw plastic zeil.

Zeven of zevenenvijftig, ze hadden hun projecten nodig. Met iets doods terugkomen in de grot. De Wellingborough-franchise op poten zetten. Goed eten tussen de middag, twintig minuten spelen, en af en toe een pluim ten teken dat iemand ze zag.

Ze schroefde de percolator los en een plakje doorweekte drab zakte op de afdruipplaat en viel uit elkaar. 'Hè.'

Ze pakte een doekje uit de kast.

Het leek wel of ze terugkwamen uit Vietnam, zoals sommigen over hun pensionering praatten. Aan de vrouwen werd niet gedacht. Het maakte niet uit hoeveel je van iemand hield. Vijfendertig jaar het rijk alleen thuis en dan moest je het delen met... een vreemde ging ver, maar...

Ze zou David kunnen blijven zien. Met haar ochtenden op de basisschool en haar deeltijdbaan bij Ottakar's in de stad was het niet zo moeilijk om een paar uur extra weg te zijn zonder dat George iets merkte. Maar het had minder als bedrog gevoeld toen hij nog werkte. Nu at hij zeven dagen per week tussen de middag thuis en kwamen sommige dingen veel te dicht bij elkaar te liggen.

Gelukkig was hij graag alleen thuis en toonde hij bar weinig belangstelling voor wat ze deed als ze weg was. Wat het makkelijker maakte. Het schuldgevoel. Of het gebrek daaraan.

Ze spoelde het koffiegruis van het doekje, wrong het uit en hing het over de kraan.

Nu was ze onaardig. Het vooruitzicht van de maaltijd, waarschijnlijk. Hij en Ray die beleefd deden, terwijl ze eigenlijk als twee kemphanen wilden vechten.

George was een fatsoenlijke man. Nooit dronken. Hij had haar nooit geslagen, de kinderen nooit geslagen. Verhief zelden zijn stem. Vorige week nog had ze gezien hoe hij een Engelse sleutel op zijn voet liet vallen. Hij deed zijn ogen dicht, rechtte zijn rug en concentreerde zich, alsof hij iemand probeerde te verstaan die hem van heel ver riep. En maar één bekeuring voor te hard rijden.

Misschien was dat het probleem wel.

Ze wist nog dat ze jaloers was op Katie toen die verkering kreeg met Graham. Dat ze vrienden waren. Gelijkwaardig. Het gezicht van George die keer aan tafel toen ze het over de geboorte hadden. Graham die het woord 'clitoris' gebruikte, en George wiens vork met ham voor zijn open mond tot stilstand kwam.

Maar dat was het probleem als je vrienden was. Graham neemt op een dag gewoon de benen en zij mag verder voor Jacob zorgen. Wat een man als George nooit zou doen.

Maar wat Ray betrof had hij gelijk. Zij verheugde zich net zomin op het feit dat Ray kwam eten. Goddank kwam Jamie niet. Die ging Ray binnenkort een keer 'Meneer Dombo' noemen zonder te beseffen dat Katie het kon horen. Of Ray zelf. En dan moest zij iemand naar het ziekenhuis brengen.

De helft van Katies IQ en toch noemde Ray haar 'een geweldig vrouwtje'. Al had hij die keer wel de grasmaaier gemaakt. Waar George weer niet zo blij mee was. Maar Ray was tenminste wel betrouwbaar. En dat had Katie nu nodig. Iemand die wist dat ze bijzonder was. Iemand met een goed salaris en een dikke huid.

Zolang Katie maar niet met hem trouwde.

4

George goot specie op het vierkant stuk hardboard en voelde met het blad van de troffel of er geen klontjes in zaten.

Het was net die vliegangst.

Hij pakte een baksteen, deed specie op de onderkant, legde hem neer en schoof hem voorzichtig opzij, zodat hij goed tegen de rechtopstaande waterpas aan lag.

In het begin had hij ze niet zo erg gevonden, die schokkerige vluchten met propellervliegtuigen naar Palma en Lissabon. Hij herinnerde zich voornamelijk zweterige voorverpakte kaas en dat geraas als de toiletpot openging en de inhoud de stratosfeer in viel. Toen het vliegtuig terug uit Lyon in 1979, waarbij drie keer ijsafzetting moest worden verwijderd. Eerst was hem alleen maar opgevallen dat iedereen in de wachtruimte zijn best deed om hem knettergek te maken (Katie die de handstand oefende, Jean die naar de dutyfreewinkel ging nadat hun vlucht al was omgeroepen, de jongeman tegenover hen die zijn uitzonderlijk lange haar aaide alsof het een of ander tam dier was...). En toen ze dan aan boord gingen, was er iets in de bedompte, chemische lucht van de cabine zelf geweest dat hem een benauwd gevoel in de borst had bezorgd. Maar pas toen ze naar de startbaan taxieden, besefte hij dat er midden in de lucht een catastrofale technische storing zou optreden en dat hij een aantal minuten lang samen met tweehonderd huilende en zich bevuilende mensen in een grote stalen buis naar de aarde zou tuimelen en daarna in een oranje vuurbal van verwrongen staal de dood zou vinden.

Hij wist nog dat Katie zei: 'Mam, ik geloof dat er iets met papa is', maar ze leek te roepen vanuit een piepklein schijfje zonlicht boven aan een bijzonder diepe put waarin hij was gevallen.

Hij staarde hardnekkig naar de rugleuning van de stoel voor zich en probeerde wanhopig te doen alsof hij thuis in de woonkamer zat. Maar om de paar minuten hoorde hij een sinister belletje en zag hij in de scheidingswand rechts van hem een rood lampje knipperen, een geheim teken voor het cabinepersoneel dat de piloot in de cockpit met een fataal defect worstelde.

Het was niet zozeer dat hij niet kon praten, als wel dat praten iets was wat plaatsvond in een andere wereld die hij zich slechts heel vaag kon herinneren.

Op een gegeven moment keek Jamie uit het raampje en zei: 'Ik geloof dat de vleugel eraf valt.' Jean siste: 'Hou nou eens op met dat kinderachtige gedoe,' en George voelde daadwerkelijk de klinknagels losschieten en de vliegtuigromp als een betonblok vallen.

Nog verscheidene weken daarna kon hij geen vliegtuig in de lucht zien zonder kwaad te worden.

Het was een natuurlijke reactie. Het was niet de bedoeling dat mensen werden ingeblikt en met raketten met straalmotoren door de lucht geschoten.

Hij legde een steen op de tegenoverliggende hoek en spande een draad over de bovenkant van de twee stenen om te zorgen dat hij niet scheef ging.

Natuurlijk voelde hij zich vreselijk. Dat kreeg je met angst, dan wilde je snel uit gevaarlijke situaties vluchten. Luipaarden, reuzenspinnen, vreemde mannen met speren die de rivier over kwamen. Eigenlijk hadden anderen een groter probleem, degenen die de *Daily Express* lazen en op zuurtjes zaten te zuigen alsof het een grote bus was.

Maar Jean hield van de zon. En naar Zuid-Frankrijk rijden zou een vakantie al verpesten nog voor hij was begonnen. Dus had hij een strategie nodig om te voorkomen dat de ontzetting in mei bezit van hem nam en in juli uitliep op een of andere attaque op Heathrow. Squash, lange wandelingen, bioscoop, Tony Bennett met de volumeknop helemaal open, het eerste glas rode wijn om zes uur, een nieuwe roman over Flashman.

Hij hoorde stemmen en keek op. Jean, Katie en Ray stonden als buitenlandse hoogwaardigheidsbekleders op de patio te wachten tot hij kwam aanmeren.

'George...?'

'Ik kom eraan.' Hij haalde de overtollige specie rond de net gelegde stenen weg, schraapte de rest terug in de emmer en deed het deksel er weer op. Hij kwam overeind en liep het gazon over terwijl hij zijn handen aan een lapje afveegde.

'Katie heeft nieuws,' zei Jean, op de toon die ze gebruikte als ze de artritis in haar knie negeerde. 'Maar ze wou het pas vertellen als jij er ook bij was.'

'Ray en ik gaan trouwen,' zei Katie.

George ervoer een korte uittreding. Hij keek vanaf vijf meter boven de patio hoe hij Katie kuste en Ray een hand gaf. Het was net als toen hij van die ladder was gevallen. Zoals de tijd vertraagde. Zoals je lichaam instinctief wist hoe je je hoofd met je armen moest beschermen.

'Ik leg de champagne in de koelkast,' zei Jean en trippelde het huis weer in.

George keerde terug in zijn lichaam.

'Eind september,' zei Ray. 'We houden het simpel. We willen jullie niet te veel last bezorgen.'

'Juist,' zei George. 'Juist.'

Hij zou een speech moeten houden bij de receptie, een speech waarin hij aardige dingen over Ray zei. Jamie zou weigeren om op de bruiloft te komen. Jean zou Jamie weigeren toe te staan om te weigeren op de bruiloft te komen. Ray zou toetreden tot de familie. Ze zouden hem voortdurend zien. Tot hun dood. Of emigratie.

Waar was Katie mee bezig? Kinderen bepaalden zelf wat ze deden, dat wist hij ook wel. Het was al moeilijk genoeg om ze groente te laten eten. Maar trouwen met Ray? Ze had filosofie gestudeerd. En die vent in Leeds die zich bij haar in de auto had gedrongen. Ze had de politie een stuk van zijn oor gegeven.

Jacob verscheen in de deuropening met een broodmes. 'Ik ben een lolifant en ik ga de trein pakken en... en... en... en dit is mijn slagtanden.'

Katie trok haar wenkbrauwen op. 'Ik weet niet of dat wel zo'n goed idee is.'

Jacob rende gillend van plezier de keuken weer in. Katie verdween door de deur achter hem aan. 'Kom hier, apenkoek.'

En George was alleen met Ray.

Rays broer zat in de gevangenis.

Ray werkte bij een technisch bedrijf dat high-spec freesmachines voor nokkenassen maakte. George had geen flauw idee wat dat waren.

'Zo.'

'Zo.'

Ray sloeg zijn armen over elkaar. 'En, hoe gaat het met het atelier?'

'Het is nog niet ingestort.' George sloeg zijn armen over elkaar, besefte dat hij Ray nadeed en haalde ze weer los. 'Niet dat er veel valt in te storten.'

Ze zwegen een hele lange tijd. Ray verschoof drie kiezelsteentjes op de tuintegels met de punt van zijn rechterschoen. George z'n maag maakte een hoorbaar geluid.

Ray zei: 'Ik weet wat je denkt.'

Een kort, gruwelijk moment dacht George dat dit misschien waar was.

'Dat ik gescheiden ben en zo.' Hij tuitte zijn lippen en knikte langzaam. 'Ik ben een bofkont, George. Dat weet ik. Ik zal voor je dochter zorgen. Daar kun je gerust op zijn.'

'Mooi,' zei George.

'Wij willen het graag betalen,' zei Ray, 'als jullie geen bezwaar hebben. Jullie hebben het tenslotte al een keer moeten doen.'

'Nee. Dat horen jullie niet te betalen,' zei George, die blij was dat hij een beetje op zijn strepen kon gaan staan. 'Katie is onze dochter. Wij moeten ervoor zorgen dat we in stijl afscheid van haar nemen.' Afscheid van haar nemen? Het was toch geen begrafenis?

'Top,' zei Ray.

Dat Ray uit de arbeidersklasse kwam en een vrij sterk noordelijk accent had, was niet zo'n punt. George was geen snob, en wat Rays achtergrond ook was, gezien zijn auto en Katies beschrijvingen van hun huis was hij bepaald niet slecht terechtgekomen.

Het voornaamste probleem, vond George, was Rays omvang. Hij zag eruit als de vergrote versie van een gewoon mens. Hij bewoog zich langzamer dan andere mensen, zoals de grotere dieren in de dierentuin. Giraffen. Buffels. Hij liet zijn hoofd zakken als hij een deur door moest en had wat Jamie onaardig maar treffend 'wurgershanden' had genoemd.

In vijfendertig jaar aan de zelfkant van de industrie had George met allerlei mannelijke mannen gewerkt. Grote mannen, mannen die met hun tanden een bierflesje openmaakten, mannen die mensen hadden gedood bij militaire operaties, mannen die, zoals Ted Monk het zo alleraardigst had verwoord, alles naaiden wat los en vast zat. En al had hij zich nooit helemaal thuis gevoeld in hun gezelschap, geïntimideerd was hij zelden geweest. Maar als Ray op bezoek kwam, kreeg hij hetzelfde gevoel dat hij bij de vrienden van zijn oudere broer had toen hij veertien was, het vermoeden dat er een geheime mannelijkheidscode bestond waarvan hij niet op de hoogte was.

'Huwelijksreis?'

'Barcelona,' zei Ray.

'Leuk,' zei George, die even niet meer wist in welk land dat lag. 'Heel leuk.'

'Ik hoop het,' zei Ray. 'In die tijd van het jaar is het vaak wat koeler.'

George vroeg hoe het op Rays werk ging en Ray zei dat ze een bedrijf in Cardiff hadden overgenomen dat horizontale centers voor machines maakte.

En het was goed. George kon met de korte, snedige repliek over elektrisch gereedschap komen als het moest. Maar het was alsof je een schaap was in het kerstspel. Hoeveel applaus je ook kreeg, een waardige rol werd het nooit en je wilde nog steeds naar huis vluchten om een boek over fossielen te gaan lezen.

'Ze hebben grote klanten in Duitsland. Het bedrijf wou dat ik naar München zou gaan pendelen. Dat heb ik gauw afgekapt. Dat lijkt me duidelijk.'

De eerste keer dat Katie hem had meegenomen, was Ray met zijn vinger langs het cd-rek boven de televisie gegaan en had gezegd: 'Dus u bent een jazzfan, meneer Hall', en voelde George zich alsof Ray een stapel pornobladen boven water had gehaald.

Jean verscheen aan de deur. 'Ga je je voor het eten nog opfrissen en aankleden?'

'Ik zie je zo,' zei George tegen Ray. En weg was hij, de keuken door, de trap op en de betegelde rust van de afsluitbare badkamer in.

5

Ze vonden het verschrikkelijk. Zoals verwacht. Katie zag het wel.

Nou, ze hadden er maar mee te leven. Vroeger zou ze uit haar vel zijn gesprongen. Eerlijk gezegd vond ze het soms wel jammer dat ze niet meer iemand was die uit haar vel sprong. Alsof haar normen achteruitgingen. Maar je bereikte een stadium waarin je besefte dat het verspilde moeite was om te proberen je ouders op andere gedachten te brengen, wanneer dan ook en over wat dan ook.

Ray was geen intellectueel. Hij was niet de mooiste man die ze ooit had ontmoet. Maar de mooiste man die ze ooit had ontmoet, had haar buitengewoon belazerd behandeld. En als Ray zijn armen om haar heen sloeg, voelde ze zich veiliger dan in lange tijd.

Ze dacht terug aan dat gruwelijke etentje 's middags bij Lucy. De vieze goulash die Barry had gemaakt. Zijn zatte vriend die in de keuken aan haar kont had gezeten en Lucy die die astma-aanval kreeg. Dat ze uit het raam had gekeken en Ray met Jacob op zijn schouders paardje had zien spelen, over het gras zien rennen, over de omgekeerde kruiwagen zien springen. En inwendig had gejankt bij het idee dat ze terug moest naar hun kleine flatje waar het naar hamster rook.

Toen stond hij voor de deur met een bos anjers, wat wel even schrikken was. Hij wilde niet binnenkomen. Maar zij stond erop. Vooral omdat ze in verlegenheid was gebracht. Ze wilde niet de bloemen aanpakken en vervolgens doodleuk de deur dichtdoen. Ze gaf hem koffie en hij zei dat hij niet zo goed was in koetjes en kalfjes en ze vroeg of hij dan maar meteen tot de seks wou overgaan. Maar het had in haar hoofd grappiger geklonken dan toen ze het zei. En als hij 'goed,' had gezegd, zou ze het misschien nog gedaan hebben ook, puur omdat het vleiend was dat iemand haar wilde ondanks de wallen onder haar ogen en het T-shirt van het Cotswold Wildlife Park met de bananenvlekken. Maar hij meende het, van die koetjes en kalfjes. Hij was goed in het repareren van de cassettespeler en in het maken van een Engels ontbijt en het organiseren van uitjes naar spoorwegmusea, en al die dingen deed hij liever dan keuvelen.

Hij was opvliegend. Hij had tegen het einde van zijn eerste huwelijk zijn hand door een deur heen geramd en daar twee doorgesneden pezen aan overgehouden. Maar ze kende weinig zachtaardigere mannen.

Een maand later nam hij hen mee naar zijn vader en stiefmoeder in Hartlepool. Die woonden in een bungalow met een tuin die Jacob het einde vond vanwege de drie kabouters rond de siervijver en dat tuinhuisje waarin je je kon verstoppen.

Alan en Barbara behandelden haar alsof ze van adel was, waar ze nogal nerveus van werd, totdat ze besefte dat ze alle vreemden waarschijnlijk op dezelfde manier behandelden. Alan had het grootste deel van zijn leven in een snoepfabriek gewerkt. Toen Rays moeder aan kanker overleed, ging hij terug naar de kerk waar hij ook in zijn jeugd heen was gegaan en had daar Barbara ontmoet die van haar man was gescheiden toen die alcoholist werd ('verslingerd raakte aan de drank,' zei ze, alsof het vissen of volksdansen betrof).

Ze voelden meer als grootouders, vond Katie (al had geen van haar twee opa's tatoeages). Ze behoorden tot een andere wereld van eerbied en plichtsbesef. Ze hadden een muur van hun huiskamer vol gehangen met foto's van Ray en Martin, evenveel van allebei ondanks de wanboel die Martin van zijn leven had gemaakt. In de eetkamer stond een pronkkastje met porseleinen beeldjes en om de voet van de toiletpot lag een pluizig kleedje in de vorm van een U.

Barbara maakte een stoofpot en bakte een paar vissticks voor Jacob toen die over 'klontjes' klaagde. Ze vroegen wat zij deed in Londen en ze legde uit dat ze een kunstfestival hielp organiseren, en het klonk artistiekerig en aanstellerig. Dus vertelde ze het verhaal over de dronken nieuwslezer die ze het jaar daarvoor hadden ingehuurd, en bedacht toen net iets te laat waarom Barbara was gescheiden en slaagde er niet eens in om elegant van onderwerp te veranderen, maar stopte abrupt en vol gêne. Dus begon Barbara over iets anders en vroeg wat haar ouders deden en Katie zei dat haar vader onlangs met werken was gestopt en daarvoor een klein bedrijfje had gehad. Daar wou ze het bij laten, maar Jacob zei: 'Opa maakt schommels,' dus moest ze uitleggen dat Shepherds toestellen voor kinderspeelplaatsen maakte, wat beter klonk dan een kunstfestival organiseren, maar toch wat minder solide dan ze had gewild.

En misschien zou ze zich een paar jaar geleden niet meer op haar gemak hebben gevoeld en zo snel mogelijk hebben willen teruggaan naar Londen, maar veel van haar kinderloze kennissen daar begonnen zelf een beetje artistiekerig en aanstellerig te lijken, en het was goed om bij mensen te zijn die zelf kinderen hadden grootgebracht en meer luisterden dan praatten en tuinieren belangrijker vonden dan kapsels.

En misschien waren ze wel ouderwets. Misschien was Ray wel ouderwets. Misschien stofzuigde hij niet graag. Misschien legde hij het doosje tampons altijd terug in de kast in de badkamer. Maar Graham deed aan tai chi en bleek een zak te zijn.

Het kon haar geen bal schelen wat haar ouders vonden. Trouwens, ma deed het met een van pa's oude collega's en pa deed net of de zijden sjaaltjes en de stralende ogen het gevolg waren van haar nieuwe baan na dertig jaar moederschap en huishoudelijk werk. Dus wat relaties betrof hadden ze weinig recht van spreken.

Jezus, ze wilde er niet eens aan denken.

Ze wilde alleen maar zonder al te veel wrijving de maaltijd doorkomen en een of ander vreselijk vrouwen-onder-elkaar-praatje bij de afwas vermijden.

6

De maaltijd verliep vrij goed, tot aan het toetje.

Er was een naar momentje toen George zich omkleedde. Hij stond op het punt zijn werkkleren uit te trekken toen hij zich herinnerde wat eronder zat en die horrorfilmschok voelde die je kreeg als de deur van de klerenkast dichtzwaaide en je in de spiegel de zombie met de zeis achter de hoofdpersoon zag staan.

Hij deed het licht uit, liet de luxaflex zakken en douchte in het donker onder het zingen van 'Jerusalem'.

Het gevolg was dat hij zich niet alleen schoon voelde toen hij de trap af liep, maar ook trots dat hij zo snel en doelmatig had gehandeld. Toen hij de eetkamer in liep, was daar wijn en conversatie en Jacob die deed of hij een helikopter was, en kon George eindelijk een beetje loslaten.

Zijn vrees dat Jean, omdat ze Jean was, een goedbedoelde maar misplaatste opmerking zou maken en dat Katie, omdat ze Katie was, zou toehappen en dat ze vervolgens als twee katten zouden krijsen, bleek ongegrond. Katie praatte over Barcelona (dat natuurlijk in Spanje lag, hij wist het weer), Ray maakte complimentjes over het eten ('Heerlijk soepje, mevrouw Hall') en Jacob maakte een startbaan van zijn bestek zodat zijn bus kon opstijgen en werd behoorlijk driftig toen George zei dat bussen niet konden vliegen.

Maar toen ze halverwege de bramenkruimeltaart waren, begon het plekje als voeteczeem te jeuken. Het woord 'tumor' kwam bij hem op en dat was een lelijk woord waar hij geen zin in had, maar hij kreeg het niet uit zijn hoofd.

Hij voelde het groeien terwijl hij aan tafel zat, misschien te langzaam om het met het blote oog te kunnen zien, maar het groeide wel degelijk, zoals de broodschimmel die hij als jochie een keer in een jampot op de vensterbank van zijn slaapkamer had gezet.

Ze hadden het over dingen die voor de bruiloft geregeld moesten worden: catering, fotografen, uitnodigingen... Dat deel van het gesprek kon George wel volgen. Toen begonnen ze te bespreken of ze een hotel zouden boeken (de voorkeur van Katie en Ray) of een feesttent voor in de tuin zouden huren (de voorkeur van Jacob, die het hele idee van een tent erg spannend vond). Op dat punt begon George de draad kwijt te raken.

Katie richtte zich tot hem en zei iets als: 'Wanneer is het atelier klaar?' maar ze had ook Hongaars kunnen spreken. Hij zag haar mond wel bewegen, maar kon het geluid dat eruit kwam niet verwerken.

In zijn hoofd werd plankgas gegeven. De motor gierde, de wielen draaiden rond en de banden rookten, maar hij kwam geen millimeter vooruit.

Hij wist niet meer precies wat er daarna gebeurde, maar het was niet elegant, het leverde beschadigd serviesgoed op en het eindigde ermee dat hij snel door de achterdeur van het toneel verdween.

7

Er klonk gekletter van borden en toen Jean zich omdraaide bleek George te zijn verdwenen.

Na zo'n vijf seconden verbijsterde stilte keek Jacob op van zijn bus en vroeg: 'Waar is opa?'

'In de tuin,' zei Ray.

'Goed,' zei Katie, en haar kaak verstrakte.

Jean probeerde haar nog te onderscheppen. 'Katie...'

Maar het was te laat. Katie stond op en beende de kamer uit om achter haar vader aan te gaan. Opnieuw viel er een korte stilte.

'Is mama ook in de tuin?' vroeg Jacob.

Jean keek Ray aan. 'Excuses hiervoor.'

Ray keek Jacob aan. 'Pittige tante, die moeder van jou.'

'Wat is pittig?' vroeg Jacob.

'Ze wordt kwaad, hè,' zei Ray.

Jacob dacht even na. 'Mogen we met de duikboot spelen?'

'Vooruit dan maar, kapitein.'

Toen Ray en Jacob de overloop hadden bereikt, liep Jean naar de keuken en ging bij de koelkast staan, vanwaar ze Katie kon zien zonder gezien te worden.

'En water spuit uit de spuiter,' schreeuwde Jacob boven.

'Het kan me niet schelen wat je vindt, pa.' Katie liep met grote passen heen en weer over de patio en zwaaide met haar armen als een krankzinnige in een film. 'Het is mijn leven. Ik ga met Ray trouwen, of jij dat nou leuk vindt of niet.'

Waar George precies was, of wat hij deed, was moeilijk te zeggen.

'Je hebt geen idee. Geen idee. Ray is aardig. Ray is lief. En jij hebt recht op je eigen mening. Maar als je dit probeert tegen te houden, doen we het gewoon zonder jullie, oké?'

Ze leek naar de grond te staren. Daar lag George toch niet?

Toen hij de kamer uit gerend was, had Jean aangenomen dat hij vla op zijn broek had gemorst of gas geroken en dat Katie overhaaste conclusies had getrokken. Wat geen verbazing wekte. Maar er was blijkbaar iets ernstigers aan de hand en dat baarde haar zorgen.

'Nou?' zei Katie aan de andere kant van het glas.

Jean hoorde geen antwoord.

'Jezus. Ik geef het op.'

Katie verdween uit het raam en er klonken voetstappen naast het huis. Jean trok snel de koelkast open en greep een pak melk. Katie stormde naar binnen, siste: 'Wat heeft die man?' en liep met grote stappen de gang door.

Jean zette de melk terug en wachtte tot George weer zou verschijnen. Toen hij niet kwam, zette ze theewater op en liep naar buiten.

Hij zat op de patio met zijn rug tegen de muur en zijn vingers op zijn ogen gedrukt en leek sprekend op die Schotse man die cider dronk en op het gras voor de politierechtbank sliep. En dat beangstigde haar.

'George?' Ze kwam voor hem staan en boog zich naar hem toe.

Hij haalde zijn handen van zijn gezicht. 'O, ben jij het.'

'Is er iets met je?' vroeg Jean.

'Ik wou... ik had moeite met praten,' zei George. 'En Katie schreeuwde zo.'

'Voel je je wel goed?'

'Eerlijk gezegd voel ik me niet echt geweldig,' zei George.

'Hoe komt dat dan?' Ze vroeg zich af of hij had gehuild, maar dat leek belachelijk.

'Ik kon niet zo goed ademen. Ik had even wat frisse lucht nodig. Sorry.'

'Dus het was niet vanwege Ray?'

'Ray?'

Hij scheen te zijn vergeten wie Ray was, en ook dat was zorgwekkend.

'Nee,' zei George. 'Het was niet vanwege Ray.'

Ze raakte zijn knie aan. Dat voelde vreemd. George hield niet van medeleven. Hij hield van warme citroendrank en een deken en de kamer voor zich alleen. 'Hoe voel je je nu dan?'

'Wat beter. Nu ik met jou praat.'

'We zullen de dokter bellen en morgen een afspraak voor je maken,' zei Jean.

'Nee, niet de dokter,' zei George, nogal nadrukkelijk.

'Doe niet zo mal, George.' Ze stak haar hand uit. Hij pakte die en hees zich langzaam overeind. Hij trilde. 'Kom, we gaan naar binnen,' zei ze.

Ze was bezorgd. Ze hadden de leeftijd bereikt waarop dingen fout gingen en niet altijd meer beter werden. Bob Green met zijn hartaanval. Moira Palmer met haar nier. Maar hij liet haar nu tenminste wel voor hem zorgen, voor de verandering. Ze kon zich niet herinneren wanneer ze voor het laatst zo arm in arm hadden gelopen.

Toen ze naar binnen stapten, stond Katie midden in de keuken kruimeltaart uit een schaaltje te eten.

Jean zei: 'Je vader is niet lekker.'

Katies ogen vernauwden zich.

Jean vervolgde: 'Dit heeft niets te maken met het feit dat jij met Ray gaat trouwen.'

Katie keek George aan en zei met een mond vol kruimeltaart: 'Had dat dan gezegd, verdomme.'

Jean bracht George naar de gang.

Hij liet haar hand los. 'Ik denk dat ik boven even ga liggen.'

De twee vrouwen wachtten op de flauwe klik van de slaapkamerdeur boven hun hoofd. Toen kwakte Katie haar lege schaaltje in de gootsteen. 'Fijn. Ik heb mezelf volkomen voor schut gezet. Bedankt dat je dat hebt laten gebeuren.'

'Ik geloof niet dat ik je daarbij hoef te helpen.'

8

Alleen in een donkere kamer op bed liggen was niet zo troostrijk als George had gehoopt. Hij keek naar een vlieg die zomaar wat rondvloog in de gespikkelde grijze lucht. Tot zijn verbazing miste hij Katie en haar geschreeuw. In het ideale geval had hij zelf ook graag een beetje willen schreeuwen. Het leek een therapeutische activiteit. Maar hij was nooit zo goed geweest in schreeuwen. Hij zou wel niet verder komen dan dat er iemand tegen hem schreeuwde.

De vlieg streek neer op een kwastje van de lampenkap.

Het zou goed komen. Jean zou hem niet dwingen om naar de dokter te gaan. Niemand kon hem dwingen om iets te doen.

Hij hoefde het woord 'dokter' maar in zijn hoofd te zeggen en hij rook de gummislangen en zag de spookgloed van röntgenstralen op lichtbakken, de donkere massa, artsen in beige zijkamertjes die klemborden op hun schoot hielden en diplomatiek waren.

Hij moest zichzelf afleiden.

De acht Amerikaanse staten die met een M begonnen.

Maine. Missouri. Maryland. Die vergat iedereen. Montana. Mississippi. Of was dat alleen een rivier?

De deur ging open.

'Mag ik in je grot komen, opa?'

Zonder op het antwoord te wachten scheurde Jacob de kamer door, klom op het bed en stopte zijn benen onder het dekbed. 'Dan kan het grote... het grote... het grote gele monsteretende monster ons niet pakken.'

'Ik denk dat je wel veilig bent,' zei George. 'We krijgen hier weinig monsters.'

'Het is het gele monsteretende monster,' zei Jacob resoluut.

'Het gele monsteretende monster,' zei George.

'Wat is een heffalump?' vroeg Jacob.

'Eh, heffalumpen bestaan eigenlijk niet.'

'Maar zijn ze harig?' vroeg Jacob.

'Ze bestaan niet, dus... nee, ze zijn niet harig.'

'Hebben ze vleugels?'

George had zich nooit erg op zijn gemak gevoeld bij kleine kinderen. Hij wist dat ze niet al te snugger waren. Dat was het hem juist. Daarom gingen ze ook naar school. Maar ze roken angst. Ze keken je recht in de ogen en vroegen of je busconducteur wou zijn en het was moeilijk om het vermoeden van je af te zetten dat je een of andere duivelse proef moest doorstaan.

Toen Jamie en Katie nog klein waren, maakte het niet uit. Vaders hoefden geen kiekeboe te spelen of hun hand in een sok te steken en meneer Slingslang te zijn (Jacob en Jean waren bovenmatig dol op meneer Slingslang). Je bouwde een boomhut, sprak recht en nam de vlieger als het hard waaide. En dat was dat.

'Heeft hij een straalmotor of een peller?' vroeg Jacob.

'Heeft wat een straalmotor of een peller?' vroeg George.

'Heeft dit vliegtuig een straalmotor of een peller?'

'Nou, ik denk dat jij dat maar moet zeggen.'

'Wat denk jij?' vroeg Jacob.

'Ik denk dat het een propeller heeft.'

'Nee. Het heeft een straalmotor.'

Ze lagen op hun rug, zij aan zij, naar het plafond te kijken. De vlieg was weg. Er was een lichte geur van natte luier. Ergens tussen kippensoep en gekookte melk.

'Gaan we nu slapen doen?' vroeg Jacob.

'Eerlijk gezegd, Jacob, geloof ik dat ik liever blijf praten.'

'Hou je van praten, opa?'

'Soms,' zei George. 'Vaak hou ik ervan om gewoon stil te zijn. Maar op dit ogenblik geloof ik dat ik liever wil praten.'

'Wat is dit oogblik?'

'Dit ogenblik is nu. Vlak na het eten. 's Middags. Op zondag.'

'Ben jij grappig?' vroeg Jacob.

'Ik denk dat de meeste mensen mij niet grappig vinden.'

'Wat is het nummer van zaterdag?' vroeg Jacob.

'Sorry, maar ik snap de vraag niet helemaal, Jacob.'

'Is het o, met de o van opa?'

De deur ging weer open en het hoofd van Ray verscheen.

'Sorry, George. Die kleine is ontsnapt.'

'Geeft niet. We waren aan het praten, hè Jacob?'

Het voelde goed om zijn aanstaande schoonzoon wat tegengas te geven op een van de terreinen waarop diens deskundigheid buiten kijf stond.

Maar toen werd het minder goed, want Ray kwam de kamer in en ging op het voeteneind zitten. Van het bed van hem en Jean.

'Zo te zien hebben jullie het goed bekeken, jongens. Jullie houden je gedekt.'

Ray ging op het bed liggen.

En hier overlapten het kinderprobleem en het Ray-probleem elkaar. Je kreeg weleens de indruk dat er stukjes in zijn hersenen ontbraken, dat hij gewoon de badkamer in kon komen lopen om een handdoek te pakken terwijl jij op de wc zat, zonder enig idee te hebben dat dit ongepast was.

Jacob krabbelde overeind. 'Laten we *ring-a-roses* doen.'

Daar was hij dan. De proef. Je begon een vriendelijk gesprek over heffalumpen en voor je het wist kon je geen kant meer uit en moest je aan een of andere vernederende poppenkast meedoen.

'Oké,' zei Ray, en hij ging op zijn knieën zitten.

God zal me bewaren, dacht George. Hier hoefde hij toch niet aan mee te doen? 'George?'

Wel dus.

Hij ging op zijn knieën zitten. Jacob pakte zijn linkerhand en Ray zijn rechter. Hij hoopte van ganser harte dat Jean of Katie de kamer niet in zouden komen terwijl dit gaande was.

Jacob begon op en neer te springen. '*Ring-a-ring-a-roses...*'

Ray viel in. '*A pocket full of noses.*'

George bewoog zijn schouders op en neer op de maat van het liedje.

'*Atshoo, atshoo, we all fall down.*'

Jacob sprong in de lucht en viel gillend met Ray op het dekbed. George, die de hoop had opgegeven dat hij met behoud van enige waardigheid kon ontsnappen, zakte achterover op zijn kussen.

Jacob lachte. Ray lachte. En George bedacht dat als hij de hendel kon vinden, hij misschien de geheime deur kon opendoen en naar beneden kon glijden, helemaal terug naar zijn jeugd, en dat iemand zich dan over hem zou ontfermen en dat hij weer veilig was.

'Meer,' riep Jacob en klauterde weer overeind. 'Meer, meer, meer, meer, meer...'

9

Jamie gooide zijn jasje over de rugleuning van de stoel, trok zijn das los en deed, omdat er toch niemand keek, een dansje over de keukenvloer dat voor de koelkast eindigde. 'Jawel.'

Hij pakte een flesje Corona, deed de koelkast dicht, haalde de Silk Cut uit de la onder de broodrooster, sloeg de tuindeuren open, ging op het bankje zitten en stak de sigaret op.

Het was een goede dag geweest. Contracten rond voor het huis van Miller. En de Owens gingen toehappen. Dat zag je in hun ogen. In elk geval in haar ogen. En zij had duidelijk de broek aan. Bovendien zat Carl nog steeds thuis met zijn gebroken enkel dus had Jamie de Cohens voor zijn rekening genomen en dat zeer publiekelijk niet verpest. In tegenstelling tot Carl.

De tuin lag er prachtig bij. Geen kattendrollen om te beginnen. Misschien deden de leeuwenmestkorrels hun werk. Onderweg naar huis had het geregend, waardoor de grote kiezels schoon en donker en glanzend waren. De robuuste bielzen rond de verhoogde bloembedden. Forsythia, laurier, hosta. God mocht weten waarom mensen gras plantten. Je had toch een tuin om in te zitten en niets te doen?

Hij hoorde vage reggaeklanken uit een paar tuinen verderop. Hard genoeg voor dat luie zomergevoel. Niet zo hard dat je wou dat ze het zachter zetten.

Hij nam een teug bier.

Op de gevel van het tegenoverliggende huis verscheen een rare oranje blaar. Hij groeide langzaam uit tot een luchtballon die naar het westen schoof, achter de takken van de kersenboom. Er verscheen een tweede ballon, nu een rode, in de vorm van een reusachtige brandblusser. Een voor een werd de hemel gevuld met ballonnen.

Hij blies een rookwolkje uit en keek hoe het zijwaarts dreef, zijn vorm behield tot het oploste boven de barbecue.

Het leven kon niet beter. Hij had de flat. Hij had de tuin. Onverwoestbare bejaarde dame links van hem. Christenen rechts van hem (je kon zeggen wat je wou over christenen, maar ze jodelden tenminste niet tijdens de seks zoals de Duitsers die er daarvoor hadden gewoond). Sportschool op dinsdag en donderdag. Tony drie avonden per week op bezoek.

Hij nam nog een trekje van de sigaret.

Er waren ook vogelgeluiden, naast de reggae. Op zijn tiende zou hij hebben geweten welke soort het was. Nu had hij geen idee. Niet dat het uitmaakte. Het was een prettig geluid. Natuurlijk. Kalmerend.

Tony zou over een halfuur komen. Ze zouden naar de Carpenter's Arms gaan om wat te eten. Op de terugweg een dvd'tje bij Blockbuster meenemen. Als Tony nog puf had, zat er misschien een wip in.

In een naburige tuin trapte een kind een bal tegen een muur. Doink, doink, doink.

Alles leek in een soort evenwicht te verkeren. Uiteraard zou er iemand komen om het in de war te schoppen, want dat deden andere mensen nu eenmaal. Maar voor nu...

Hij had een beetje trek en vroeg zich af of er nog Pringles waren. Hij stond op en liep naar binnen.

Katie vroeg zich weleens af of haar moeder haar opvattingen koos puur om haar pesten.

Het was duidelijk dat ze de bruiloft liever niet zag plaatsvinden. Maar als het dan toch gebeurde, moest meteen het een groots, publiek evenement worden. Katie wees erop dat het een tweede huwelijk was. Haar moeder zei dat ze niet gierig wilden lijken. Katie zei dat sommige restaurants peperduur waren. Haar moeder stelde een kerkelijke inzegening voor. Katie vroeg waarom. Haar moeder zei dat het leuk zou zijn. Katie wees erop dat het bij godsdienst niet om leuk ging. Haar moeder zei dat ze een jurk moest laten maken. Katie zei dat ze niet aan japonnen deed. Haar moeder zei dat ze niet zo raar moest doen. En Katie begon te beseffen dat ze naar Las Vegas hadden moeten gaan en het achteraf pas zeggen.

De volgende dag zat Katie naar *Brookside* te kijken terwijl Ray en Jacob van twee eetstoelen en de picknickdeken een soort primitieve schuilhut maakten. Ze vroeg wat ze deden en Jacob zei dat ze een tent maakten. 'Voor de bruiloft.' En Katie dacht: Verdomme. Zij ging met Ray trouwen. Haar ouders gingen een feest geven. Ze gingen gewoon die twee dingen tegelijk doen.

Ze belde haar moeder en stelde een compromis voor. Haar moeder kreeg de feesttent en de bloemen en de taart. Katie kreeg de burgerlijke plechtigheid, geen inzegening en een jurk uit de winkel.

De zaterdag daarop gingen Ray en Jacob een nieuwe uitlaat onder de auto laten zetten en had Katie in de stad met Mona afgesproken om kleren te kopen voordat haar moeder van gedachten veranderde.

Ze kocht bij Whistles een lange strapless jurk van hemelsblauwe zijde. Je kon er niet in rennen (Katie kocht bewust nooit iets waarin je niet kon rennen), maar wanneer er brand uitbrak in het trouwzaaltje zwaaide Ray haar wel over zijn schouder, dacht ze. Ze kocht een paar suède schoenen van iets donkerder blauw met een flinke hak bij een winkel in Oxford Street, en het was best leuk om een paar uur meisjesachtig te doen met Mona, die dat eindeloos kon volhouden.

Thuis maakte ze een pirouetje voor de jongens en Jacob zei: 'Je lijkt wel een dame', wat gek klonk, maar wel lief.

Ze ging op haar hurken zitten en gaf hem een zoen (dat hurken ging ook niet echt makkelijk). 'We moeten voor jou een matrozenpakje in dezelfde kleur kopen.'

'Doe dat mannetje een plezier,' zei Ray.

Jacob keek haar ernstig aan. 'Ik wil mijn Bob de Bouwer-T-shirt aan.'

'Ik weet niet of oma daar zo blij mee zal zijn,' zei Katie.

'Maar ik wil mijn Bob de Bouwer-T-shirt aan.'

Dat zouden ze wel zien als het zover was.

11

George zat in de auto voor de dokterspraktijk en hield het stuur vast alsof hij van een berg af reed.

Het plekje voelde als een mangatdeksel van rottend vlees onder zijn overhemd.

Hij kon naar de dokter gaan, of hij kon wegrijden. Hij voelde zich wat rustiger door het zo te formuleren. Keuze A of keuze B.

Als hij naar de dokter ging, zou hij de waarheid horen. Hij wou de waarheid niet horen, maar de waarheid kon meevallen. Het plekje kon goedaardig zijn of van behandelbare omvang. Dokter Barghoutian was echter maar een huisarts. George zou doorverwezen kunnen worden naar een specialist en dan een week, twee weken, een maand met dat vooruitzicht moeten leven (het was heel goed mogelijk dat je na zeven dagen zonder eten en slaap volkomen krankzinnig werd – in dat geval was het niet meer aan hem).

Als hij wegreed, zou Jean vragen waar hij was geweest. De doktersassistente zou bellen om te vragen waarom hij niet was komen opdagen. Hij zou misschien niet kunnen opnemen voordat Jean bij de telefoon was. Hij zou doodgaan aan kanker. Jean zou erachter komen dat hij niet naar de dokter was geweest en woest zijn dat hij aan kanker stierf en daar niets aan had gedaan.

Aan de andere kant, als het plekje goedaardig was of van behandelbare omvang en hij reed weg, zou het daarna tot een kwaadaardige en onbehandelbaar grote tumor kunnen uitgroeien, en als hij dat dan te horen kreeg, zou hij, hoe kortstondig ook, moeten leven met de wetenschap dat zijn dood een direct gevolg was van zijn eigen lafheid.

Toen hij eindelijk uit de auto stapte, was dat omdat zijn eigen gezelschap in zo'n beperkte ruimte onverdraaglijk was geworden.

De aanwezigheid van andere mensen in de wachtkamer kalmeerde hem ietwat. Hij meldde zich en vond een lege stoel.

Wat moest hij over Ray zeggen in zijn bruiloftsspeech? Dat was nog eens een opgave waar hij zijn tanden in kon zetten.

Ray was goed met kinderen. In elk geval met Jacob. Hij kon dingen repareren.

Dacht hij althans. De grasmaaier had een week nadat hij eraan geknoeid had de geest gegeven. Hoe dan ook was het niet voldoende aanbeveling voor een huwelijk. Hij had geld. Dat was wel voldoende aanbeveling, maar daar kon je alleen maar een amusante, terloopse opmerking over maken als je eenmaal duidelijk had laten merken dat je het een aardige vent vond.

Het begon zijn hoofd te vullen.

Ray was verliefd op Katie, en Katie was verliefd op hem.

Was dat zo? Wat er in zijn dochter omging, was altijd een raadsel voor hem geweest. Niet dat ze er moeite mee had om haar mening te ventileren. Over het behang in haar slaapkamer. Over mannen met een harige rug. Maar haar meningen waren zo heftig (kon behang zo belangrijk zijn?), zo veranderlijk en zo duidelijk geen onderdeel van een samenhangend wereldbeeld, dat hij zich weleens afvroeg, vooral in haar tienertijd, of er medisch iets mis met haar was.

Nee. Hij haalde alles door elkaar. Het was niet de taak van de vader van de bruid om zijn aanstaande schoonzoon aardig te vinden (nog terwijl hij de gedachte formuleerde voelde hij zijn gezonde verstand terugkeren). Dat moest de getuige van de bruidegom doen. En als die beter was dan de joker bij haar vorige bruiloft, zou Georges opluchting wat dat aanging misschien nog wel groter zijn dan zijn twijfels over het huwelijk zelf ('Dus heb ik alle vroegere vriendinnetjes van Graham gebeld om te horen wat Katie te wachten stond. En die zeiden het volgende:...')

Hij keek op en zag een poster op de muur tegenover hem. Die bestond uit twee grote foto's. Op de linkerfoto zag je een stukje gebruinde huid met de woorden 'Ben ik niet mooi bruin?' De foto rechts had als tekst 'Heb ik niet mooi huidkanker?' onder, zo leek het, een grote steenpuist vol sigarettenas.

Het scheelde weinig of hij moest overgeven en hij besefte dat hij steun had gevonden door de schouder vast te pakken van het kleine Indiase vrouwtje rechts van hem.

'Pardon.' Hij stond op.

Waarom hingen ze in godsnaam zo'n poster op, juist hier? Hij zette koers naar de deur.

'Meneer Hall?'

Hij was halverwege toen hij de receptioniste het hoorde herhalen, strenger nu. Hij draaide zich om.

'U mag naar de dokter toe.'

Hij was te zwak om niet te gehoorzamen en liep de gang door naar waar dokter Barghoutian stralend naast zijn geopende deur stond.

'George,' zei dokter Barghoutian.

Ze gaven elkaar een hand.

Dokter Barghoutian leidde George naar binnen, deed de deur dicht, ging zitten en leunde achterover met een potloodstompje als een sigaar tussen wijs- en middelvinger van zijn rechterhand geklemd.

'Zo, vertel het eens.'

Er stond een goedkoop plastic Eiffeltorentje op een plank achter het hoofd van de dokter en een ingelijste foto van zijn dochter op een schommel.

Het was zover.

'Ik heb een aanval gehad,' zei George.

'En over wat voor soort aanval hebben we het dan?'

'Bij het eten. Ik kreeg het ineens zo benauwd. Ik heb wat dingen omgegooid in mijn haast om buiten te komen.'

Benauwd. Hij had het gewoon even benauwd gekregen. Waarom had hij zich daar zo druk over gemaakt?

'Pijn in de borst?' vroeg de dokter.

'Nee.'

'Ben je gevallen?'

'Nee.'

Dokter Barghoutian staarde hem aan en knikte wijs. George voelde zich niet goed. Het was als die scène tegen het einde van de film, na de Russische huurmoordenaar en de onverklaarbare brand in het kantoor en het parlementslid met de voorliefde voor prostituees. En het kwam uiteindelijk allemaal hier op neer, op een of andere vent in de bibliotheek van een Londense sociëteit die op Eton had gezeten en alles wist en mensen met één telefoontje uit de weg kon laten ruimen.

'Waar wilde je aan ontsnappen?' vroeg de dokter.

George kon geen enkel antwoord bedenken.

'Was je ergens bang voor?'

George knikte. Hij voelde zich als een jochie van vijf.

'En waar was je bang voor?'

Het was goed. Het was fijn om een jochie van vijf te zijn. Voor jochies van vijf werd gezorgd. Dokter Barghoutian zou voor hem zorgen. Hij hoefde alleen maar zijn tranen terug te dringen.

George tilde zijn overhemd op en ritste zijn broek open.

Oneindig traag pakte de dokter zijn bril van het bureau, zette die op en boog zich naar het plekje. 'Heel interessant.'

Interessant? Jezus. Hij ging aan kanker sterven omringd door studenten geneeskunde en bezoekende hoogleraren dermatologie.

Er leek een jaar te verstrijken.

Dokter Barghoutian zette zijn bril af en leunde weer achterover in zijn stoel.

'Ovoïde eczeem, of ik moet me sterk vergissen. Een weekje steroïdenzalf en je bent ervan af.' Hij zweeg even en tipte wat denkbeeldige as van zijn potlood op het vloerkleed. 'Stop je hemd er maar weer in.'

George stopte zijn overhemd weer in zijn broek en maakte die vast.

'Ik zal een recept voor je uitprinten.'

Bij de receptie liep hij door een zuil zonlicht die door een hoog raam op het gevlekte groene tapijt viel. Een moeder gaf een baby'tje de borst. Naast haar leunde een bejaarde man met blozende wangen en regenlaarzen op een wandelstok en leek langs de wandelwagentjes en de tijdschriften met ezelsoren heen te kijken naar het golvende land waar hij ongetwijfeld het grootste deel van zijn werkzame leven had doorgebracht. Een rinkelende telefoon klonk als kerkklokken.

Hij duwde de dubbele glazen deur open en betrad de dag weer.

Vogels zongen. Of eigenlijk niet, maar het leek een ochtend die vogelzang verdiende. Boven zijn hoofd trok een straalvliegtuig midden in een blauwe hemel een witte rits open, met mensen op weg naar Chicago en Sydney, naar congressen en colleges, naar familiereünies en hotelkamers met dikke handdoeken en uitzicht op zee.

Hij bleef op het afstapje staan en ademde de lekkere geuren in van verse regen en een gestookt vuurtje.

Vijftien meter verderop, aan de andere kant van een keurige gesnoeide, tot het middel reikende ligusterhaag, stond de Volkswagen Polo als een trouwe hond op hem te wachten.

Hij ging naar huis.

12

Jamie at zijn zevende Pringle, zette de koker terug in de kast, liep de huiskamer in, liet zich op de bank zakken en drukte op de knop van het antwoordapparaat.

'Dag Jamie. Met ma. Ik dacht dat je misschien wel thuis zou zijn. Nou ja, niks aan te doen. Je hebt het vast al wel gehoord, maar Katie en Ray zijn zondag langs geweest en ze gaan trouwen. Een behoorlijke verrassing, dat begrijp je. Je vader is er nog steeds niet van bekomen. Maar goed. Derde week van september. De receptie houden we hier. In de tuin. Katie zei dat je iemand moet meenemen. Maar tegen die tijd versturen we de echte uitnodigingen wel. Maar goed, het zou fijn zijn om je te spreken als je de kans ziet. Veel liefs.'

Trouwen? Jamie voelde zich een beetje trillerig. Hij speelde de boodschap nog eens af voor het geval hij die verkeerd gehoord had. Maar nee.

God, zijn zus had een hoop stommiteiten uitgehaald, maar dit sloeg alles. Ray zou een fase zijn, was de bedoeling. Katie sprak Frans. Ray las biografieën van sportlui. Geef hem een paar biertjes en hij zou waarschijnlijk over 'de gekleurde medemens' beginnen.

Ze woonden nu... hoe lang samen? Een halfjaar?

Hij luisterde voor de derde keer naar het bericht, liep toen de keuken in en pakte een chocolade-ijsje uit de vriesla.

Waarom baalde hij er zo van? Hij zag Katie tegenwoordig amper nog. En dan nog altijd met Ray erbij. Wat maakte het uit of ze getrouwd waren? Een papiertje, dat was alles.

Waarom zat het hem dan zo dwars?

Verdomme, er zat een kat in de tuin. Hij pakte een kiezelsteen van het stoepje, richtte en gooide mis.

Kut. Door de armzwaai zat er nu ijs op zijn overhemd.

Hij nam het af met een nat sponsje.

Het nieuws uit de tweede hand horen. Daar baalde hij van. Katie had het hem niet zelf durven te vertellen. Ze wist wat hij zou zeggen. Of zou denken. Dus mocht ma het doen.

Het was dat verhaal van die andere mensen in een notendop. Die de boel altijd verziekten. Je reed door Streatham zonder dat iemand last van je had en dan ramden ze je aan de passagierskant in de flank terwijl ze aan het bellen waren. Je ging een lang weekend naar Edinburgh en dan jatten ze je laptop en kakten op de bank.

Hij keek naar buiten. Die rotkat was weer terug. Hij legde het chocoladeijsje neer en gooide nog een kiezelsteen, deze keer harder. Het steentje schampte een van de bielzen, vloog over de achtermuur in de aangrenzende tuin en raakte een onzichtbaar voorwerp met een harde klap.

Hij trok de tuindeuren dicht, pakte het ijsje op en stapte uit het zicht.

Twee jaar geleden zou ze Ray niet hebben zien staan.

Ze was doodmoe, dat was het probleem. Ze dacht niet goed na. Twee jaar lang in dat armzalige flatje voor Jacob zorgen met zes uur slaap per nacht. Vervolgens komt Ray met de avances en het geld en het grote huis en de snelle wagen.

Hij moest haar bellen. Hij legde het ijsje op de vensterbank.

Misschien had Ray het wel tegen hun ouders gezegd. Dat was zeker een mogelijkheid. En echt iets voor Ray. Binnen komen klossen met zijn maatje negenenveertig. En op de weg terug naar huis op zijn donder krijgen van Katie omdat hij haar het gras voor de voeten had weggemaaid.

Hij belde. De telefoon ging over.

De telefoon werd opgenomen. Jamie besefte dat het Ray kon zijn en liet de hoorn bijna vallen. 'Shit.'

'Hallo?' Het was Katie.

'Goddank,' zei Jamie. 'Sorry, dat bedoelde ik niet zo. Ik bedoel, met Jamie.'

'Jamie, hoi.'

'Ik hoor het net van ma.' Hij probeerde luchtig en onbezorgd te klinken, maar was nog wat zenuwachtig vanwege de paniek van zonet.

'Ja, we besloten in de auto op weg naar Peterborough pas om het te gaan zeggen. En toen we terugkwamen vroeg Jacob nogal wat aandacht. Ik had je vanavond willen bellen.'

'Nou... gefeliciteerd.'

'Bedankt,' zei Katie.

Er volgde een ongemakkelijke stilte. Hij wilde dat Katie zou zeggen: 'Help me, Jamie, ik maak een enorme vergissing', wat er natuurlijk niet in zat. En hij wilde zeggen: 'Waar ben je in jezusnaam mee bezig?' Maar als hij dat deed, zou ze nooit meer met hem praten.

Hij vroeg hoe het met Jacob ging en Katie vertelde dat hij op de crèche een neushoorn had getekend en dat hij in bad had gepoept, dus veranderde hij van onderwerp en zei: 'Dus Tony wordt ook uitgenodigd?'

'Natuurlijk.'

En ineens drong het tot hem door: de gezamenlijke uitnodiging. Hij nam Tony niet mee naar Peterborough, dat konden ze mooi vergeten.

Nadat hij had neergelegd pakte hij het ijsje weer op, veegde het kleverige bruin van de vensterbank en liep weer naar de keuken om thee te zetten.

Tony in Peterborough. Jezus. Hij wist niet wat erger was, zijn ouders die net deden of Tony een collega van Jamie was om de buren maar niets te laten merken, of zijn ouders die er pijnlijk losjes over deden.

De meest waarschijnlijke combinatie was natuurlijk dat zijn moeder er pijnlijk losjes over deed en dat zijn vader deed of Tony een collega van Jamie was. En dat zijn moeder boos was op zijn vader, omdat die deed of Tony een collega van Jamie was. En dat zijn vader boos was op zijn moeder, omdat zij er pijnlijk losjes over deed.

Aan Rays vrienden wilde hij liever maar niet eens denken. In zijn studietijd had hij genoeg Rays gekend. Tien pilsjes en ze waren bereid om de dichtstbijzijnde homo voor de lol te lynchen. Behalve dan de stiekeme nichten. Er zat altijd een stiekeme nicht tussen. En vroeg of laat dronk die zich een stuk in zijn kraag en kwam schuchter naar je toe aan de bar en vertelde je alles en was dan beledigd als je hem niet mee naar je kamer wou nemen om hem af te trekken.

Hij vroeg zich af wat Jeff Weller tegenwoordig deed. Een seksloos huwelijk in Saffron Walden waarschijnlijk, met een paar oude nummers van *Zipper* achter de cv-ketel verstopt.

Jamie had er een heleboel tijd en energie aan besteed om zijn leven precies zo in te richten als hij het wilde. Werk. Huis. Familie. Vrienden. Tony. Lichaamsbeweging. Ontspanning. Sommige vakjes konden samengaan. Katie en Tony. Vrienden en lichaamsbeweging. Maar de vakjes waren er niet zomaar. Het was net als in de dierentuin. De chimpansees konden best bij de papegaaien. Maar als je alle kooien weghaalde, kreeg je een bloedbad.

Hij zou niets tegen Tony zeggen over de uitnodiging. Dat was de oplossing. Simpel.

Hij keek naar het restje ijs. Waar was hij mee bezig? Hij had de ijsjes gekocht als troost na de verrekijkerruzie. Hij had ze de volgende dag moeten weggooien.

Hij duwde het ijsje in de afvalbak, haalde de andere vier uit de vriesla en stopte die er ook in.

Hij zette de cd *Born To Run* op en maakte een pot thee. Hij deed de afwas en veegde de afdruipplaat schoon. Hij schonk een beker thee in, deed er wat halfvolle melk bij en schreef een cheque uit voor de gasrekening.

Springsteen klonk vanavond wel erg zelfvoldaan. Hij drukte Bruce eruit en ging de *Telegraph* lezen.

Even na achten verscheen Tony, die goed gemutst was. Hij liep met lange, soepele passen de gang in, beet Jamie in de nek, plofte languit op de bank en begon een sjekkie te draaien.

Jamie vroeg zich weleens af of Tony in een vorig leven een hond was geweest en de overstap niet helemaal goed had gemaakt. De eetlust. De energie. Het gebrek aan sociale vaardigheden. De geurobsessie. (Tony duwde vaak zijn neus in Jamies haar, ademde in en vroeg dan: 'Oei, waar ben jij geweest?')

Jamie liet een asbak naar Tony's kant van de salontafel glijden en ging zitten. Hij nam Tony's benen op schoot en begon diens schoenen los te maken.

Soms kon hij Tony wel wurgen. De belabberde manieren vooral. Maar dan zag hij hem van een afstandje lopen met die gespierde lange benen en die rustige boerenzonentred en voelde hij weer precies wat hij die eerste keer had gevoeld. Iets diep in zijn maag wat bijna pijn deed, de behoefte om door deze man te worden vastgehouden. En dat gevoel had hij bij niemand anders.

'Goeie dag op kantoor?' vroeg Tony.

'Eigenlijk wel, ja.'

'Waarom dan zo sip?'

'Hoezo sip?'

'Dat vissenmondje, die rimpeltjes in het voorhoofd.'

Jamie liet zich achterover in de bank wegzakken en deed zijn ogen dicht. 'Weet je Ray nog... ?'

'Ray...?'

'Katies vriendje, Ray.'

Tony bromde.

'Ze gaat met hem trouwen.'

'Goed.' Tony stak zijn sjekkie op. Er viel een draadje brandende tabak op zijn spijkerbroek, dat vervolgens doofde. 'We proppen haar in een auto en brengen haar naar een veilige plek ergens in Gloucestershire...'

'Tony...'

'Wat?'

'Zullen we nog eens proberen?'

Tony hield zijn handen omhoog alsof hij zich overgaf. 'Sorry.'

'Katie gaat met Ray trouwen,' zei Jamie.

'En dat is niet goed.'

'Nee.'

'Dus jij gaat proberen haar tegen te houden,' zei Tony.

'Ze is niet verliefd op hem,' zei Jamie. 'Ze wil gewoon iemand met een vaste baan en een groot huis die kan helpen om voor Jacob te zorgen.'

'Er zijn slechtere redenen om te trouwen.'

'Jij zou hem vreselijk vinden,' zei Jamie.

'Nou en?'

'Het is wel mijn zuster.'

'En nu ga jij... wat doen?' vroeg Tony.

'Geen flauw idee.'

'Het is haar leven, Jamie. Je kunt niet Anne Bancroft met een kruis van je af-houden en Katie de eerste de beste bus in sleuren.'

'Ik probeer haar niet tegen te houden.' Jamie begon spijt te krijgen dat hij dit ter sprake had gebracht. Tony kende Katie niet. Hij had Ray nooit ontmoet. Eigenlijk wou Jamie alleen maar horen: 'Je hebt helemaal gelijk'. Maar dat had Tony nog nooit gezegd, tegen niemand, over niets. Niet eens als hij dronken was. Vooral niet als hij dronken was. 'Het is haar zaak. Dat is duidelijk. Alleen...'

'Ze is volwassen,' zei Tony. 'Ze heeft het recht om domme dingen te doen.'

Ze zwegen beiden even.

'En, ben ik uitgenodigd?' Tony blies een rookpluimpje naar het plafond.

Jamie wachtte net iets te lang met antwoorden en Tony maakte de achter-dochtige beweging met zijn wenkbrauwen. Jamie moest dus vliegensvlug van tac-tiek veranderen. 'Ik hoop van harte dat het niet gaat gebeuren.'

'Maar als het wel gebeurt?'

Het was zinloos om hier ruzie over te maken. Nu in elk geval. Als er Jehova's getuigen aanklopten, bood Tony ze een kopje thee aan. Hij haalde diep adem. 'Mijn moeder zei wel dat ik iemand mocht meenemen.'

'Iemand?' zei Tony. 'Leuk is dat.'

'Je wil toch niet zeggen dat je mee wilt?'

'Waarom niet?'

'Rays collega's van de fabriek, mijn moeder die overdreven aardig gaat doen...'

'Je luistert niet naar me, hè?' Tony pakte Jamies kin en ontlokte hem een zui-gend geluidje, zoals tantes bij kinderen deden. 'Ik wil graag. Met jou. Mee naar de bruiloft. Van je zuster.'

Er scheurde een politiewagen met loeiende sirene langs de doodlopende straat waarin Jamie woonde. Tony had Jamies kin nog steeds vast. Jamie zei: 'We heb-ben het er nog wel over, goed?'

Tony verstevigde zijn greep, trok Jamie naar zich toe en snoof. 'Wat heb jij ge-geten?'

'Een chocoladeijsje.'

'Mijn God. Je bent echt depressief.'

'De rest heb ik weggegooid,' zei Jamie.

Tony drukte zijn sigaret uit. 'Haal er eens eentje voor me. Ik heb geen choco-ladeijsje meer gegeten sinds... God, Brighton in 1987 of zo.'

Jamie liep naar de keuken, haalde een van de ijsjes uit de afvalbak, spoelde de ketchup van de verpakking en liep ermee terug naar de huiskamer.

Als hij mazzel had, zou Katie Ray vóór september een broodrooster naar het hoofd smijten en kwam er geen trouwerij.

13

George smeerde flink wat steroïdenzalf op het eczeem, kleedde zich om en ging in zijn werkkleren naar beneden, waar Jean net beladen met boodschappen binnenkwam.

'Hoe ging het bij de dokter?'

'Goed.'

'Ja, en...?'

George besloot dat het makkelijker was om te liegen. 'Waarschijnlijk een zonnesteek. Uitdroging. Zonder iets op mijn hoofd in de zon gewerkt. Te weinig water gedronken.'

'Nou, dat is een opluchting.'

'Zeker,' zei George.

'Ik heb Jamie gebeld.'

'En?'

'Hij was er niet,' zei Jean. 'Ik heb ingesproken. Gezegd dat we hem een uitnodiging zouden sturen. En dat hij iemand mocht meenemen.'

'Prima.'

Jean zweeg even. 'Gaat het wel, George?'

'Ja, hoor.' Hij gaf haar een zoen en liep de tuin in.

Hij schraapte de emmer leeg in de mini-afvalcontainer, spoot die schoon, maakte nieuwe specie en begon te metselen. Nog een paar lagen stenen en hij kon eraan gaan denken om het deurkozijn erin te zetten.

Met homoseksualiteit op zich had hij geen moeite. Seks tussen mannen. Je kon je voorstellen, wanneer je de gewoonte had om je zulke dingen voor te stellen, dat er situaties waren waarin het kon gebeuren, situaties waarin de normale uitlaatkleppen niet beschikbaar waren. Legerkampen. Lange zeereizen. Je wilde niet te lang bij stilstaan bij de technische details, maar je kon het bijna als een vorm van sport zien. Stoom afblazen. Goeie zin. Na afloop een hand geven en onder de warme douche.

Mannen die samen meubels kochten, dat idee vond hij moeilijk. Mannen die samen knuffelden. Op de een of andere manier was dat verontrustender dan stra-patsen in openbare toiletten. Het gaf hem het onaangename gevoel dat er een zwakke plek in het weefsel van de wereld zat. Zoals wanneer je een man op straat een vrouw zag slaan. Of je ineens niet meer wist hoe de slaapkamer eruitzag die je als kind had.

Maar goed, dingen veranderden. Mobiele telefoons. Thaise restaurants. Je moest flexibel blijven of je werd een ouwe chagrijn die kankerde over de rommel op straat. Bovendien was Jamie een verstandige jongeman en wanneer hij iemand meebracht, zou dat dus ook wel een verstandige jongeman zijn.

Wat Ray ervan zou vinden, mocht God weten.

Interessant. Dat zou het zijn.

Hij metselde nog een steen.

Of ik moet me sterk vergissen, had dokter Barghoutian gezegd.

Voor alle zekerheid, natuurlijk.

14

Jean kleedde zich uit terwijl David douchte en trok de ochtendjas aan die hij voor haar had neergelegd. Ze wandelde naar de erker en ging op de stoelleuning zitten.

Ze voelde zich aantrekkelijk, domweg door in deze kamer te zijn. De roomgele muren. De houten vloer. De grote vissenprent in de metalen lijst. Het was net als zo'n kamer in een blad die gedachten aan de mogelijkheid van een ander leven bij je opriep.

Ze staarde naar het ovalen gazon. Drie heesters in grote stenen potten aan de ene kant. Drie aan de andere. Een opklapbaar houten ligbed.

Ze genoot van het vrijen, maar ook hiervan. Zoals ze hier kon denken, zonder dat de rest van haar leven zich aan haar kwam opdringen.

Jean had het zelden over haar ouders. De mensen snapten het gewoon niet. Pas toen ze tieners waren drong het tot de kinderen door dat tante Mary, de buurvrouw, de vriendin van hun vader was. Iedereen zag een of andere dampende soap voor zich. Maar er waren geen intriges, geen knallende ruzies. Haar vader werkte veertig jaar lang bij dezelfde bank en timmerde houten vogelhuisjes in de kelder. En wat haar moeder ook vond van de bizarre situatie thuis, ze sprak er nooit over, zelfs niet na de dood van Jeans vader.

Jean vermoedde dat haar moeder er helemaal nooit over had gesproken. Het gebeurde. De schijn werd opgehouden. En dat was dat.

Ze schaamde zich. Zoals iedereen zou doen die bij zijn volle verstand was. Als je erover zweeg, voelde je je een leugenaar. Als je het verhaal vertelde, voelde je je als iets uit het circus.

Geen wonder dat de kinderen allemaal zo gauw elders hun heil zochten. Eileen bij haar godsdienst. Douglas bij zijn vrachtwagencombinaties. En Jean bij George.

Ze had hem leren kennen op de bruiloft van Betty.

Hij had iets vormelijks, iets militairs bijna. Knap op een manier die je bij jonge mannen van nu niet meer zag.

Iedereen stelde zich nogal aan (Betty's broer, degene die later bij dat vreselijke bedrijfsongeval om het leven was gekomen, had van een servetje een hoedje gemaakt en zong 'I've got a lovely bunch of coconuts' tot algemeen vermaak). Jean zag dat George het allemaal vrij vervelend vond. Ze wilde tegen hem zeggen dat zij het ook allemaal vrij vervelend vond, maar hij leek haar niet iemand met wie je zomaar een praatje aanknoopte.

Tien minuten later stond hij naast haar en bood aan nog een drankje voor haar te halen, en zij zette zichzelf voor schut door een bitter lemon te vragen, om te laten zien dat ze nuchter en verstandig was, vervolgens om wijn te vragen omdat ze niet kinderachtig wou lijken en zich toen weer te bedenken, omdat hij echt heel knap was en ze een beetje van de wijs raakte.

Hij vroeg haar de volgende week mee uit eten en ze wilde niet gaan. Ze wist wat er zou gebeuren. Hij was eerlijk en uiterst betrouwbaar en ze zou verliefd op hem worden, en wanneer hij over haar familie hoorde, zou hij in rook opgaan. Net als Roger Hamilton. Net als Pat Lloyd.

Toen vertelde hij over zijn vader, die zich helemaal klem had gezopen en met zijn gezicht in het gazon in slaap was gevallen. En zijn moeder, die zat te huilen op de wc. En zijn oom, die gek was geworden en in een of andere afschuwelijke inrichting was beland. En toen had ze gewoon zijn gezicht vastgepakt en hem gekust, wat ze nog nooit bij een man had gedaan.

En het was niet zo dat hij in de loop der jaren was veranderd. Hij was nog altijd eerlijk. Hij was nog altijd betrouwbaar. Maar de wereld was veranderd. En zij.

Als ze iets moest aanwijzen, was het die cursus Frans op cassette (een cadeautje van Katie? Ze wist het echt niet meer). Ze gingen naar de Dordogne, en ze had tijd over.

Een paar maanden later stond ze in een winkel in Bergerac om brood te kopen en kaas en van die kleine spinazietaartjes, en de vrouw achter de toonbank verontschuldigde zich voor het weer en Jean merkte dat ze een heus gesprek voerde, terwijl George buiten op een bankje zijn muggenbeten zat te tellen. En hoewel er op dat moment zelf niets gebeurde, vond ze het bij terugkomst thuis een beetje kil, een beetje klein, een beetje Brits.

Door de muur heen hoorde ze het flauwe geluid van de deur van de douche die openklikte.

Dat het juist David was geworden, verbaasde haar nog steeds. Ze had een keer spaghetti bolognese voor hem gemaakt toen hij als collega van George bij hen was komen eten. Ze had over de nieuwe serre gebabbeld en voelde zich na afloop saai, maar gelukkig onzichtbaar. Hij droeg linnen jasjes, coltruien in hemelsblauw en zalm, en rookte sigaartjes. Hij had drie jaar in Stockholm gewoond en toen hij en Mina als vrienden uit elkaar gingen, nam het gevoel dat hij wat te modern was voor Peterborough alleen maar toe.

Hij stopte vroeg met werken, George verloor hem uit het oog en ze had geen moment meer aan hem gedacht totdat ze op een dag opkeek van haar kassa bij Ottakar's en hem zag staan met *The Naked Chef* en een blik Muis-potloden in zijn handen.

Ze dronken koffie aan de overkant van de straat en toen ze vertelde dat ze met Ursula naar Parijs zou gaan, dreef hij niet de spot met haar, zoals Bob Green altijd had gedaan. En vroeg zich niet zoals George af hoe twee dames van middelbare leeftijd een lang weekend in een buitenlandse stad konden doorbrengen zonder beroofd of gewurgd of als blanke slavinnen verkocht te worden.

En het was niet zo dat ze zich lichamelijk tot hem voelde aangetrokken (hij was kleiner dan zij en er stak aardig wat zwart haar uit zijn manchetten). Maar ze kwam nooit een man van boven de vijftig tegen die nog geïnteresseerd was in de wereld om zich heen, in nieuwe mensen, nieuwe boeken, nieuwe landen.

Het was alsof ze met een vriendin praatte. Alleen was hij een man. En kenden ze elkaar pas een kwartier. Wat erg zorgwekkend was.

De week daarop stonden ze op een voetgangersbrug over de vierbaansweg en welde dat gevoel weer in haar op. Dat gevoel dat ze soms bij de zee kreeg. Schepen die binnenvoeren, zeemeeuwen die kibbelden boven het kielzog, die melancholieke hoorns. Het besef dat je het ruime sop kon kiezen en ergens anders opnieuw beginnen.

Hij pakte haar hand en hield die vast, en ze werd teleurgesteld. Ze had een zielsverwant gevonden en die stond nu op het punt om alles te bederven met een lompe versierpoging. Maar hij kneep in haar hand en liet hem los en zei: 'Kom, je moet naar huis,' en ze wilde zijn hand terugpakken.

Later was ze bang. Om ja te zeggen. Om nee te zeggen. Om ja te zeggen en dan te beseffen dat ze nee had moeten zeggen. Om nee te zeggen en dan te beseffen dat ze ja had moeten zeggen. Om naakt te zijn bij een andere man, terwijl ze soms wel kon huilen om haar lichaam.

Dus vertelde ze het aan George. Dat ze David in de winkel had ontmoet en koffie met hem was gaan drinken. Maar niet over de handen en de voetgangersbrug. Ze wilde dat hij boos zou worden. Ze wilde dat hij haar leven weer simpel zou maken. Maar dat deed hij niet. Ze liet Davids naam nog een paar keer vallen in het gesprek maar kreeg geen reactie. Georges gebrek aan ongerustheid begon op aanmoediging te lijken.

David had eerder verhoudingen gehad. Dat wist ze. Nog voor hij het zelf zei. Zoals hij die eerste keer zijn hand in haar nek legde. Dat was een opluchting. Ze wilde dit niet doen met iemand voor wie het ook onbekend terrein was, vooral niet na Gloria's horrorstory over die vent uit Derby die op een ochtend voor haar huis geparkeerd bleek te staan.

En Jean had gelijk: hij was inderdaad heel harig. Bijna als een aap. Wat het op de een of andere manier beter maakte. Omdat daaruit bleek dat het eigenlijk niet om de seks ging. Al was ze de afgelopen maanden wel erg verzot geraakt op dat zijdezachte gevoel onder haar vingers wanneer ze zijn rug streelde.

De badkamerdeur klikte open en ze deed haar ogen dicht. David liep over het kleedje naar haar toe en legde zijn armen zachtjes om haar heen. Ze rook teer-zeep en schone huid. Ze voelde zijn adem in haar nek.

Hij zei: 'Ik geloof dat ik een mooie vrouw in mijn slaapkamer heb gevonden.'

Ze lachte omdat het zo kinderlijk was. Ze was bij lange na geen mooie vrouw. Maar het was leuk, om net te doen alsof. Bijna nog beter dan als ze dat echt was geweest. Het was of ze weer kind was. Zo dicht bij een ander mens komen. In bomen klimmen en badwater drinken. Weten hoe alles voelde en smaakte.

Hij draaide haar om en kuste haar.

Hij wilde haar verwennen. Ze kon zich niet herinneren wanneer iemand dat voor het laatst had gedaan.

Hij deed de gordijnen dicht en liep met haar naar het bed en legde haar neer en kuste haar weer en duwde de ochtendjas van haar schouders en ze smolt weg in het donker achter haar oogleden, zoals boter smelt in een warme pan, zoals je weer in slaap weggleed als je 's nachts wakker was geworden, door je mee te laten nemen.

Ze legde haar armen om zijn nek en voelde de spieren en die hele korte haartjes waar de kapper het scheermes dicht op de huid had gehouden. En zijn handen gingen langzaam over haar lichaam en ze zag hen beiden vanaf de andere kant van de kamer, bezig met wat je in films alleen mooie mensen zag doen. En misschien geloofde ze het nu toch, dat ze mooi was, dat ze allebei mooi waren.

Haar lichaam voelde alsof het meedeinde met zijn bewegende vingers, alsof ze in een kermisattractie zat. Met elke zwaai ging ze hoger en sneller, en aan het eind was ze telkens even gewichtloos; zo hoog kwam ze dat ze de lusthof zag en de ponten in de baai, en de groene heuvels aan de overkant van het water.

Hij zei: 'God, ik hou van je,' en zij hield ook van hem, omdat hij dit deed, omdat hij een deel van haar begreep dat voor haarzelf ook altijd verborgen gebleven. Maar dat kon ze niet zeggen. Nu niet. Ze kon niets zeggen. Ze kneep alleen maar in zijn schouder en bedoelde: 'Ga door'.

Ze legde haar hand om zijn penis en bewoog die op en neer en hij voelde niet vreemd meer, eerder als een deel van haar lichaam dan van het zijne, de sensaties vloeiend in één ononderbroken cirkel. En ze hoorde zichzelf nu hijgen als een hond, maar het kon haar niet schelen.

En ze besefte dat het ging gebeuren en hoorde zichzelf 'ja, ja, ja' zeggen en zelfs het horen van haar eigen stem verbrak de betovering niet. En het sloeg over haar heen als de branding die over het zand stroomt en terugvalt en weer over het zand stroomt, en terugvalt.

In haar hoofd ontplofte vuurwerk in allemaal kleine beelden. De geur van kokosnoot. Koperen haardijzers. De gesteven peluw in het bed van haar ouders. Een warme hooiruiter met pasgemaaid gras. Ze viel uiteen in duizend kleine stukjes, als sneeuw, of de vonken van een vreugdevuur die hoog door de lucht buitelden en dan begonnen te vallen, zo traag dat het haast geen vallen leek.

Ze pakte zijn pols om zijn hand te laten stoppen en lag languit met haar ogen dicht, duizelig en buiten adem.

Ze huilde.

Het was alsof je na vijftig jaar je lichaam terugvond en besefte dat het een oude vriendin was en ineens begreep waarom je je al die tijd zo alleen had gevoeld.

Ze deed haar ogen open. David lag naar haar te kijken en ze wist dat ze niets hoefde uit te leggen.

Hij wachtte een paar minuten. 'Ik geloof,' zei hij, 'dat ik nu aan de beurt ben.'

Hij ging op zijn knieën zitten en schoof tussen haar benen. Hij opende haar voorzichtig en duwde zich naar binnen. En deze keer keek ze naar hem terwijl hij leunend op zijn armen naar voren kwam tot ze vol van hem was.

Soms genoot ze van wat hij met haar deed. Soms genoot ze van wat zij met hem deed. Vandaag leek dat onderscheid niet te bestaan.

Hij begon sneller te gaan en van genot kneep hij zijn ogen samen en ten slotte helemaal dicht. Dus sloot zij ook haar ogen en hield zijn armen vast en liet zich heen en weer wiegen, en ten slotte kwam hij klaar en bleef bij haar binnen en deed dat dierlijke huiveringetje. En toen hij zijn ogen opendeed ademde hij zwaar en glimlachte.

Ze glimlachte terug.

Katie had gelijk. Je gaf je leven lang alles aan andere mensen, die dan geleidelijk uit het zicht verdwenen, naar school, naar de universiteit, naar kantoor, naar Hornsey, naar Ealing. Zo weinig van die liefde kreeg je terug.

Ze had hier recht op. Ze verdiende het om zich als iemand in een film te voelen.

Hij liet zich zachtjes naast haar zakken en trok haar hoofd op zijn schouder, zodat ze een lijn van zweetdruppeltjes midden over zijn borst zag lopen en zijn hart hoorde kloppen.

Ze sloot haar ogen weer, en in het donker voelde ze de hele wereld wentelen.

15

'Heer, laat mij mijn einde kennen, en welke de maat van mijn dagen is: laat mij weten hoe vergankelijk ik ben.'

Bob lag vlak onder het trapje naar het altaar in een glimmende zwarte doodkist die van hieruit net een vleugel leek.

'Immers wandelt de mens als in een schaduw, en maakt zich tevergeefs bezorgd.'

Er waren gelegenheden dat George deze mensen benijdde (de achtenveertig uur tussen het passen van de broek bij Allders en het bezoek aan dokter Barghoutian, bijvoorbeeld). Niet deze specifieke mensen, maar de vaste klanten, degenen die je vooraan zag als er kerstliederen werden gezongen.

Maar of je geloofde, of niet. Geen nieuwe kans, geen geld terug. Zoals toen zijn vader vertelde hoe goochelaars dames doormidden zaagden. Die kennis kon je, hoe graag je het ook wilde, niet teruggeven.

Hij keek rond, naar de glas-in-loodlammetjes en het schaalmodel van Christus aan het kruis en dacht hoe belachelijk het allemaal was, deze woestijngodsdienst die in zijn geheel naar de Engelse provincie was overgeheveld. Bankmanagers en gymleraren die naar verhalen over citers en plagen en gerstebrood luisterden alsof het de gewoonste zaak van de wereld was.

'O, spaar mij nog een weinig, opdat ik mijn kracht herwin: voordat ik heenga en er niet meer ben.'

De dominee liep naar de kansel en hield zijn lofrede. 'Een zakenman, een sportman, een familieman. Hard werken, hard spelen. Dat was zijn motto.' Hij wist duidelijk niets van Bob.

Maar als je bij leven nooit een voet in de kerk had gezet, kon je natuurlijk ook niet verwachten dat ze alle registers opentrokken als je dood was. En op de waarheid zat niemand te wachten ('Hij was een man die geen vrouw met grote borsten kon zien zonder een infantiele opmerking te maken. In zijn latere jaren rook zijn adem niet prettig.').

'Robert en Susan zouden in september veertig jaar getrouwd zijn geweest.

Reeds als middelbare scholieren kregen ze kennis aan elkaar, als leerlingen van St. Botolph...'

Hij moest aan hun eigen dertigste trouwdag denken. Bob die het gazon over kwam wankelen, een dronken arm om zijn schouder slingerde en zei: 'Het grappige is: als je haar had vermoord, was je inmiddels alweer vrij geweest.'

'Zie, ik deel u een geheimenis mede: Allen zullen wij niet ontslapen, maar allen zullen wij veranderd worden, in een ondeelbaar ogenblik...'

De schriftlezing eindigde en Bob werd de kerk uit gedragen. George en Jean schuifelden naar buiten met de rest van de aanwezigen en voegden zich weer bij hen aan het graf, in drukkend, loodgrijs licht dat nog voor de thee een plensbui beloofde. Susan stond aan het uiteinde van het graf met een opgezet gezicht en maakte een geknakte indruk. Ze werd geflankeerd door haar twee zoons. Jack had zijn arm om zijn moeder heen, maar was niet lang genoeg om het gebaar overtuigend te maken. Ben oogde vreemd genoeg verveeld.

'De mens, van een vrouw geboren, is kort van dagen, en zat van onrust.'

Bob zakte aan vier stevige repen jute de grond in. Susan, Jack en Ben gooiden elk een witte roos op de kist en de rust werd verscheurd door een grappenmaker die langs het kerkhof reed met zijn autoradio keihard aan.

'... onze Here Jezus Christus; die ons vernederd lichaam veranderen zal, zodat het aan zijn heerlijk lichaam gelijkvormig wordt...'

Hij keek naar de baardragers en besefte dat hij er nog nooit een met een baard had gezien. Hij vroeg zich af of het een voorschrift was, zoals bij piloten, bij wie het zuurstofmasker hermetisch moest passen als het naar beneden kwam. Misschien iets met de hygiëne.

En als het hun tijd was? Waren ze onbewogen omdat ze met al die lijken hadden gewerkt? Ze zagen de mensen natuurlijk alleen naderhand. Een lijk worden, dat was het moeilijke gedeelte. De zus van Tim had vijftien jaar in een verpleeghuis voor terminale patiënten gewerkt en viel evengoed met draaiende motor in de garage in slaap toen ze die tumor in haar hersenen hadden gevonden.

De dominee verzocht om samen het Onze Vader te bidden. George zei de passages waarmee hij het eens was hardop ('Geef ons heden ons dagelijks brood... leid ons niet in verzoeking') en mompelde wat als God werd genoemd.

'De genade des Heren Jezus Christus, en de liefde Gods, en de gemeenschap des Heiligen Geestes zij met ons allen tot in de eeuwigheid. Amen... En nu, dames en heren.' Er kwam een montere, hopmanachtige toon in de stem van de dominee. 'Nodig ik u namens Susan en de rest van de familie Green graag uit voor een hapje en een drankje in het dorpshuis, en dat vindt u aan de overkant van de weg direct naast het parkeerterrein.'

Jean huiverde theatraal. 'Ik heb hier zo'n hekel aan.'

Ze liepen met de stroom donkere pakken mee, de mensen die nu rustig praatten, langs het kromme grindpad, de overdekte toegangspoort door en de weg over.

Jean raakte zijn elleboog aan en zei: 'Ik zie je zo weer.'

Hij wilde vragen waar ze heen ging, maar ze liep al terug in de richting van de kerk.

Toen hij zich weer omdraaide, zag hij David Symmonds, die op hem af kwam lopen met een glimlach en een uitgestoken hand.

'George.'

'David.'

David was vier of vijf jaar geleden weggegaan bij Shepherds. Jean was hem nog een paar keer tegengekomen, maar George had hem amper meer gezien. Niet dat hij een afkeer van hem had. Sterker nog, als iedereen op kantoor net als David was geweest, zou het daar heel wat soepeler hebben gedraaid. Geen gewerk met de ellebogen. Geen verantwoordelijkheden afschuiven. Slimme vent, ook. Het brein achter dat idee van duurzaam bosgebruik dat hun Cornwall en Essex had opgeleverd.

Hij kleedde zich alleen een beetje te goed. Dat was waarschijnlijk de beste manier om het te formuleren. Dure aftershave. Cassettebandjes met opera in de auto.

Toen hij bekendmaakte dat hij met vervroegd pensioen ging, nam iedereen afstand. Ziek dier in de kudde. Iedereen voelde zich een beetje beledigd. Alsof hij het als hobby had gedaan, dat waaraan zij hun leven hadden gewijd. En ook geen echte plannen. Fotograferen. Vakantie in Frankrijk. Leren zweefvliegen.

Het leek allemaal heel anders nu George dezelfde weg was gegaan, en toen hij zich John McLintock herinnerde die zei dat David eigenlijk nooit 'een van ons' was geweest, hoorde hij de zure druiven.

'Leuk om je te zien.' David kneep in Georges hand. 'Al hadden de omstandigheden vrolijker gekund.'

'Susan zag er niet goed uit.'

'O, ik denk dat het met Susan wel goed komt.'

Vandaag droeg David bijvoorbeeld een zwart pak en een grijze coltrui. Andere mensen vonden het misschien van weinig respect getuigen, maar George zag nu dat het gewoon een andere benadering was. Niet meer tot de massa behoren.

'Blijf je wel bezig?' vroeg George.

David lachte. 'Ik dacht dat we juist niet meer bezig hoefden te blijven als we met pensioen waren.'

George lachte. 'Daar zit wat in.'

'Nou, laten we onze plicht maar gaan doen.' David maakte aanstalten om naar de ingang van het dorpshuis te lopen.

George voelde zelden de behoefte om een gesprek met iemand voort te zetten, maar David, besefte hij, zat in hetzelfde schuitje als hij, en het was prettig om met iemand in hetzelfde schuitje te praten. In elk geval beter dan saucijzenbroodjes eten en de dood bespreken.

'Heb je de Honderd Beste Romans ter Wereld al uit?'

'Je hebt een angstaanjagend goed geheugen.' David lachte weer. 'Bij Proust ben ik afgehaakt. Dat begon te veel op werken te lijken. In plaats daarvan doe ik Dickens. Zeven gehad, nog acht over.'

George vertelde over het atelier. David vertelde over zijn wandelvakantie in de Pyreneeën ('Drieduizend meter boven de zeespiegel en overal vlinders.'). Ze prezen zich gelukkig met het feit dat ze bij Shepherds weg waren gegaan voordat Jim Bowman het onderhoud had uitbesteed en dat meisje uit Stevenage haar voet had verloren.

'Kom,' zei David, en leidde George naar de dubbele deur. 'We krijgen problemen als ze merken dat we hier gezellig staan te kletsen.'

Er klonken voetstappen op het grind, en toen George zich omdraaide, zag hij Jean aankomen.

'Tasje vergeten.'

George zei: 'Ik kwam David tegen.'

Jean leek een beetje zenuwachtig. 'David. Hallo.'

'Jean,' zei David. 'Wat leuk om je te zien.'

'Ik dacht net,' zei George, 'dat het aardig zou zijn als David een keer bij ons kwam eten.'

Jean en David keken een beetje geschrokken en hij bedacht dat het misschien ongepast was om bij zo'n plechtige gelegenheid zijn handen samen te klappen en het idee zo vrolijk te presenteren.

'O,' zei David, 'Jean hoeft voor mij geen uren in de keuken te gaan staan.'

'Jean vindt het vast wel prettig om ook eens iemand anders aan tafel te hebben.' George deed zijn hand in zijn broekzak. 'En als je je leven op het spel wil zetten, ik maak zelf ook een redelijke risotto.'

'Tja...'

'Volgend weekend? Zaterdag?'

Jean wierp George een snelle blik toe waardoor hij zich ging afvragen of er iets belangrijks met David was dat hij in zijn enthousiasme over het hoofd had gezien, dat hij vegetariër was, bijvoorbeeld, of dat hij de vorige keer de wc niet had doorgetrokken.

Maar ze haalde diep adem en zei met een glimlach: 'Goed.'

'Ik weet niet of ik die zaterdag wel kan,' zei David. 'Het is een heel aardig idee...'

'Zondag dan,' zei George.

David tuitte zijn lippen en knikte. 'Volgende week zondag. Spreken we af.'

'Mooi. Lijkt me leuk.' George hield de dubbele deur open. 'We gaan onder de mensen.'

16

Katie bracht Jacob naar Max en toen ze vertrok, waren de twee in de keuken van June met houten lepels aan het zwaardvechten.

Toen gingen zij en Ray de stad in en kregen een klein meningsverschil bij de drukker. Ray dacht dat het aantal gouden krullen op een uitnodiging aangaf hoeveel je van iemand hield, wat vreemd was voor een man die vond dat gekleurde sokken iets voor meisjes was. Terwijl Katie blijkbaar uitnodigingen voor een boekhouderscongres wilde versturen.

Ray hield het ontwerp van zijn voorkeur omhoog en Katie zei dat het wel een uitnodiging voor een sprookjesbal leek. Waarop de man achter de balie zei: 'Ik ben blij dat ik er niet bij ben als jullie het menu gaan kiezen.'

Bij de juwelier ging het soepeler. Ray wilde graag dat ze allebei dezelfde ring hadden en hij vertikte het om iets anders dan een gewone gouden ring te dragen. De juwelier vroeg of ze een inscriptie wilden en Katie had even geen antwoord klaar. Hadden trouwringen een inscriptie?

'Meestal aan de binnenkant,' zei de man. 'De trouwdatum. Of misschien een uiting van genegenheid.' Het was duidelijk een man die zijn onderbroeken streek.

'Of een adres om hem terug te bezorgen,' zei Katie. 'Zoals bij honden.'

Ray lachte, want de man keek ongemakkelijk en Ray hield niet van mannen die hun onderbroeken streken. 'We nemen er twee.'

Ze aten een pizza in Covent Garden en stelden ondertussen elk een lijst met genodigden op.

Die van Ray was kort. Hij was geen type voor vrienden. Hij praatte in de bus met mensen die hij niet kende, en dronk een biertje met wie dat wou. Maar er was niemand die echt lang bleef. Toen hij en Diana uit elkaar gingen, verhuisde hij, nam afscheid van de gemeenschappelijke vrienden en solliciteerde op een baan in Londen. Zijn getuige had hij al drie jaar niet gezien. Een oude rugbyvriend, zei hij, wat haar niet geruststelde.

'Hij is een keer op de M5 door de politie van de weg gehaald,' zei Ray. 'Omdat hij over de imperiaal van een Volvo liep.'

'Liep?'

'Wees maar niet bang,' zei Ray. 'Hij is nu tandarts.' Wat weer op een andere manier verontrustend was.

Haar eigen lijst was ingewikkelder, vanwege veel te veel vriendinnen die ze geen van allen kon overslaan (Mona was bij de geboorte van Jacob geweest; Sandra had hen een maand in huis genomen toen Graham ervandoor was gegaan; Jenny had MS, waardoor je je slecht voelde als je haar niet uitnodigde, ook al deed ze altijd zo moeilijk...) Er zou een hangar voor nodig zijn om ze allemaal te kunnen herbergen, en elke keer dat ze er een naam bijschreef of doorstreepte, zag ze de heksen al in een kring zitten om de zaak te bespreken.

'Overboeken,' zei Ray. 'Net als luchtvaartmaatschappijen doen. Ga ervan uit dat vijftien procent niet komt opdagen. Hou een paar lege stoelen achter de hand.'

'Vijftien procent?' vroeg Katie. 'Is dat zo'n beetje het standaardpercentage bij trouwerijen?'

'Nee,' zei Ray. 'Maar ik doe graag net of ik verstand van dingen heb.'

Ze pakte een rolletje vlees vlak boven zijn riem. 'Er is ten minste één iemand in je leven die doorheeft wanneer je uit je nek kletst.'

Ray pikte een olijf van haar pizza. 'Dat is een compliment, toch?'

Ze bespraken de wederzijdse vrijgezellenavondjes. De vorige keer was hij naakt in het Leeds and Liverpool Canal gegooid, zij was betast door een brandweerman met een tangaslip en ze hadden allebei overgegeven op de wc van een Indiaas restaurant. Ze besloten tot een etentje bij kaarslicht. Met zijn tweetjes.

Het begon laat te worden en de beide getuigen zouden om acht uur komen eten. Dus gingen ze naar huis, nadat ze Jacob onderweg hadden opgehaald. Hij had een snee op zijn voorhoofd omdat Max hem met een knoflookpers had geslagen. Maar Jacob had het tarantula-T-shirt van Max gescheurd. Hun vriendschap had er blijkbaar niet onder geleden, dus Katie liet het zo.

Thuis legde ze de kippenborsten in een ovenschaal, goot de saus eroverheen en vroeg zich af of Sarah wel zo'n verstandige keuze was geweest. Om helemaal eerlijk te zijn had ze die bij wijze van vergelding gekozen. Een advocate die niet op haar mondje was gevallen en een rugbyspeler van repliek zou kunnen dienen.

Nu begon het haar te dagen dat vergelding misschien niet de beste leidraad was bij het kiezen van een getuige.

Maar toen Ed kwam, leek hij vooral zenuwachtig. Een grote man met rode wangen, meer boer dan tandarts. Hij was dikker geworden sinds de teamfoto die Ray had en ze zag hem niet gauw op de het dak van een stilstaande Volvo klimmen, laat staan een rijdende.

Hij was slecht op zijn gemak bij Jacob, wat Katie een nogal zelfgenoegzaam gevoel gaf. Toen zei hij dat zijn vrouw en hij vier ivf-pogingen hadden gedaan. En toen voelde Katie zich klote.

Toen Sarah verscheen, wreef die zich in de handen en zei: 'Zo, dus dit is de tegenpartij', en Katie sloeg voor de zekerheid meteen maar een glas wijn achterover.

De wijn was een verstandige zet.

Ed was charmant en vrij ouderwets. Op Sarah had dat geen goede uitwerking. Ze vertelde over de tandarts die haar tandvlees aan de rubberen handschoen van de assistente had vastgenaaid. Hij vertelde over de advocaat die de hond van zijn tante had vergiftigd. De kip was niet lekker. Ed en Sarah verschilden van mening over zigeuners. Met name of ze al dan niet allemaal in kampen gestopt moesten worden. Sarah vond dat Ed in een kamp gestopt moest worden. Ed, die de meningen van vrouwen grotendeels als decoratief beschouwde, besloot dat Sarah 'een lekker stuk' was.

Ray probeerde een veiliger onderwerp te vinden en begon herinneringen aan hun rugbytijd op te halen, wat resulteerde in een reeks zogenaamd hilarische verhalen waarin veel werd gedronken, kleinschalig vandalisme werd gepleegd en iemand zijn broek werd uitgetrokken.

Katie dronk nog twee glazen wijn.

Ed zei dat hij zijn speech als volgt zou beginnen: 'Dames en heren, mijn taak is vergelijkbaar met wanneer je het verzoek zou krijgen om de koningin een beurt te geven. Het is natuurlijk een hele eer, maar je kijkt er niet echt naar uit.'

Ray vond dit buitengewoon grappig. Katie vroeg zich af of ze niet met iemand anders moest trouwen en Sarah, die het moeilijk kon hebben als een man de aandacht voor zich opeiste, vertelde dat ze bij de bruiloft van Katrina zo dronken was geworden dat ze in de lounge van een hotel in Derby van haar stokje was gegaan en in haar broek had geplast.

Een uur later lagen Katie en Ray naast elkaar in bed naar het langzaam ronddraaiende plafond te kijken en naar het gestuntel van Ed met de slaapbank aan de andere kant van de muur te luisteren.

Ray pakte haar hand. 'Het spijt me.'

'Wat?'

'Van vanavond.'

'Ik dacht dat je het leuk vond,' zei Katie.

'Een beetje wel.'

Ze zwegen allebei even.

'Ik denk dat hij een beetje zenuwachtig was,' zei Ray. 'Wij allemaal, denk ik. Behalve Sarah dan. Die wordt volgens mij niet zenuwachtig.'

Er klonk een gilletje door de muur ten teken dat er iets van Ed klem zat in het mechanisme.

'Ik ga wel even met Ed praten,' zei Ray. 'Over zijn speech.'
'Ik ga wel even met Sarah praten,' zei Katie.

17

Zaterdagochtend barstte de bom.

Tony werd vroeg wakker en ging naar de keuken om het ontbijt te maken. Toen Jamie twintig minuten later aan kwam kuieren, zat Tony aan de keukentafel negativiteit uit te stralen.

Jamie had duidelijk iets verkeerds gedaan. 'Wat is er?'

Tony kauwde op zijn wang en trommelde met een theelepeltje op tafel. 'Die bruiloft,' zei Tony.

'Luister eens,' zei Jamie, 'ik heb er zelf ook helemaal geen zin in.' Hij wierp een snelle blik op de klok. Tony moest over twintig minuten weg. Jamie besefte dat hij in bed had moeten blijven.

'Maar je gaat wel,' zei Tony.

'Ik heb weinig keus.'

'Waarom wil je dan niet dat ik meega?'

'Omdat je het vreselijk zal vinden,' zei Jamie, 'en omdat ik het vreselijk zal vinden. En in mijn geval maakt het niet uit, want het is mijn familie, hoe je het ook wendt of keert. Dus eens in de zoveel tijd moet ik op mijn tanden bijten en me in het algemeen belang aan iets vreselijks onderwerpen. Maar dat wil niet zeggen dat ik jou dat ook hoef aan te doen.'

'Jezus, het is maar een bruiloft,' zei Tony. 'Het is toch geen trans-Atlantische zeilrace. Zo vreselijk kan het toch niet zijn?'

'Het is niet zomaar een bruiloft,' zei Jamie. 'Jezus, mijn zuster trouwt met de verkeerde vent. Voor de tweede keer. Alleen weten we het nu al van tevoren. Niet echt iets om te vieren.'

'Het interesseert me geen ruk met wie ze trouwt,' zei Tony.

'Nou, mij wel,' zei Jamie.

'Het gaat hier niet om met wie ze trouwt.'

Jamie maakte Tony uit voor ongevoelige eikel. Tony maakte Jamie uit voor egocentrische lul. Jamie weigerde om er verder nog over te praten. Tony vertrok woedend.

Jamie rookte drie sigaretten en bakte twee boterhammen in ei en boter en besefte dat er niets constructiefs uit zijn handen zou komen en dat hij dus net zo goed naar Peterborough kon rijden om het trouwverhaal uit de mond van zijn ouders te horen.

18

George was bezig de raamkozijnen erin te zetten. Aan beide kanten zes lagen boven de onderdorpel. Genoeg metselwerk om ze stevig op hun plaats te houden. Hij smeerde de specie uit en schoof het eerste kozijn erin.

Eigenlijk was het niet alleen de vliegreis. Vakanties zelf stonden niet veel hoger op de lijst van Georges favoriete bezigheden. Amfitheaters bezoeken, het kustpad in Pembrokeshire lopen, leren skiën. Hij zag de gedachte achter deze activiteiten wel. Twee akelige weken op Sicilië werden bijna goedgemaakt door de mozaïeken in Piazza Armerina. Wat hij niet begreep was hoe het uitzicht op een fontein en een ober die gebrekkig Engels sprak het op de een of andere manier geweldig maakten dat je naar het buitenland ging om aan een zwembad te zitten, simpele kost te eten en goedkope wijn te drinken.

Ze wisten wat ze deden in de middeleeuwen. *Holidays*, heilige dagen. Bedevaarten. Canterbury en Santiago de Compostela. Dertig zware kilometers per dag, eenvoudige taveernen en een duidelijk doel.

Noorwegen was misschien niet zo gek geweest. Bergen, toendra's, ruige kusten. Maar het moest Rhodos of Corsica worden. En dan ook nog in de zomer, zodat sproetige Britten onder luifels de *Sunday Times* van een week oud moesten zitten lezen terwijl het zweet ze langs de rug liep.

Nu hij erbij stilstond, tijdens het bezoek aan Piazza Armerina had hij een zonnesteek gehad en wat hij zich van de mozaïeken herinnerde kwam grotendeels van de stapel ansichtkaarten die hij in de winkel had gekocht alvorens zich met een fles water en een pakje pijnstillers in de auto terug te trekken.

De menselijke geest was niet bedoeld voor zonnebaden en lichte romans. In elk geval niet op achtereenvolgende dagen. De menselijke geest was bedoeld om dingen te doen. Speren maken, op antilopen jagen.

De Dordogne in 1984 was het dieptepunt. Diarree, motten als vliegende hamsters, de verschroeiende hitte. Om drie uur 's nachts wakker liggen op een vochtig, hobbelig matras. Toen dat noodweer. Alsof er iemand op platen blik stond te slaan. Bliksem die zo fel was dat hij door het kussen heen kwam. 's Morgens zestig, zeventig dode kikkers die in het zwembad dobberden. En aan het uiteinde dreef iets wat groter en hariger was, een kat wellicht, of de hond van de Franzetti's, waar Katie met een snorkel in stond te porren.

Hij moest wat drinken. Hij liep terug over het gazon en deed net zijn vuile schoenen uit toen hij Jamie in de keuken zag, die zijn tas neergooide en water opzette.

George bleef staan en keek, zoals hij deed wanneer er een hert in de tuin liep, wat weleens gebeurde.

Jamie was zelf ook een beetje schuw. Niet dat hij dingen achterhield. Maar hij was terughoudend. Vrij ouderwets, eigenlijk. Andere kleren en een ander kapsel en je zag hem zo een sigaret opsteken in een steegje in Berlijn, of op een treinstation in de stoom verdwijnen.

In tegenstelling tot Katie, die de betekenis van het woord 'terughoudend' niet kende. Hij kende niemand anders die tijdens het eten over menstruatie kon beginnen. En toch wist je dat ze dingen achterhield, dingen die je dan met regelmatige tussenpozen voorgeschoteld kreeg. Zoals de bruiloft. Volgende week zou ze ongetwijfeld bekendmaken dat ze zwanger was.

Goeie genade. De bruiloft. Jamie kwam natuurlijk vanwege de bruiloft.

Hij kon het best. Als Jamie een tweepersoonsbed wilde, zou hij zeggen dat de logeerkamer door iemand anders werd gebruikt, en ergens een kamer voor hem reserveren in een van de betere pensions. Zolang George maar niet 'je vriend' hoefde te zeggen.

Hij ontwaakte uit zijn mijmering en besefte dat Jamie in de keuken naar hem stond te zwaaien en wat bevreemd keek omdat George niet reageerde.

Hij zwaaide terug, trok zijn andere schoen uit en ging naar binnen.

'Wat brengt jou hierheen?'

'O, ik kom gewoon even langs,' zei Jamie.

'Je moeder heeft anders niets gezegd.'

'Ik heb niet gebeld.'

'Maakt niet uit. Je kunt vast wel mee-eten.'

'Hoeft niet. Zo lang blijf ik niet. Thee?' vroeg Jamie.

'Graag.' George pakte de volkorenbiscuitjes terwijl Jamie een theezakje in de tweede beker hing.

'Zo. Die bruiloft,' zei Jamie.

'Ja?' vroeg George, die probeerde te klinken alsof hij nog niet aan het onderwerp had gedacht.

'Wat vind jij?'

'Ik vind...' George ging zitten en verschoof de stoel zodanig dat hij precies de juiste afstand tot de tafel had. 'Ik vind dat je iemand mee moet brengen.'

Zo. Dat klonk behoorlijk neutraal, voor zover hij kon beoordelen.

'Nee, pa,' zei Jamie op vermoeide toon. 'Ik bedoel Katie. Wat vind je ervan dat zij met Ray gaat trouwen?'

Het was waar: er waren werkelijk eindeloos veel manieren om iets verkeerds tegen je kinderen te zeggen. Je liet een vredesduif los en het was de verkeerde duif op het verkeerde moment.

'Nou?' vroeg Jamie nog eens.

'Eerlijk gezegd probeer ik in een staat van boeddhistische onthechting te blijven om te voorkomen dat de hele zaak me tien jaar van mijn leven kost.'

'Maar het is dus wel serieus?'

'Bij je zuster is het altijd serieus. Of dat in dit geval over twee weken nog zo is, zullen we moeten afwachten.'

'Maar wat zei ze dan?'

'Alleen maar dat ze gingen trouwen. Voor de emotionele kant moet je bij je moeder zijn. Ik heb vooral met Ray gepraat, vrees ik.'

Jamie zette een beker thee voor George neer en trok zijn wenkbrauwen op. 'Dat zal wel ongemeen boeiend zijn geweest.'

En daar was het, dat kleine deurtje dat heel even openging.

Ze hadden nooit zo aan vader-zoondingen gedaan. Een paar zaterdagmiddagen op het circuit van Silverstone. Samen een schuurtje in de tuin bouwen. Dat was het wel zo ongeveer.

Anderzijds zag hij vrienden wel vader-zoondingen doen en voor zover hij kon zien kwam dat neer op het naast elkaar zitten bij rugbywedstrijden en vulgaire grapjes maken. Moeders en dochters, daar zag hij het nut van in. Jurken. Roddels. Al met al mocht hij zich waarschijnlijk gelukkig prijzen dat hij de vader-zoondingen niet had hoeven doen.

Maar dan waren er momenten als dit wanneer hij zag hoeveel Jamie en hij op elkaar leken.

'Ray is, moet ik toegeven, een beetje moeizaam,' zei George, en hij doopte een biscuitje in zijn thee. 'Volgens mijn lange en droevige ervaring is het zinloos om te proberen je zuster op andere gedachten te brengen. De beste tactiek is, denk ik, om haar als een volwassene te behandelen. Geen sjoege geven. Aardig doen tegen Ray. Als het over twee jaar allemaal de soep in draait, nou ja, dat hebben we eerder bij de hand gehad. Ik wil in elk geval niet aan je zuster laten merken dat we het maar niks vinden en dan de komende dertig jaar Ray als misnoegde schoonzoon hebben.'

Jamie dronk zijn thee. 'Ik ben alleen zo...'

'Wat?'

'Niets. Je zult wel gelijk hebben. We moeten haar haar gang maar laten gaan.'

Jean verscheen in de deuropening met een volle wasmand. 'Dag Jamie. Wat een leuke verrassing.'

'Dag ma.'

'Kun je het ook eens aan een ander vragen,' zei George.

Jean zette de mand op de wasmachine. 'Wat?'

'Jamie vraagt zich af of we Katie voor een ondoordacht en onverstandig huwelijk moeten behoeden.'

'Pa...' zei Jamie korzelig.

En hier scheidden hun wegen. Jamie hield niet echt van grapjes, niet als het grapjes over hem waren. Hij was eerlijk gezegd een beetje gevoelig.

'George.' Jean wierp hem een boze, beschuldigende blik toe. 'Wat heb je allemaal gezegd?'

George weigerde om te happen.

'Ik maak me gewoon zorgen om Katie,' zei Jamie.

'Wij ook,' zei Jean, die de wasmachine begon te vullen. 'Mijn eerste keus zou Ray ook niet zijn. Maar zo ligt het. Je zuster is een vrouw die weet wat ze wil.'

Jamie stond op. 'Laat ik maar gaan.'

Jean stopte met het vullen van de wasmachine. 'Je bent er net.'

'Ik weet het. Ik had moeten bellen. Ik wilde graag weten wat Katie had gezegd. Ik moet ervandoor.'

En weg was hij.

Jean wendde zich tot George. 'Waarom moet je hem toch altijd tegen de haren in strijken?'

George hield zich in. Andermaal.

'Jamie?' Jean verdween de gang in.

George herinnerde zich maar al te goed wat een hekel hij aan zijn eigen vader had gehad. Een vriendelijke reus die munten in je oren vond en origami-eekhoorns maakte en die in de loop der jaren kromp tot een verbolgen dronken mannetje dat vond dat je kinderen zwak maakte als je ze prees en nooit erkende dat zijn eigen broer schizofreen was. En hij bleef krimpen, dus toen George en Judy en Brian oud genoeg waren om hem ter verantwoording te roepen, had hij de meest indrukwekkende truc van allemaal gedaan door te veranderen in een jichtige figuur vol zelfmedelijden, waarvan nog zo weinig over was dat je je woede er niet meer op kon richten.

Het beste waarop je kon hopen was misschien wel dat je je eigen kinderen niet hetzelfde aandeed.

Jamie was een goeie jongen. Er waren fermere knapen, maar ze konden het toch vrij goed met elkaar vinden.

Jean kwam terug in de keuken. 'Wat was dat nou allemaal?'

'God mag het weten.' George stond op en deponeerde zijn lege beker in de gootsteen. 'Er komt nooit een einde aan het raadsel van je kinderen.'

19

Jamie stopte in een parkeerhaven aan de rand van het dorp.

'Ik vind dat je iemand moet meebrengen'.

Christus. Twintig jaar lang vermeed je het onderwerp en dan flitste het langs met honderdtwintig per uur en verdween in een wolk uitlaatgas.

Had hij zich dan al die tijd vergist in zijn vader? Was het mogelijk dat hij op zijn zestiende uit de kast had kunnen komen zonder dat er een vuiltje aan de lucht was geweest? 'Geen enkel probleem. Knaap bij mij op school, viel op andere knapen. Heeft later nog cricket gespeeld voor Leicestershire.'

Jamie was kwaad. Al was het moeilijk te zeggen op wie hij nou precies kwaad was. Of waarom.

Het was hetzelfde gevoel dat hij altijd kreeg wanneer hij weer in Peterborough kwam. Elke keer dat hij foto's van zichzelf als kind zag. Elke keer dat hij boetseerklei rook of vissticks proefde. Dan was hij weer negen. Of twaalf. Of vijftien. En het ging niet om zijn gevoelens voor Ivan Dunne. Of zijn gebrek aan gevoelens voor de gogogirls op tv. Het ging om het weerzinwekkende besef dat hij op de verkeerde planeet was beland. Of in het verkeerde gezin. Of in het verkeerde lichaam. Het besef dat hij niets anders kon doen dan wachten tot hij weg kon komen om een eigen wereldje op te bouwen waarin hij zich veilig voelde.

Katie was degene die hem erdoorheen had gesleept. Die zei dat hij Greg Pattershall en diens vriendjes moest negeren. Dat graffiti alleen maar telde als het goed gespeld was. En ze had gelijk. Uiteindelijk gingen ze inderdaad in een of andere troosteloze wijk in Walton het ellendige leven van heroïneverslaafden leiden.

Hij was waarschijnlijk de enige jongen op school die zelfverdediging van zijn zusje had geleerd. Hij had het één keer in praktijk gebracht, tegen Mark Rice, die zo afschuwelijk bloedend in een struik was gezakt dat Jamie nooit meer iemand had durven slaan.

Nu was hij zijn zus kwijt. En niemand die het begreep. Zelfs Katie niet.

Hij wilde bij haar in de keuken zitten en gezichten trekken naar Jacob en theedrinken en te veel dadel-walnotencake van Marks & Spencer eten en... niet eens praten. Niet eens hoeven praten.

Kut. Als hij het woord 'thuis' zei, ging hij huilen.

Had hij maar wat meer van zich laten horen. Had hij maar wat meer dadel-walnotencake gegeten. Had hij haar en Jacob maar vaker uitgenodigd. Had hij haar maar geld geleend...

Dit had geen zin.

Hij startte de auto, reed de parkeerhaven uit en werd bijna doodgereden door een groen bestelbusje.

20

De regen stroomde langs het raam van de huiskamer. Jean was een uur geleden de stad in gegaan en George stond op het punt om de tuin in te lopen toen er vanaf de kant van Stamford een dik pak wolken in zicht dreef dat het gazon onder water zette.

Niets aan te doen. Dan ging hij wel tekenen.

Dat was niet volgens plan. Het plan was om eerst het atelier af te maken en dan zijn slapende kunstzinnige vaardigheden weer tot leven te wekken. Maar het kon geen kwaad om vast wat te oefenen.

Hij rommelde wat in de kast in Jamies slaapkamer en viste een blok aquarelpapier onder de kapotte hometrainer vandaan. Hij vond twee bruikbare potloden in de keukenla en sleep ze provisorisch met het vleesmes.

Hij maakte een beker thee, ging aan de eettafel zitten en vroeg zich meteen af waarom hij dit zo lang had uitgesteld. De geur van geschaafd hout, de gehamerde bronsstructuur van het crèmekleurige papier. Hij herinnerde zich dat hij op zijn zevende of achtste in de hoek van zijn slaapkamer met een blok op zijn knieën zat en ingewikkelde gotische kastelen tekende met geheime gangen en mechanieken om indringers met kokende olie te overgieten. Hij zag de wijnranken op het behang voor zich en dacht aan het pak slaag dat hij had gekregen toen hij ze met een ballpoint had ingekleurd. Hij voelde zo weer het plekje op zijn groene ribfluwelen broek dat hij kaal had gewreven en waar zijn vingers twintig, dertig jaar later bij moeilijke vergaderingen nog steeds naar zochten.

Hij begon met op het eerste vel grote zwarte lussen te tekenen. 'De handen los maken', had meneer Gledhill dat genoemd.

Hoe vaak ervoer hij dit nu, dit heerlijke, heimelijke isolement? In het bad soms, misschien. Al begreep Jean zijn periodieke behoefte aan afzondering niet en sleurde ze hem regelmatig terug naar de aarde als hij net lekker lag te weken, door op de dichte deur te bonken omdat ze bleekwater of tandzijde moest hebben.

Hij begon de ficus te tekenen.

Vreemd om te bedenken dat hij hier ooit zijn leven van had willen maken.

Niet van ficussen als zodanig. Maar van tekenen en schilderen in het algemeen. Stadsgezichten. Fruitschalen. Naakte vrouwen. Die grote witte ateliers met hun dakramen en hun krukjes. Lachwekkend nu, natuurlijk. Maar destijds bezat het de kracht van een wereld waartoe zijn vader geen toegang had.

Het was niet zo'n goede tekening van een ficus. Het was, in alle eerlijkheid, een kindertekening van een ficus. De bijna-maar-net-niet-helemaal evenwijdige lijnen van de enigszins spits toelopende stengels hadden hem op de een of andere manier gefopt.

Hij sloeg een nieuw vel op en begon de televisie te schetsen.

Zijn vader had natuurlijk gelijk: schilderen was geen verstandig beroep. Niet als je een fatsoenlijk salaris en een probleemloos huwelijk wilde. Zelfs de succesvolle schilders, over wie je in de weekendbijlagen las, zopen als beesten en waren in de meest onbetamelijke relaties verwikkeld.

Het tekenen van de televisie leverde precies het omgekeerde probleem op. De lijnen liepen allemaal recht. Elke kromme lijn die je tekende, kon je waarschijnlijk wel ergens op een ficus vinden. Elke rechte lijn die je tekende... eerlijk gezegd hoorden verschillende van zijn rechte lijnen meer thuis op de tekening van de ficus. Mocht je een liniaal gebruiken? Ach, meneer Gledhill was allang dood. Misschien kon hij de lijnen vaag trekken en er dan nog eens overheen gaan om ze karakter te geven.

Hij kon de rand van de *Radio Times* gebruiken.

Zijn moeder dacht dat hij Rembrandt was en gaf hem regelmatig goedkope schetsblokken die ze van het huishoudgeld betaalde, op voorwaarde dat hij niets tegen zijn vader zei. George had hem één keer getekend, toen hij op zondagmiddag na het eten in een leunstoel zat te slapen. Hij was onverwachts wakker geworden, had het vel papier gegrist, bekeken, in stukjes gescheurd en in de haard gegooid.

Brian en hij waren tenminste nog ontsnapt. Maar die arme Judy. Haar vader overlijdt en een half jaar later trouwt zijn zuster met de volgende chagrijnige, benepen alcoholist.

Die ook op de bruiloft uitgenodigd moest worden. Dat was hij vergeten. Nou ja. Als ze geluk hadden zou de verfoeilijke Kenneth zich in rap tempo laveloos drinken, zoals hij de eerste keer ook had gedaan, en konden ze hem met een emmer in het berghok stallen.

De knoppen van de televisie waren niet goed. Het was een vergissing geweest om het ribbeltjespatroon aan de zijkanten te proberen. Te veel lijnen op een te kleine ruimte. Het hele televisiemeubel had trouwens iets dronkens, mogelijk omdat hij niet meer precies wist hoe je perspectief kreeg en omdat de *Radio Times* een beetje slap was.

Een man van minder kaliber zou nu misschien negatieve gedachten hebben toegelaten, gelet op het feit dat hij net achtduizend pond had besteed aan het optrekken van een gebouwtje waarin hij veel ingewikkeldere voorwerpen dan ficussen en televisies wilde gaan tekenen en schilderen. Maar daar ging het nou juist om. Zichzelf dingen bijbrengen. Zijn geest soepel houden. En leren zweefvliegen was niets voor hem.

Hij keek op en staarde door het raam de tuin in. De luchtbel sprong, en hij besefte dat de regen in die tijd was opgehouden, de zon tevoorschijn gekomen en de wereld schoongespoeld.

Hij trok zijn tekening van het blok, scheurde hem zorgvuldig in stukjes en duwde die naar de bodem van de afvalbak. Hij legde het blok en de potloden uit het zicht boven op de keukenkast, trok zijn schoenen aan en ging naar buiten.

21

Jean trof Ursula in de koffiehoek van Marks & Spencer.

Ursula brak het koekje boven haar cappuccino in tweeën om te voorkomen dat de kruimels op tafel vielen. 'Ik hoor dit eigenlijk niet te weten.'

'Dat weet ik,' zei Jean, 'maar je weet het toch. En ik heb raad nodig.'

Ze had eigenlijk geen raad nodig. Niet van Ursula. Ursula deed alleen maar 'ja' en 'nee' (precies zo was ze het Picassomuseum rondgegaan: 'Ja... nee... nee... ja', alsof ze besloot welke ze thuis in de woonkamer wilde hangen). Maar Jean moest met iemand praten.

'Toe dan maar,' zei Ursula, en ze at de helft van haar koekje op.

'David komt eten. Op uitnodiging van George. We kwamen hem tegen bij de begrafenis van Bob Green. David kon er niet onderuit.'

'Nou...' Ursula legde haar handen uitgespreid op tafel, alsof ze een grote plattegrond wilde platstrijken.

Dit was nou wat Jean in Ursula waardeerde. Ze raakte nooit van de wijs. Ze had een marihuanasigaret met haar dochter gerookt ('Ik werd zeeziek en toen moest ik overgeven'). En in Parijs had een man inderdaad geprobeerd haar te beroven. Ursula had hem een standje gegeven alsof hij een ongehoorzame hond was, waarop hij snel de benen had genomen. Al was het mogelijk, bedacht Jean later, dat hij alleen maar bedelde of de weg vroeg.

'Ik zie het probleem niet zo,' zei Ursula.

'Hou toch op,' zei Jean.

'Jullie zijn toch zeker niet van plan om de tortelduifjes te gaan uithangen?' Ursula at de andere helft van haar koekje op. 'Uiteraard zal het een beetje ongemakkelijk zijn. Maar als je daar niet tegen kunt, vind ik dat je niet aan zo'n soort avontuur moet beginnen.'

Ursula had gelijk. Toch voelde Jean zich niet gerust toen ze terugliep naar de auto. Natuurlijk zou het etentje geen problemen opleveren. Ze hadden wel ergere etentjes meegemaakt. Die afschuwelijke avond met de Fergusons, bijvoorbeeld, toen bleek dat George op de wc naar het cricket op de radio was gaan zitten luisteren.

Maar het baarde Jean zorgen dat alles losser en rommeliger begon te worden, en dat ze langzaamaan haar greep verloor.

Ze stopte bij David om de hoek in de wetenschap dat ze zich moest verontschuldigen voor George z'n uitnodiging, of hem moest verwijten dat hij die had aangenomen, of iets anders moest doen wat ze niet precies kon aangeven.

Maar David had net zijn dochter aan de lijn gehad.

Zijn kleinzoon moest naar het ziekenhuis voor een operatie. David wilde naar Manchester gaan om te helpen. Maar Mina was hem voor geweest. Dus het beste wat hij kon doen, was wegblijven. Wat Mina ongetwijfeld zou bijschrijven als nieuw bewijs van zijn tekortkomingen als vader.

En Jean besefte dat niemand een eenvoudig leven had. Behalve Ursula misschien. En George. En als je enig avontuur wilde, moest je enig ongemak op de koop toe nemen.

Dus sloeg ze haar armen om David heen en ze hielden elkaar vast, en ze besefte dat dit dat andere was wat ze niet precies had kunnen aangeven. Dit maakte het goed.

22

'Dat verhaal over dat hotel in Derby,' zei Katie, 'dat is toch niet waar?'

'Natuurlijk niet,' zei Sarah. 'Al was ik wel zo misselijk dat het mijn neus uit kwam. Wat ik van harte niet aanbeveel.'

'Normaal is Ray niet zo,' zei Katie.

'Gelukkig maar.'

'Kom op.' Katie baalde er een beetje van dat ze de benodigde meidensteun niet kreeg van Sarah. 'Jij bent normaal ook niet zo... Wacht even.' Katie stond op en liep naar de kist met speelgoed om een geschil tussen Jacob en een ander kind over een eenbenige Action Man te beslechten.

Ze kwam terug en ging weer zitten.

'Sorry,' zei Sarah. 'Dat was niet aardig.' Ze likte aan haar theelepeltje. 'En dit is waarschijnlijk ook niet aardig, maar dat is dan jammer, want ik vraag het toch... Dit is toch wel wat het wezen moet, hè? En toch geen reactie op het mislukken van je eerste huwelijk?'

'Jezus, Sarah, je bent mijn moeder niet, je bent mijn getuige.'

'Dus je moeder is er niet blij mee.'

'Nee.'

'Nou, het is inderdaad niet de kinderarts met de Daimler.'

'O, ik denk dat ze dat idee allang hebben opgegeven,' zei Katie.

Sarah probeerde haar theelepeltje op de rand van haar beker te laten balanceren.

'Het is een goed mens,' zei Katie. 'Jacob houdt van hem. En ik hou van hem.' Dat was op de een of andere manier verkeerd om. Maar als ze het ging corrigeren, zou ze er juist de aandacht op te vestigen. 'En hij heeft Ed laten beloven om hem van tevoren zijn speech te laten lezen.'

'Gelukkig,' zei Sarah.

'Slaat dat op Ray? Of op Ed?'

'Op Ray,' zei Sarah. 'En op jou.'

Ze legde haar lepeltje neer en ze lieten de sfeer nog wat verder ontdooien.

'Trouwens,' zei Sarah, 'hoe gaat het eigenlijk met je broertje? Die heb ik al tijden niet gezien.'

'Goed. Hij heeft een flat in Hornsey gekocht. Ik zie hem zelf eerlijk gezegd ook niet veel. En hij heeft een geschikt vriendje. Waarmee ik een prettig, aangepast mens bedoel. Je ziet ze vanzelf wel op de bruiloft.'

Ze keken allebei even naar Jacob die een luchtgevecht voerde tussen de gehandicapte Action Man en een octopus van blauw vilt.

'Ik maak geen vergissing,' zei Katie.

'Mooi zo,' zei Sarah.

23

Toen Jean om vier uur thuiskwam, merkte George dat de lange lunch met Ursula weer wonderen had verricht. Het ongelukkige bezoek van Jamie was vergeten en George was dankbaar voor de Ierse hutspot die op tafel stond terwijl ze elkaar vriendelijk hun medeleven over het aanstaande huwelijk betuigden.

'Zijn er eigenlijk mensen die vinden dat hun kinderen een goede partner hebben gekozen?' Cirkelend met een driehoekje broodkorst nam hij het resterende vocht uit de schaal op.

'De man van Jane Riley leek me aardig.'

Jane Riley? George stond steeds weer versteld van het vrouwelijk vermogen om zich mensen te herinneren. Ze liepen een drukke kamer in en zogen het allemaal op. Namen. Gezichten. Kinderen. Banen.

'Dat feestje bij John en Marilyn,' zei Jean. 'Die lange vent die zijn vinger in een of andere machine was kwijtgeraakt.'

'O ja.' Er kwam vaag iets terug. Misschien hadden mannen dit zoeksysteem gewoon niet. 'Die boekhouder.'

'Taxateur.'

Nadat hij had afgewassen ging hij in de huiskamer zitten en las de laatste twintig bladzijden van *Sharpe's Enemy*. ('Het was een winter van twee lijken. Eerst het lijk waarvan het haar lag uitgespreid op de sneeuw van de Poort van God, en nu dit lijk. Obadiah Hakeswill die in zijn kist werd gelegd, dood...') Hij kwam in de verleiding om aan het volgende ongelezen kerstcadeau te beginnen. Maar je moest de sfeer van een roman laten wegebben voordat je aan een nieuwe begon, dus zette hij de televisie aan en viel midden in een medische documentaire over het laatste levensjaar van een man die een soort kanker in de onderbuik had.

Jean maakte een sarcastische opmerking over zijn gruwelijke smaak en ging ergens anders heen om brieven te schrijven.

Hij had een ander programma kunnen kiezen als dat beschikbaar was geweest. Maar van een documentaire leerde je tenminste nog wat. En alles was beter dan een goedkoop melodrama in een kapsalon.

Op het scherm rommelde de man wat in zijn tuin, rookte sigaretten en bracht een hoop tijd op de bank door onder een wollen deken met Schotse ruiten, aangesloten op allerlei slangetjes. Het was hoogstens saai. Een vrij geruststellende boodschap, als je erbij stilstond.

De man ging naar buiten en kon zich maar moeilijk vooroverbuigen om zijn kippen te voeren.

Jean was overgevoelig, zo zat het gewoon. *Hoe wij sterven* was misschien niet ieders favoriet op het nachtkastje. Maar Jean las boeken van mensen die in Beiroet waren ontvoerd of twee maanden in een reddingsboot hadden overleefd. En terwijl iedereen vroeg of laat doodging, hoefden maar zeer weinigen te weten hoe je haaien op afstand hield.

De meeste mannen van Georges leeftijd dachten dat ze het eeuwige leven hadden. Zoals Bob had gereden, was het duidelijk dat hij geen idee had gehad van wat er over vijf seconden kon gebeuren, laat staan vijf jaar.

De man op de televisie ging mee naar het strand. Hij zat in een ligstoel op de kiezels tot hij het te koud kreeg en terug moest naar de camper.

Natuurlijk zou het fijn zijn om rustig in je slaap heen te gaan. Maar rustig in je slaap heengaan was een idee dat ouders hadden bedacht om de dood van grootouders en hamsters minder traumatisch te maken. En ongetwijfeld gingen er mensen rustig heen in hun slaap, maar de meesten hadden dan inmiddels wel vele slopende ronden in de ring gestaan tegenover de man met de zeis.

Hij ging zelf het liefst snel en gedecideerd. Anderen wilden misschien tijd om de strijdbijl met vervreemde kinderen te begraven en hun vrouw te vertellen waar de hoofdkraan zat. Persoonlijk wilde hij dat het licht zonder waarschuwing en met een minimum aan bijbehorend gedoe zou doven. Doodgaan was al erg genoeg zonder dat je het ook nog eens voor iedereen makkelijker moest maken.

Tijdens de reclame ging hij even naar de keuken en toen hij met een kop koffie terugkwam, begon de man aan zijn laatste paar weken, bijna permanent aan zijn bank gekluisterd en een beetje huilend in de kleine uurtjes. En als George de televisie nu had uitgezet, had de avond zich misschien aangenaam kabbelend voortgezet.

Maar hij zette de televisie niet uit, en toen de kat van de man bij hem op de geruite deken kroop om geaaid te worden, schroefde iemand een paneel in de zijkant van Georges hoofd los, stak zijn hand naar binnen en rukte er een handvol zeer belangrijke bedrading uit.

Hij voelde zich verschrikkelijk beroerd. Er droop zweet van de rug van zijn handen en onder zijn haar vandaan.

Hij ging dood.

Misschien niet deze maand. Misschien niet dit jaar. Maar hoe dan ook, wanneer dan ook, op een manier en binnen een tijd die hij zeer beslist niet zelf had uitgekozen.

De vloer leek verdwenen te zijn, zodat er nu een enorme open schacht onder de huiskamer gaapte.

Met verblindende helderheid zag hij in dat iedereen vrolijk door een zomerweide dartelt die omringd wordt door een donker, ondoordringbaar woud, wachtend op de wrede dag dat men de duisternis weer wordt ingesleurd, en een voor een afgeslacht.

Hoe was het godsmogelijk dat hij dit nu pas zag? En dat andere mensen het niet zagen? Waarom lagen ze niet in een zielig hoopje op de stoep te jammeren? Hoe konden ze door hun leven slenteren zonder besef van dit onverteerbare feit? En als de waarheid eenmaal tot je was doorgedrongen, hoe kon je die dan ooit nog vergeten?

Op onverklaarbare wijze zat hij nu op handen en knieën tussen de leunstoel en de televisie te wiegen en probeerde zichzelf te troosten door het geluid van een koe te maken.

Hij overwoog om voortvarend zijn overhemd op te hijsen en zijn broek los te maken, zodat hij het plekje kon bekijken. Een deel van hem wist dat dat er tot zijn geruststelling nog hetzelfde zou uitzien. Een ander deel van hem wist net zo zeker dat de plek zou broeien als een vuist vol wriemelend aas. En een derde deel van hem wist dat wat hij precies zou aantreffen weinig te maken had met dit nieuwe probleem, dat groter en aanzienlijk minder makkelijk oplosbaar was dan de toestand van zijn huid.

Hij was niet gewend dat er drie volledig verschillende stemmen in hem spraken. De druk in zijn hoofd was zo groot dat het mogelijk leek dat zijn ogen zouden openbarsten.

Hij probeerde terug te gaan naar de leunstoel, al was het maar omdat dat gepaster leek, maar het lukte hem niet. Het was alsof de angstaanjagende gedachten die hem nu beheersten werden aangevoerd door een felle wind waartegen alleen de meubels beschutting boden.

Hij ging door met wiegen en dwong zichzelf zo zacht mogelijk te loeien.

24

Jamie parkeerde bij Katie om de hoek en probeerde rustig te worden.

Uiteindelijk ontsnapte je natuurlijk nooit.

Op school mocht het dan klote zijn geweest, het was er tenminste wel over-zichtelijk. Als je de tafel van negen onthield, uit de buurt van Greg Pattershall bleef en mevrouw Fox met klauwen en vleermuisvleugels tekende, was het verder niet al te moeilijk.

Maar daar had je op je drieëndertigste allemaal weinig aan.

Wat ze je op school vergaten te leren, was dat dat hele mens-zijn alleen maar chaotischer en ingewikkelder werd naarmate je ouder werd.

Je kon de waarheid spreken, beleefd zijn, rekening houden met ieders gevoelens en evengoed nog andermans shit over je heen krijgen. Op je negende of je negentigste.

Hij leerde Daniel kennen toen hij studeerde. En aanvankelijk was het een op-luchting om iemand tegen te komen die er niet op los naaide nu hij eenmaal uit huis was. Daarna, toen de kick van een vast vriendje er een beetje af was, besef-te hij dat hij samenwoonde met een vogelaar die van Black Sabbath hield, en kwam de ontstellende gedachte bij hem op dat hij misschien wel uit hetzelfde hout was gesneden, dat zelfs het feit dat hij in de ogen van de brave burgers in Peterborough een paria was, hem niet interessant of cool maakte.

Hij had seksuele onthouding geprobeerd. Het enige probleem daarbij was het gebrek aan seks. Na een paar maanden nam je met alles genoegen en liet je je bo-ven aan Hampstead Heath achter een grote struik pijpen, wat prima was tot je klaarkwam en de betovering vervloog en je besefte dat je droomprins sliste en een rare pigmentvlek op zijn oor had. En er waren zondagavonden dat een boek le-zen voelde alsof je een kies liet trekken, dus nuttigde je een blikje zoete gecon-denseerde melk met een lepel terwijl je naar *French & Saunders* keek en sijpelde er iets giftigs onder de schuiframen door en vroeg je je af wat het in godsnaam allemaal voor zin had.

Hij hoefde niet veel. Kameraadschap. Gemeenschappelijke interesses. Een beet-je ruimte.

Het probleem was dat niemand anders wist wat hij wilde.

Sinds Daniel had hij drie redelijke relaties weten op te bouwen. Maar na een halfjaar, een jaar, veranderde er altijd iets. Ze wilden meer. Of minder. Nicholas vond dat ze hun seksleven moesten oppeppen door met anderen naar bed te gaan. Steven wilde bij hem intrekken. Met zijn katten. En Olly raakte in een diepe depressie na de dood van zijn vader, waardoor Jamie van een partner een soort maatschappelijk werker werd.

Zes jaar doorspoelen en hij en Shona zaten na het werk in de kroeg en zij zei dat ze ging proberen hem aan een leuke bouwjongen te koppelen die bezig was de flats aan Princes Avenue af te werken. Maar ze was dronken en Jamie kon zich niet voorstellen dat uitgerekend Shona de seksuele geaardheid van iemand uit de arbeidersklasse goed had beoordeeld. Dus was hij het gesprek inmiddels geheel vergeten toen ze in Muswell Hill waren en Jamie door de flat liep om de afmetingen op te nemen en een vage seksuele fantasie had over de vent die de keuken stond te schilderen. Op dat moment kwam Shona binnen en zei: 'Tony, dit is Jamie. Jamie, dit is Tony,' en Tony draaide zich om en lachte en Jamie besefte dat hij die ouwe Shona flink had onderschat.

Zij verdween en hij praatte met Tony over projectontwikkeling en fietsen en Tunesië, met een terloopse verwijzing naar de vijvers op de Heath om er helemaal zeker van te zijn dat ze uit hetzelfde liedboek zongen, en Tony haalde een visitekaartje uit zijn achterzak en zei: 'Als je ooit iets nodig hebt...' en Jamie had zeer zeker iets nodig.

Hij wachtte een paar avonden om geen wanhopige indruk te maken en sprak toen met hem af in een kroeg in Highgate. Daar vertelde Tony een verhaal over naaktzwemmen met vrienden bij Studland en dat ze afvalbakken moesten leeggooien en provisorische kilts van de zwarte zakken moesten maken om terug te liften naar Poole, nadat hun kleren waren gejat. En Jamie legde uit dat hij *The Lord of the Rings* elk jaar herlas. Maar het voelde goed. Het verschil. Als twee passende puzzelstukjes.

Na een hapje Indiaas gingen ze naar Jamies flat, waar Tony op de bank minstens twee dingen bij hem deed die nog nooit iemand bij hem had gedaan, en de volgende avond kwam hij weer en deed het nog eens dunnetjes over, en ineens was het leven bijzonder goed.

Hij voelde zich onbehaaglijk als hij mee moest naar wedstrijden van Chelsea. Hij voelde zich onbehaaglijk als hij zich ziek meldde zodat ze voor een lang weekend naar Edinburgh konden vliegen. Maar Jamie had iemand nodig die hem dat onbehaaglijke gevoel gaf. Want als het allemaal te behaaglijk werd, kon hij wel eens heel veel op zijn vader gaan lijken.

En als er wat met een schuifraam was of de keuken had een likje verf nodig, dan woog dat natuurlijk mooi op tegen The Clash op volle sterkte en werkschoenen in de gootsteen.

Ze hadden ook weleens ruzie. Je kon niet een hele dag met Tony optrekken zonder ruzie te krijgen. Maar Tony vond dat het er allemaal bij hoorde, dat maakte relaties tussen mensen juist zo leuk. Tony gebruikte ook graag seks om het weer bij te leggen. Jamie vroeg zich zelfs weleens af of Tony geen ruzie uitlokte louter en alleen om het daarna weer bij te leggen. Maar de seks was te lekker om te klagen.

En nu waren ze elkaar in de haren gevlogen vanwege een bruiloft. Een bruiloft die geen reet te maken had met Tony en eerlijk gezegd ook niet veel met Jamie.

Hij had een stijve nek.

Hij tilde zijn hoofd op en besefte dat hij al een minuut of vijf met zijn voorhoofd leunend op het stuur had gezeten.

Hij stapte uit. Tony had gelijk: hij kon Katie niet op andere gedachten brengen. Eigenlijk kwam het voort uit een schuldgevoel. Dat hij er niet geweest was om naar haar te luisteren.

Het had geen zin om daar nu over in te zitten. Hij moest het maar goedmaken. Dan was hij van dat schuldgevoel af.

Shit. Hij had cake moeten kopen.

Het maakte niet uit. Het ging niet om de cake.

Half drie. Ze zouden de rest van de middag hebben, tot Ray thuiskwam. Thee. Kletsen. Jacob die op zijn rug mocht zitten en vliegtuigje mocht spelen. Als het meezat ging die even slapen en konden ze ongestoord praten.

Hij liep het tuinpad op en belde aan.

De deur ging open en hij zag dat de gang werd versperd door Ray, die een overall met verfspatten droeg en een of andere elektrische boor in zijn hand hield.

'Zo, dus jij hebt ook een dagje vrij genomen,' zei Ray. 'Gaslek op het werk.' Hij hield de boor op en liet hem even draaien. 'Je hebt het dus gehoord?'

'Ja.' Jamie knikte. 'Gefeliciteerd.'

Gefeliciteerd?

Ray stak een vlezige poot uit, die Jamies hand naar zich toe zoog.

'Gelukkig,' zei Ray. 'Ik dacht dat je me misschien in elkaar kwam slaan.'

Jamie perste er een lachje uit. 'Dat zou een ongelijke strijd zijn, hè?'

'Ja.' Ray lachte harder en ontspannener. 'Kom je verder?'

'Goed. Is Katie thuis?'

'Die is naar Sainsbury's. Met Jacob. Ik ben aan het klussen. Met een halfuurtje zijn ze wel terug.'

Voor Jamie een afspraak kon verzinnen waarheen hij onderweg was, had Ray de deur al achter hem dichtgedaan. 'Neem een kop koffie, dan zet ik deze kastdeur er weer in.'

'Ik heb liever thee, als dat kan,' zei Jamie. Het woord 'thee' klonk niet mannelijk.

'Ja, dat lukt ook wel.'

Jamie nam plaats aan de keukentafel met een gevoel dat deed denken aan die keer achter in de Cessna, vlak voor die onfortuinlijke parachutesprong.

'Ik ben blij dat je er bent.' Ray legde de boor neer en waste zijn handen. 'Ik wou je namelijk wat vragen.'

Jamie zag een afschrikwekkend beeld voor zich van Ray die de afgelopen acht maanden alle haatgolven over zich heen had laten komen, geduldig wachtend op het moment dat hij eindelijk alleen met Jamie was.

Hij zette theewater op, leunde tegen het aanrecht, duwde zijn handen diep in zijn broekzakken en staarde naar de grond. 'Vind jij dat ik met Katie moet trouwen?'

Jamie vroeg zich af of hij het wel goed had gehoord. En er waren vragen waarop je gewoon geen antwoord gaf, om te voorkomen dat je de plank faliekant missloeg (Neil Turley die zomer bij het douchen na het voetballen bijvoorbeeld).

'Jij kent haar beter dan ik.' Ray keek zoals Katie keek toen ze acht was, en met haar gedachten een lepel probeerde te buigen. 'Denk jij... Dit klinkt ongelooflijk stom, maar denk jij dat ze van me houdt?'

Deze vraag hoorde Jamie akelig helder. Hij zat nu voor de open deur van de Cessna met anderhalve kilometer niets tussen zijn voeten en Hertfordshire. Over vijf tellen zou hij als een baksteen naar beneden vallen, van zijn stokje gaan en zijn helm vol kotsen.

Ray keek op. Er heerste een stilte in de keuken als de stilte in een afgelegen schuur in een griezelfilm.

Diep ademhalen. De waarheid spreken. Beleefd zijn. Rekening houden met Rays gevoelens. De boel afhandelen. 'Ik weet het niet. Ik weet het echt niet. Ik heb Katie het laatste jaar weinig gesproken. Ik heb het druk gehad, zij was vaak bij jou...' Zijn stem stierf weg.

Ray leek tot een volkomen normaal mens te zijn gekrompen. 'Ze kan zo vreselijk kwaad worden.'

Jamie had grote behoefte aan de thee, al was het maar om iets vast te houden.

'Ik word weleens ook kwaad,' zei Ray. Hij hing in twee bekers een theezakje en schonk het water in. 'Dat weet ik heus wel. Maar Katie...'

'Ik weet het,' zei Jamie.

Luisterde Ray wel? Het was moeilijk te zeggen. Misschien had hij gewoon iemand nodig om zijn woorden tot te richten.

'Het is net een donderwolk,' zei Ray.

Hoe kreeg Ray dat voor elkaar? Zo stond hij nog als een vrachtwagen in de keuken en zo zat hij in een holletje en vroeg om hulp. Waarom kon hij niet zo lijden dat ze er allemaal op veilige afstand van konden genieten?

'Het ligt niet aan jou,' zei Jamie.

Ray keek op. 'Echt niet?'

'Misschien ook wel.' Jamie zweeg even. 'Maar op ons wordt ze ook kwaad.'

'Oké.' Ray bukte zich en schoof pluggen in vier gaten die hij in de kast had geboord. 'Oké.' Hij kwam overeind en haalde de theezakjes weg. De sfeer werd iets ontspannener en Jamie verheugde zich al op een gesprek over voetballen of het isoleren van zolderkamers. Maar toen zette Ray de thee voor hem neer met de woorden: 'Hoe zit dat met jou en Tony?'

'Hoe bedoel je?'

'Ik bedoel: hoe zit dat met jou en Tony?'

'Ik weet niet of ik je wel goed begrijp,' zei Jamie.

'Je houdt toch van hem?'

Godallemachtig. Geen wonder dat Katie kwaad werd als Ray er de gewoonte op na hield om zulke vragen te stellen.

Ray schoof nog een paar pluggen in de kastdeur. 'Katie zei dat je eenzaam was. Tot je deze vent ontmoette en... bingo.'

Kon een mens zich minder op zijn gemak voelen dan hij op dit moment? Zijn handen trilden en de thee rimpelde alsof ze in *Jurassic Park* zaten en de T-rex eraan kwam.

'Katie vindt hem wel tof.'

'Waarom hebben we het over Tony en mij?'

'Jullie hebben toch ook weleens ruzie?' vroeg Ray.

'Ray, het gaat je niet aan of wij ruzie hebben of niet.'

Goeie genade. Hij wees Ray terecht. Jamie wees nooit iemand terecht. Hij voelde zich net zoals toen Robbie North een blik benzine op dat vuurtje gooide: dit kon niet goed aflopen.

'Sorry.' Ray hield zijn handen omhoog. 'Ik heb niet zo veel verstand van die homobusiness.'

'Het heeft helemaal niets te maken met... Jezus.' Jamie zette zijn thee neer om niet te morsen. Hij was een beetje duizelig. Hij haalde diep adem en praatte langzaam. 'Ja, Tony en ik hebben weleens ruzie. Ja, ik hou van Tony. En...'

Ik hou van Tony.

Hij had gezegd dat hij van Tony hield. Hij had het tegen Ray gezegd. Terwijl hij het nog niet eens tegen zichzelf had gezegd.

Hield hij van Tony?

Jezus nog aan toe.

Ray zei: 'Hoor eens...'

'Nee. Wacht.' Jamie hield zijn hoofd in zijn handen.

Het was weer precies als met het leven, met school, met anderen: je ging met de beste bedoelingen naar het huis van je zuster, je raakte in gesprek met iemand die de elementaire regels der menselijke conversatie niet begreep, en ineens vond er in je hoofd een kettingbotsing plaats.

Hij vermande zich. 'Misschien moeten we gewoon over voetballen praten.'

'Voetballen?'

'Mannenzaken.' Het bizarre idee kwam bij hem op dat ze vrienden konden worden. Misschien geen vrienden. Maar mensen die met elkaar konden opschieten. Kerst in de loopgraven en zo.

'Neem je me nou in de zeik?' vroeg Ray.

Jamie haalde diep adem. 'Katie is een schat. Maar geen makkelijke tante. Ze eet nog geen koekje als ze daar geen zin in heeft. Als ze met je trouwt, wil ze dat.'

De boor gleed van de bar en viel op de tegelvloer. Het klonk alsof er een mortiergranaat ontplofte.

25

Er was iets met George gebeurd.

Het begon die avond toen ze de huiskamer in kwam en hij onder de leunstoel naar de afstandsbediening van de televisie lag te graaien. Hij kwam overeind en vroeg wat ze had gedaan.

'Een brief geschreven.'

'Aan wie?'

'Anna in Melbourne.'

'Wat heb je geschreven?'

'Over de bruiloft. Over jouw atelier. Over het stuk dat de Khans aan hun oude huis hebben gebouwd.'

George praatte nooit over haar familie, of over de boeken die ze las, of over de mogelijkheid van een nieuwe bank. Maar de rest van de avond wilde hij weten wat ze van al die dingen vond. Toen hij eindelijk in slaap viel, was dat waarschijnlijk van uitputting. Zo'n lang gesprek had hij in geen twintig jaar met haar gevoerd.

De volgende dag verliep ongeveer net zo. Als hij niet achter in de tuin bezig was of naar Tony Bennett luisterde, twee keer zo hard als normaal, liep hij haar door het hele huis achterna.

Als ze vroeg of er iets met hem was, zei hij steeds maar dat het goed was om te praten en dat ze dat te weinig deden. Hij had natuurlijk gelijk. En misschien had ze de aandacht wel wat meer moeten waarderen. Maar het was beangstigend.

Goeie god, ze wilde niets liever dan dat hij een beetje zou loskomen. Maar niet van de ene op de andere dag. Alsof hij een klap op zijn hoofd had gehad.

Er was ook een praktisch probleem. David ontmoeten als George geen belangstelling had voor wat ze deed, was één. David ontmoeten als hij haar voortdurend in de gaten hield, was heel wat anders.

Alleen was hij er niet zo goed in. Het luisteren, het interesse tonen. Hij deed haar denken aan Jamie op z'n vierde. 'Kikker wil met je praten aan de telefoon...

Instappen! De banktrein gaat vertrekken...!' Als hij haar aandacht maar kon vasthouden.

Vlak voor ze gingen slapen was hij met een vuil wattenstaafje uit de badkamer gekomen en had gevraagd of zij het normaal vond dat hij zo veel oorsmeer had.

David kon het wel. Luisteren, interesse tonen.

De volgende dag zaten ze 's middags bij hem in de huiskamer met de tuindeuren open. Hij had het over postzegels.

'Zegels uit bezet Jersey, Tweede Wereldoorlog. De matgroene één shilling uit Zululand, 1888. Getand. Ongetand. Omgekeerd watermerk... God weet wat ik dacht te bereiken. Makkelijker dan volwassen worden, denk ik. Ik moet ze nog ergens hebben.'

De meeste mannen wilden je vertellen wat ze wisten. De weg naar Wisbech. Hoe je een vuur aanlegde. David gaf haar het gevoel dat zij degene was die dingen wist.

Hij stak een sigaar op en ze keken zwijgend naar de mussen op de voederplank en de schapenwolkjes die langzaam van rechts naar links achter de populieren langs trokken. En het voelde goed. Want hij kon ook de stilte doen. En in haar ervaring waren er maar heel weinig mannen die de stilte konden doen.

Ze ging te laat weg en kwam in een verkeersopstopping terecht ten gevolge van de wegwerkzaamheden voor de B & Q. Ze zat te piekeren over wat ze tegen George moest zeggen als verklaring voor het feit dat ze zo laat was, toen de gedachte bij haar opkwam dat hij het wist van David. Dat hij zo attent deed om het goed te maken, of om de strijd aan te gaan, of om haar een schuldgevoel te bezorgen.

Maar toen ze zich met haar volle tassen de keuken in haastte, zat hij aan de tafel met twee bekers warme koffie en zwaaide met een opgevouwen krant.

'Jij had het toch over die jongens van Underwood? In Californië schijnen ze eeneiige tweelingen te hebben bestudeerd...'

De week daarop was het ongewoon stil in de winkel. Daardoor nam haar achterdochtigheid toe. En omdat Ursula in Dublin zat, kon ze met niemand over haar angst praten.

Alleen de ochtenden bij St. John's gaven haar wat verlichting, als ze met Megan en Callum en Sunil in de Junglehoek *Hennie de Heks* en *Meneer Gumpy gaat op stap* zat te lezen. Vooral met Callum, die geen vijf tellen stil kon zitten en één kant uit kijken (helaas mocht ze hem niet met koekjes omkopen, zoals Jacob). Maar ze liep het parkeerterrein nog niet op of het begon alweer te knagen.

Op donderdag meldde George dat hij de feesttent had geboekt en een afspraak met twee cateringbedrijven had gemaakt. Een man die de verjaardag van zijn kinderen vergat. Ze was zo verbaasd dat ze niet eens over het gebrek aan overleg klaagde.

Later die avond dook er een sinister stemmetje in haar hoofd op dat vroeg of hij soms bezig was om haar overbodig te maken. Zich voorbereidde op het moment dat ze definitief zou vertrekken. Of dat hij haar op de keien zette.

Maar toen de dag aanbrak dat David zou komen eten, was hij verrassend vrolijk. Hij deed boodschappen en maakte risotto op de traditionele mannenmanier: hij haalde alle keukengerei uit de laden en legde het als chirurgische instrumenten naast elkaar, goot vervolgens alle ingrediënten in kommetjes om zo veel mogelijk afwas te krijgen.

Ze kon het idee dat hij op een confrontatie uit was nog steeds niet van zich afzetten, en toen de spanning in de loop van de middag bij haar toenam, speelde ze met het idee om net te doen alsof ze niet lekker was. Toen even na half acht eindelijk de bel ging, rende ze over de overloop om als eerste bij de deur te zijn en struikelde over het losse kleed, waarbij ze haar enkel verzwikte.

Tegen de tijd dat ze de trap af was, stond George al bij de deur zijn handen aan zijn streepjesschort af te vegen en overhandigde David hem een fles wijn en een bos bloemen.

David zag dat ze een beetje hinkte. 'Gaat het wel?' Instinctief wilde hij haar steun bieden, maar hij had het net op tijd door en hield zich in.

Jean legde haar hand op de arm van George en boog zich om over haar enkel te wrijven. Het deed niet zo veel pijn, maar ze wilde niet naar David kijken, en door de angst dat hij in die fractie van een seconde misschien iets had verraden voelde ze zich licht in het hoofd.

'Doet het erg pijn?' vroeg George. Hij scheen gelukkig niets gemerkt te hebben.

'Het valt mee,' zei Jean.

'Je moet met je voet omhoog gaan zitten,' zei David. 'Dan wordt hij niet zo dik.' Hij pakte de bloemen en de wijn weer van George aan, zodat die haar kon helpen.

'Ik ben nog druk aan het koken,' zei George. 'Gaan jullie lekker met een glaasje wijn in de kamer zitten.'

'Nee,' zei Jean, iets te resoluut. Ze wachtte even tot ze wat rustiger was. 'We komen bij jou in de keuken zitten.'

George zette ze aan tafel, gaf Jean een stoel voor haar enkel, die ze eigenlijk niet nodig had, schonk twee glazen wijn in en ging verder met het raspen van de Parmezaanse kaas.

Het zou hoe dan ook vreemd worden, wie de gast ook was. George had niet graag mensen over de vloer. Dus ging ze ervan uit dat de conversatie moeizaam zou zijn. Als ze hem meesleepte naar een feestje stond hij daar altijd ongelukkig in een groepje mannen te luisteren naar gesprekken over rugby en belastingaangiften, met een gekwelde uitdrukking op zijn gezicht, alsof hij hoofdpijn had. Ze hoopte maar dat David de stiltes zou kunnen opvullen.

Maar tot haar verbazing was George het meest aan het woord. Hij leek het werkelijk leuk te vinden dat ze bezoek hadden. De twee mannen waren blij dat zij weg waren bij Shepherds nu het slechter ging met het bedrijf. Ze hadden het over wandelvakanties in Frankrijk. David vertelde over het zweefvliegen. George vertelde over zijn vliegangst. David zei dat George daar misschien vanaf kon komen als hij leerde zweefvliegen. George zei dat David zijn vliegangst duidelijk onderschatte. David bekende dat hij bang was voor slangen. George zei dat hij zich moest voorstellen dat hij een paar uur lang een anaconda op schoot had. David zei lachend dat daar wat in zat.

Jeans angst ebde weg en werd vervangen door iets wat raarder was, maar net zo onprettig. Het was belachelijk, maar ze wilde niet dat zij het zo goed met elkaar konden vinden. George was hartelijker en grappiger dan wanneer ze met z'n tweeën waren. En David leek gewoner.

Waren ze zo op het werk met elkaar omgegaan? Waarom had George het dan geen enkele keer over David gehad sinds hij weg was bij het bedrijf? Ze begon zich nogal schuldig te voelen dat ze haar huiselijk leven tegenover David zo somber had afgeschilderd.

Tegen de tijd dat ze aan tafel gingen, leken George en David meer met elkaar gemeen te hebben dan met haar. Het was weer net of ze op school zat. Haar boezemvriendin die vriendschap sloot met een ander meisje en haar in de kou liet staan.

Ze drong zich telkens het gesprek in om wat van die aandacht te heroveren. Maar ze zat er telkens naast. Ze toonde veel te veel interesse in Great Expectations voor iemand die alleen maar de tv-serie had gezien; overdreef Georges eerdere culinaire catastrofes, terwijl de risotto eigenlijk heel lekker was. Het was vervelend. En uiteindelijk leek het makkelijker om maar op de achtergrond te blijven en alleen haar mening te geven als die werd gevraagd.

Er was maar één moment dat George niet leek te weten wat hij zeggen moest. David had het over de vrouw van Martin Donnelly, die voor onderzoek het ziekenhuis in moest. Toen ze naar George keek, zat hij met zijn hoofd tussen zijn knieën. Haar eerste gedachte was dat hij iedereen had vergiftigd met zijn kookkunst en aanstalten maakte om over te geven. Maar hij leunde achterover, wreef huiverend over zijn been, verontschuldigde zich voor de onderbreking en ging een rondje door de keuken lopen om de kramp kwijt te raken.

Aan het eind van de maaltijd had hij een hele fles wijn opgedronken en enig komisch talent aan de dag gelegd.

'Jean kent dit verhaal natuurlijk al, maar een paar weken later kregen we onze foto's terug. Alleen waren het onze foto's niet. Het waren foto's van een jongeman en zijn vriendin. In adamskostuum. Jamie stelde nog voor dat we er "Wilt u een vergroting?" achterop schreven voor we ze terugstuurden.'

Bij de koffie vertelde David over Mina en de kinderen, en toen ze op de stoep stonden te kijken hoe hij op een wolkje roze rook wegreed, zei George: 'Je gaat toch nooit bij me weg, hè?'

'Natuurlijk niet,' zei Jean.

Ze verwachtte op z'n minst een arm om zich heen. Maar hij klapte alleen maar een keer in zijn handen en zei: 'Goed. De afwas', en liep weer naar binnen alsof dat gewoon het volgende onderdeel van de pret was.

26

Katie had een rotweek gehad.

Op maandag waren de programmaboekjes voor het festival gekomen en had Patsy, die nog steeds niet wist hoe je 'programma' schreef, iedereen versteld doen staan door iets te weten, namelijk dat de foto van Terry Jones op bladzijde zeven een foto van Terry Gilliam was. Aidan had Katie uitgekafferd, want tijdens zijn studie bedrijfskunde had hij niet geleerd om blunders toe te geven. Zij nam ontslag. Hij weigerde haar ontslag te aanvaarden. En Patsy huilde omdat er werd geschreeuwd.

Ze ging vroeg weg om Jacob op te halen, en toen ze bij de crèche kwam, zei Jackie dat hij twee andere kinderen had gebeten. Ze nam hem apart en gaf hem een standje: hij leek die gemene krokodil wel uit *Niet doen, zo'n zoen*. Maar Jacob had die dag geen zin om toe te geven. Dus hield ze het daar voor gezien en reed met hem naar huis, waar hij geen yoghurt kreeg voordat ze een gesprek over bijten hadden gehad, een gesprek dat het soort frustratie opleverde dat doctor Benson op de universiteit over haar gevoeld moest hebben toen ze Kant behandelden.

'Het was mijn tractor,' zei Jacob.

'Eigenlijk is het iedereen z'n tractor,' zei Katie.

'Ik was ermee aan het spelen.'

'En Ben had hem niet van je mogen afpakken. Maar dat betekent nog niet dat jij hem mag bijten.'

'Ik was ermee aan het spelen.'

'Als je met iets speelt en iemand wil het van je afpakken, dan moet je schreeuwen en het tegen Jackie of Bella of Susie zeggen.'

'Jij zei dat ik niet mocht schreeuwen.'

'Als je heel erg boos bent, mag je wel schreeuwen. Maar je mag niet bijten. Of slaan. Je wil toch ook niet dat iemand jou gaat bijten of gaat slaan?'

'Ben bijt ook,' zei Jacob.

'Maar je wilt toch niet op Ben lijken?'

'Mag ik nu mijn yoghurt?'

'Eerst moet je begrijpen dat het stout is om iemand te bijten.'

'Ik begrijp het,' zei Jacob.

'Zeggen dat je het begrijpt is niet hetzelfde als begrijpen.'

'Maar hij wou mijn tractor afpakken.'

Op dat moment kwam Ray binnen, die de strikt genomen terechte opmerking maakte dat het niet handig was om Jacob te knuffelen terwijl ze hem een standje gaf, en ze kon meteen een situatie voordoen waarin je wel tegen iemand mocht schreeuwen als je heel erg boos was.

Ray bleef onuitstaanbaar kalm totdat Jacob zei dat hij mama niet kwaad moest maken, want 'Je bent mijn echte papa niet', waarop Ray naar de keuken liep en de broodplank doormidden brak.

Jacob keek haar aan met de strakke blik van een vijfendertigjarige en zei vinnig: 'Nu ga ik mijn yoghurt opeten', en voegde de daad bij het woord terwijl hij naar *Thomas de stoomlocomotief* keek.

De volgende morgen zegde ze haar afspraak bij de tandarts af en bracht haar vrije dag door met Jacob op kantoor, waar hij zich als een dolle aap gedroeg, terwijl Patsy en zij vijfduizend programmaboekjes van een erratumstrookje voorzagen. Halverwege de dag had hij de ketting al van Aidans fiets gehaald, een bak systeemkaarten leeggekieperd en warme chocolademelk in zijn schoenen gemorst.

Toen de vrijdag aanbrak, was ze voor het eerst in twee jaar werkelijk opgelucht toen Graham hem voor achtenveertig uur kwam overnemen.

Zaterdagochtend ging Ray ergens een partijtje voetballen en maakte zij de fout om te proberen het huis schoon te maken. Ze was bezig de bank te verplaatsen om de pluisjes en viezigheid en speelgoedonderdelen te kunnen weghalen toen het in haar onderrug schoot. Plotseling had ze veel pijn en liep ze als de butler in een vampierfilm.

Ray maakte eten met behulp van de magnetron, en ze probeerden een voorzichtige orthopedische wip, maar de pijnstiller had haar blijkbaar op de verkeerde plaatsen verdoofd.

Zondag zwichtte ze en trok zich terug op de bank. Het rottige moederschuldgevoel hield ze op afstand met films van Cary Grant.

Om zes uur verscheen Graham met Jacob.

Ray stond onder de douche, dus liet ze hem zelf binnen en strompelde terug naar de stoel in de keuken.

Graham vroeg wat er was, maar Jacob was nog helemaal vol van het Natuurhistorisch Museum.

'En er waren... er waren sikkeletten van lolifanten en neushorens en... en... de dinosaurussen waren spookdinosaurussen.'

'Ze waren een van de zalen aan het schilderen,' zei Graham. 'Er lagen allemaal stoflakens.'

'En papa zei dat ik laat mocht opblijven. En we hebben... we hebben... we hebben ei gegeten. En geroosterd brood. En ik heb gehelpt. En ik kreeg een chocoladestegosaurus. Van het museum. En er was een dode eekhoorn. In papa's... papa's tuin. Die had wormen. In zijn ogen.'

Katie stak haar armen uit. 'Krijgt mama een dikke knuffel van je?'

Maar Jacob was net goed op stoom. 'En... en... en we gingen in een dubbeldekker en ik mocht de kaartjes.'

Graham ging op zijn hurken zitten. 'Even rustig, kleine man, ik geloof dat mama zich heeft bezeerd.' Hij legde een vinger op Jacobs lippen en zei tegen Katie: 'Gaat het wel?'

'Ik ben door mijn rug gegaan. Toen ik de bank wou verschuiven.'

Graham keek Jacob ernstig aan. 'Lief zijn voor mama, hè? Laat haar niet voor niks lopen. Beloof je dat?'

Jacob keek naar Katie. 'Is je rug niet lekker?'

'Niet zo. Maar met een knuffel van mijn kleine aap voelt hij vast veel beter.'

Jacob bleef waar hij was.

Graham kwam overeind. 'Nou, ik moest maar eens gaan.'

Jacob begon te jammeren. 'Papa mag niet weg.'

Graham woelde door zijn haar. 'Sorry, kerel. Niets aan te doen, vrees ik.'

'Kom, Jacob.' Katie stak haar armen nog een keer uit. 'Geef me eens een knuffel.'

Maar Jacob was bezig zijn wanhoop tot waarlijk theatrale hoogte op te voeren. Hij sloeg in de lucht en schopte naar de dichtstbijzijnde stoel. 'Niet weg. Niet weg.'

Graham probeerde hem in bedwang te houden, al was het maar om te voorkomen dat hij zich bezeerde. 'Ho, ho ho...' Normaal gesproken was hij vertrokken. Dat leergeld hadden ze inmiddels wel betaald. Maar normaal gesproken had zij Jacob kunnen oppakken en vasthouden terwijl Graham snel de aftocht blies.

Jacob stampvoette. 'Niemand... niemand luistert... ik wil... ik vind het...'

Na drie of vier minuten verscheen Ray in de deuropening met een handdoek om zijn middel. Ze kon zich niet meer druk maken over wat hij zou gaan zeggen en hoe Graham daarop zou reageren. Hij liep naar Jacob, hing hem over zijn schouder en verdween.

Er was geen tijd om te reageren. Ze staarden slechts naar de lege deuropening, en luisterden naar het gekrijs dat zwakker werd hoe verder Ray met Jacob de trap op liep.

Graham stond op. Even dacht ze dat hij een of andere sarcastische opmerking

93

ging maken en ze wist niet of ze dat nu wel aankon. maar hij zei: 'Ik zal thee zetten,' en dat was het aardigste dat hij in lange tijd tegen haar had gezegd.

'Dank je.'

Hij zette water op. 'Wat kijk je raar naar me.'

'Dat overhemd. Dat heb ik je met de kerst gegeven.'

'Ja. Shit. Sorry. Dat is niet om...'

'Nee, ik wou je niet...' Ze huilde.

'Gaat het wel?' Hij stak zijn hand uit, maar bedacht zich voor hij haar had aangeraakt.

'Jawel. Sorry.'

'Gaat het hier wel goed?' vroeg Graham.

'We gaan trouwen.' Ze huilde nu echt. 'O, kut, dat moet ik je helemaal niet...' Hij gaf haar een zakdoekje. 'Dat is fantastisch.'

'Ik weet het.' Ze snoot snotterig haar neus. 'En jij? Wat gebeurt er bij jou?'

'O, niet veel.'

'Vertel,' zei Katie.

'Ik had wat met iemand van mijn werk.' Hij haalde het kleffe zakdoekje weg en gaf haar een nieuw. 'Maar dat werd niks. Het was een geweldige meid, maar... als ze in bad ging, droeg ze zo'n muts om haar haar droog te houden...'

Hij pakte een paar vijgenkoekjes en ze praatten over veilige dingen. Ray, die een flater had geslagen tegenover Jamie. Grahams oma, die in een breicatalogus stond.

Na tien minuten excuseerde hij zich. Dat vond ze jammer. Het verbaasde haar, en zijn aarzeling duurde net lang genoeg om aan te geven dat hij dat ook vond. Er was een kort moment waarop een van beiden iets ongepasts had kunnen zeggen. Hij greep in.

'Zorg goed voor jezelf, hè?' Hij kuste haar zachtjes op haar hoofd en ging weg.

Ze bleef nog een paar minuten zo zitten. Jacob huilde niet meer, en ze besefte dat ze geen pijn had gevoeld toen ze met Graham praatte. Maar nu des te meer. Ze spoelde nog twee pijnstillers naar binnen met een glas water en sjokte naar boven. Ze waren in Jacobs kamer. Ze bleef naast de deuropening staan en wierp een snelle blik naar binnen.

Jacob lag op zijn buik op bed en keek naar de muur. Ray zat naast hem, klopte hem op zijn achterste en zong 'Ten green bottles', heel zacht en volkomen vals.

Katie huilde weer. En dat mocht Jacob niet zien. Ray trouwens ook niet. Dus liep ze stilletjes terug naar de keuken.

27

Het leek vooral zo ontzettend onrechtvaardig.

George was niet naïef. Goede mensen maakten nare dingen mee, dat wist hij heus wel. En omgekeerd. Maar als er bij de Benns werd ingebroken door het vriendje van hun dochter, of als de borstimplantaten van Brians eerste vrouw eruit moesten, dacht je onwillekeurig toch dat er een soort elementaire gerechtigheid geschiedde.

Hij kende mannen die er hun hele huwelijk lang een minnares op na hadden gehouden. Hij kende mannen die failliet waren gegaan, en de volgende maand hetzelfde bedrijf onder een andere naam hadden ingeschreven. Hij kende een man die zijn zoon met een schep een gebroken been had geslagen. Waarom overkwam hun dit niet?

Dertig jaar lang had hij toestellen voor kinderspeelplaatsen gemaakt en geplaatst. Goede toestellen. Niet zo goedkoop als Wicksteed of Abbey Leisure, maar betere waar voor hun geld.

Hij had fouten gemaakt. Hij had Alex Bamford de laan uit moeten sturen, toen hij die halfbewusteloos op de vloer van de toiletruimte aantrof. En hij had om een schriftelijk bewijs van Jane Fullers rugklachten moeten vragen in plaats van te wachten tot die foto in de plaatselijke krant verscheen, waarop ze meedeed aan een recreatieloop.

Hij had zeventien mensen ontslagen, maar die hadden wel een fatsoenlijke regeling gekregen en de beste referentie die binnen de grenzen der waarheid mogelijk was. Het was geen hartchirurgie, maar ook geen wapenfabriek. Op bescheiden wijze had hij het geluk van een klein deel van de mensheid vergroot.

En nu kreeg hij dit voor zijn kiezen.

Maar goed, klagen had geen zin. Hij had zijn leven lang problemen opgelost. Nu mocht hij er weer een oplossen.

Zijn verstand werkte niet goed. Dat moest hij onder controle krijgen. Hij had het eerder gedaan. Om te beginnen had hij achttien jaar met zijn dochter in een huis gewoond zonder dat ze slaags waren geraakt. Toen zijn moeder stierf, was hij de volgende ochtend naar kantoor gegaan om ervoor te zorgen dat ze toch die order uit Glasgow binnenhaalden.

Hij had een strategie nodig, net als wanneer Jean een vakantie voor twee naar Australië zou hebben geboekt.

Hij vond een vel dik, crèmekleurig schrijfpapier, stelde een lijstje regels op, en verstopte dat vervolgens in het brandvrije geldkistje achter in de klerenkast bij zijn geboortebewijs en de koopakte van het huis:

1. Bezig blijven.
2. Lange wandelingen maken.
3. Goed slapen.
4. Douchen en omkleden in het donker.
5. Rode wijn drinken.
6. Aan iets anders denken.
7. Praten.

Wat het bezig blijven betrof, kwam de bruiloft goed uit. De vorige keer had hij het organiseren aan Jean overgelaten. Nu hij tijd overhad, kon hij zich daarmee bezighouden en tegelijkertijd een goede beurt maken.

Wandelen was een waar genot. Vooral de voetpaden rond Nassington en Fotheringay. Het hield hem fit en hielp hem om te slapen. Goed, er waren moeilijke momenten. Op een middag op de dam aan de oostkant van Rutland Water hoorde hij een fabriekssirene loeien, en beelden van rampen in raffinaderijen en kernaanvallen gaven hem ineens het gevoel dat de beschaving heel ver weg was. Maar luid zingend en met ferme pas wist hij terug te komen bij de auto, waarna hij *Ella Live at Montreux* door de auto liet schallen om zichzelf tijdens de rit huiswaarts op te vrolijken.

Het licht uitdoen bij het douchen en omkleden was gewoon logisch. En afgezien van die ene avond dat Jean de badkamer in kwam, het licht aanknipte en gilde toen ze zag dat hij zich in het donker had staan afdrogen, was het ook niet zo moeilijk.

De rode wijn ging ongetwijfeld tegen alle medische adviezen in, maar twee of drie glazen van die Ridgemont Cabernet deden wonderen voor zijn geestelijk evenwicht.

Aan iets anders denken was het lastigste van de lijst. Als hij bijvoorbeeld zijn teennagels knipte of een heggenschaar oliede, verscheen het dreigend als een donker silhouet onder water in een haaienfilm. Als hij in de stad was kon hij afleiding zoeken door een korte zijdelingse blik op een aantrekkelijke jongedame te werpen en haar naakt voor zich te zien. Maar op een normale dag kwam hij maar weinig aantrekkelijke jongedames tegen. Als hij brutaler was geweest en alleen had gewoond, had hij zich mogelijk pornografische bladen aangeschaft. Maar hij was niet brutaal en Jean hield alle hoekjes nauwgezet schoon. Dus deed hij het cryptogram maar.

Het praten was echter de grote openbaring. Hij had absoluut niet gedacht dat hij door zijn hoofd op orde te krijgen zijn huwelijk nieuw leven zou inblazen. Niet dat dat saai of liefdeloos was. Zeker niet. Ze konden het een stuk beter met elkaar vinden dan menig stel dat ze kenden, echtparen die gesteek onder water en wrevelig zwijgen voor lief namen, omdat dat makkelijker was dan scheiden. Jean en hij kibbelden zelden, vooral dankzij zijn grote zelfbeheersing. Maar gezwegen werd er soms wel.

Dus was het een aangename verrassing om erachter te komen dat hij kon zeggen wat hij dacht, en dat Jean daar met vaak interessante opmerkingen op reageerde. Er waren zelfs avonden bij dat zo'n gesprek hem zo enorm opluchtte dat het voelde alsof hij weer helemaal verliefd op haar werd.

Een paar weken nadat George met zijn nieuwe leefpatroon was begonnen, belde Brian.

'Gails moeder komt twee weken logeren. Dus ik wou eens naar het huisje gaan. Kijken of de aannemer zijn werk goed heeft gedaan. Ik vroeg me af of je zin had om mee te gaan. Het wordt wel een beetje primitief. Veldbedden, slaapzakken. Maar dat schrikt jou niet af.'

Normaal zou hij niet meer dan een paar uur met zijn broer willen doorbrengen. Maar diens stem had iets jongensachtigs, iets spannends. Hij klonk als een jochie van negen dat graag met zijn nieuwe boomhut wil pronken. En het idee van een lange treinreis, wandelingen in de wind langs de Helford, en biertjes bij het haardvuur in de pub trok hem wel aan.

Hij kon een schetsboek meenemen. En die dikke Peter Ackroyd die hij met kerst van Jean had gekregen.

'Ik ga mee.'

28

Jamie stofzuigde de vloerkleden en maakte de badkamer schoon. Even overwoog hij om de hoesjes van de kussens te wassen, maar eerlijk gezegd kon hij er met modderschoenen overheen lopen en Tony zou het nog niet zien.

De volgende dag brak hij het bezoek aan de flats in Creighton Avenue af, belde naar kantoor om te zeggen dat hij de rest van de middag mobiel bereikbaar was, en ging via Tesco naar huis.

Zalm, gevolgd door aardbeien. Genoeg om te laten zien dat hij zijn best had gedaan. Maar niet zoveel dat hij zich te dik voor seks zou voelen. Hij legde een fles Pouilly Fumé koud en zette een vaas tulpen op de eettafel.

Hij was dom. Hij maakte zich druk dat hij Katie kwijtraakte, maar deed niets om de belangrijkste persoon in zijn leven te behouden.

Tony en hij hoorden samen te wonen. Hij hoorde verlichte ramen te zien en onbekende muziek te horen als hij thuiskwam. Hij hoorde 's zaterdagsochtends in bed te liggen, bacon te ruiken en tinkelend bestek aan de andere kant van de muur te horen.

Hij ging Tony meenemen naar de bruiloft. Al dat gelul over provinciale onverdraagzaamheid. Hij was gewoon bang voor zichzelf. Om oud te worden. Keuzes te maken. Zich te binden.

Het zou verschrikkelijk zijn. Natuurlijk zou het verschrikkelijk zijn. Maar het gaf niet wat de buren vonden. Het gaf niet of zijn moeder Tony als een verloren zoon binnenhaalde. Het gaf niet of zijn vader van de kook raakte vanwege de vraag wie waar moest slapen. Het gaf niet of Tony zo nodig moest slijpen op 'Three Times a Lady'.

Hij wilde zijn leven met Tony delen. De goeie dingen en de klotedingen.

Hij haalde diep adem en had een paar seconden lang het gevoel dat hij niet op zijn houten keukenvloer stond, maar op een verlaten kaap in Schotland, bij een donderende branding en met de wind door zijn haar. Imposant. Groter.

Hij ging naar boven en voelde onder de douche hoe de resten van iets vies werden weggespoeld en tollend door het afvoerputje verdwenen.

Het kiezen van een overhemd begon de vorm van een crisis aan te nemen, toen de bel ging. Het werd de vaal oranje spijkerstof.

Toen hij de deur opendeed, was zijn eerste gedachte dat Tony slecht nieuws had gekregen. Over zijn vader, misschien.

'Wat is er?'

Tony haalde diep adem.

'Hé. Kom binnen,' zei Jamie.

Tony bleef staan. 'Wij moeten praten.'

'Laten we dat binnen doen.'

Tony wilde niet binnenkomen. Hij stelde voor naar het park aan het eind van de weg te lopen. Jamie pakte zijn sleutels.

Het gebeurde naast het rode bakje voor hondenpoep.

Tony zei: 'Het is uit.'

'Wat?'

'Tussen ons. Het is uit.'

'Maar...'

'Jij wilt mij eigenlijk niet,' zei Tony.

'Jawel,' zei Jamie.

'Goed, misschien wil je me wel. Maar niet genoeg. Die stomme bruiloft. Daardoor ben ik gaan beseffen... Jezus, Jamie. Ben ik alleen niet goed genoeg voor je ouders? Of ben ik ook niet goed genoeg voor jou?'

'Ik hou van je.' Waarom gebeurde dit nu? Het was zo oneerlijk, zo absurd.

Tony keek hem aan. 'Jij weet niet wat liefde is.'

'Jawel.' Hij klonk net als Jacob.

Tony's gezicht veranderde niet. 'Van iemand houden betekent het risico nemen dat je keurig geordende leventje in de war wordt geschopt. En jij wil niet dat je keurig geordende leventje in de war wordt geschopt, hè?'

'Heb je een ander?'

'Je luistert niet.'

Hij had het moeten uitleggen. De zalm. Het stofzuigen. De woorden zaten in zijn hoofd. Hij kreeg ze er alleen niet uit. Hij had te veel pijn. En het idee om alleen terug te gaan, de tulpen van tafel te slaan en op de bank de fles wijn leeg te drinken had iets walgelijk geruststellends.

'Het spijt me, Jamie. Heel erg. Je bent een aardige jongen.' Tony deed zijn handen in zijn zakken ten teken dat er geen laatste omhelzing zou zijn. 'Ik hoop dat je iemand vindt die je dat gevoel ook geeft.'

Hij draaide zich om en liep weg.

Jamie bleef verscheidene minuten in het park staan, ging toen terug naar huis, sloeg de tulpen van tafel, ontkurkte de wijn, nam die mee naar de bank en huilde.

29

Ray draaide zich in bed naar Katie toe en zei: 'Weet je zeker dat je met me wilt trouwen?'

'Natuurlijk wil ik met je trouwen.'

'Als je je bedenkt, zeg je het toch wel?'

'Jezus, Ray,' zei Katie. 'Wat krijgen we nou?'

'Je zet het toch niet alleen maar door omdat we het al tegen iedereen hebben gezegd?'

'Ray...'

'Hou je van me?' vroeg hij

'Waar komt dit ineens vandaan?'

'Hou je van me zoals je van Graham hield?'

'Nee,' zei Katie. 'Niet.'

Even zag ze echte pijn op zijn gezicht. 'Ik was verzot op Graham. Ik dacht dat hij het einde was. Ik zag het niet reëel. En toen ik erachter kwam hoe hij eigenlijk was...' Ze legde haar hand tegen de zijkant van Rays gezicht. 'Jou ken ik. Ik ken al je goeie kanten. Ik ken al je fouten. En toch wil ik met je trouwen.'

'Wat zijn mijn fouten dan?'

Dit was haar taak niet. Hij was degene die moest troosten. 'Kom eens hier.' Ze trok zijn hoofd tegen haar borst.

'Ik hou heel veel van je.' Hij klonk piepklein.

'Ik zal echt geen nee gaan zeggen, wees maar niet bang.'

'Sorry dat ik zo stom doe.'

'Dat zijn de bruiloftszenuwen.' Ze liet haar hand over de haartjes op zijn bovenarm gaan.

'Weet je Emily nog?'

'Ja?'

'Die stond over te geven in de sacristie.'

'Nee.'

'Ze moest een enorm boeket voor de vlek houden toen ze naar het altaar liep.

Barry's vader nam aan dat de stank van Roddy kwam. Na de vrijgezellenavond.'

Ze vielen in slaap en werden om vier uur wakker gemaakt door Jacob die 'mama, mama, mama...' riep.

Ray maakte aanstalten om op te staan, maar Katie wilde zelf.

Toen ze in zijn kamer kwam, was Jacob nog half slapend bezig om zich weg te wurmen van een grote oranje diarreevlek midden op het bed.

'Kom eens hier, eekhoorntje.' Ze zette hem op zijn voeten en zijn slaaphoofd plofte tegen haar schouder.

'Het is allemaal... helemaal... het is nat.'

'Weet ik. Weet ik.' Ze trok voorzichtig zijn pyjamabroek los, rolde die zo op dat de viezigheid aan de binnenkant zat en gooide de broek de gang in. 'We gaan je eens even schoonmaken, koektrommeltje.' Ze pakte een luierzakje, een schone luier en de natte doekjes uit de la, en veegde voorzichtig zijn billen schoon.

Ze deed de schone luier om, haalde een schone pyjamabroek uit de mand en stuurde zijn onbeholpen voeten in de pijpen. 'Zo, dat voelt beter, hè?'

Ze sloeg het Winnie de Poehdekbed terug om te kijken of het schoon was, propte het een beetje samen en legde het op de grond. 'Ga jij maar even liggen, dan maak ik het bed in orde.'

Jacob huilde toen ze hem op de grond liet zakken. 'Wil niet... niet...' Maar toen ze zijn hoofd op het dekbed legde, gleed zijn duim in zijn mond en vielen zijn ogen weer dicht.

Ze knoopte het luierzakje dicht en wierp het in de afvalemmer. Ze haalde het bed af, gooide de vuile lakens de gang in en keerde het matras. Ze pakte schone lakens uit de kast en hield ze tegen haar gezicht. Wat was dat toch heerlijk, dat dikke, zachte katoen en de geur van waspoeder. Ze maakte het bed op, stopte de zijkanten goed strak in zodat het lekker glad lag.

Ze schudde het kussen op, bukte zich en tilde Jacob op.

'Mijn buik doet zeer.'

Ze zette hem op schoot. 'Ik haal zo een aspirientje voor je.'

'Roze medicijn,' zei Jacob.

Ze sloeg haar armen om hem heen. Hier kreeg ze te weinig van. Als hij bij kennis was hoogstens een halve minuut. Dan was het weer helikopters en op de bank springen. Zeker, ze was trots als ze hem op de crèche in het kringetje om Bella zag zitten bij het voorlezen, of als ze hem op de speelplaats met andere kinderen zag praten. Maar ze miste de tijd dat hij deel van haar lichaam was, dat ze alles beter kon maken door hem alleen maar in haar armen te sluiten. Nu al zag ze voor zich dat hij uit huis ging, ontstond er afstand, werd haar baby zelf een persoontje.

'Ik mis papa.'

'Die ligt boven te slapen.'

'Mijn echte papa.'

Ze legde haar hand om zijn hoofd en kuste zijn haar. 'Ik mis hem soms ook.'

'Maar hij komt niet terug.'

'Nee. Hij komt niet terug.'

Jacob huilde zachtjes.

'Maar ik ga nooit bij je weg. Dat weet je wel, hè?' Ze veegde met de mouw van haar T-shirt het snot van zijn neus en wiegde hem.

Ze keek naar de Bob de Bouwer-lengtemeter en de zeilbootmobiel die in het halfduister geruisloos draaide. Ergens onder de grond rammelde een buis van de waterleiding.

Jacob hield op met huilen. 'Mag ik morgen een ijsbeershake?'

Ze duwde het haar uit zijn ogen. 'Ik weet niet of je morgen wel naar de crèche kunt.' Zijn ogen werden vochtig. 'Maar als je wel kunt, krijg je op de terugweg een ijsbeershake, oké?'

'Goed.'

'Maar als je een ijsbeershake krijgt, dan krijg je geen toetje. Afgesproken?'

'Afgesproken.'

'Mooi, tijd voor je medicijn.'

Ze legde hem op de schone lakens en haalde de fles en de spuit uit de badkamer.

'Mond wijd open.'

Hij sliep nu haast. Ze spoot het medicijn in zijn mond, veegde wat druppeltjes van zijn kin met een vingertop en likte die schoon.

Ze gaf hem een zoen op zijn wang. 'Nu moet ik weer naar bed, kleine jongen.'

Maar hij wou haar hand niet loslaten. En zij wou ook niet dat hij losliet. Ze bleef een paar minuten naar hem zitten kijken terwijl hij lag te slapen, en ging toen naast hem liggen.

Dit vergoedde alles, de vermoeidheid, de boze buien, het feit dat ze al een half-jaar geen roman had gelezen. Dit was het gevoel dat ze ook bij Ray kreeg.

Dit was het gevoel dat ze bij Ray moest krijgen.

Ze aaide Jacob over zijn hoofd. Hij was heel ver heen, dromend van aardbei-enijs en graafmachines en de Krijttijd.

Ineens was het ochtend en holde Jacob de kamer in en uit in zijn Spiderman-pak.

'Kom, schat.' Ray duwde het haar uit haar gezicht. 'Er staat beneden een ontbijt op je te wachten.'

Na de crèche kwam ze laat terug met Jacob, omdat ze hadden moeten stoppen voor de ijsbeershake. Ray was al thuis van zijn werk.

'Graham heeft gebeld,' zei hij.

'Wat wou hij?'

'Dat zei hij niet.'

'Was het belangrijk?' vroeg Katie.

'Heb ik niet gevraagd. Hij zou het nog een keer proberen.'

Eén geheimzinnig telefoontje van Graham per dag was zo'n beetje wat Ray aankon. Dus toen Jacob in bed lag, belde ze vanuit de slaapkamer.

'Met Katie.'

'Je belt terug.'

'Wat is er zo geheim?'

'Niets, ik ben gewoon bezorgd om je. Dat leek me niet iets om tegen Ray te zeggen.'

'Sorry. Ik was niet op mijn best toen je hier laatst was, met mijn rug en zo.'

'Praat je met iemand?' vroeg Graham.

'Wat bedoel je? Een psychiater of zo?'

'Nee, gewoon praten.'

'Natuurlijk praat ik,' zei Katie.

'Je weet best wat ik bedoel.'

'Graham, hoor eens...'

'Als ik me er niet mee moet bemoeien,' zei Graham, 'moet je dat zeggen. En ik wil niets ten nadele van Ray zeggen, absoluut niet. Ik vroeg me gewoon af of je een kop koffie met me wou gaan drinken. We zijn toch nog vrienden? Goed, misschien geen vrienden. Maar ik kreeg de indruk dat je je hart misschien even moest luchten. Ik bedoel niet per se nare dingen.' Hij zweeg even. 'En ik vond het laatst heel fijn om met je te praten.'

Ze vroeg zich af wat er in godsnaam met hem was gebeurd. Zo bezorgd had hij in jaren niet geklonken. Het kon jaloezie zijn, maar zo klonk het niet. Misschien had de vrouw met de badmuts zijn hart gebroken.

Ze riep zichzelf een halt toe. Dat was een onsympathieke gedachte. Mensen veranderden. Hij probeerde aardig te zijn. En hij had gelijk: ze praatte te weinig.

'Ik ben woensdag vroeg klaar. Ik heb een uurtje voordat ik Jacob ga halen.'

'Hartstikke goed.'

30

Tandenborstel. Washandje. Scheerapparaat. Wollen trui.

George begon een koffer te pakken, maar vond die te netjes. Hij plukte Jamies oude rugzak van de vliering. Die was een beetje versleten, maar dat moest juist bij een rugzak.

Drie onderbroeken. Twee hemden. De Ackroyd. Een broek om in te tuinieren.

Dit was een vakantie naar zijn hart.

Ze hadden het één keer geprobeerd. Snowdonia in 1980. Een wanhopige poging van zijn kant om aan de grond te blijven na die barre vlucht naar Lyon het jaar daarvoor. En als zijn kinderen flinker waren geweest en zijn vrouw minder verslaafd aan comfort had de poging wellicht kunnen slagen. Er was niets mis met regen. Die hoorde erbij als je terug wilde naar de natuur. En 's avonds was het meestal droog geworden, zodat ze op kampeermatjes voor de tenten konden zitten koken op de primus. Maar als hij in de jaren daarop voorstelde om naar Skye of naar de Alpen te gaan, was de reactie steevast geweest: 'Waarom gaan we niet kamperen in Noord-Wales?' gevolgd door onwelwillende schaterbuien.

Jean zette hem even na negenen in de stad af en hij liep meteen Ottakar's in om stafkaart 204 te kopen, een gedetailleerde wandelkaart van Truro, Falmouth en omgeving. Vervolgens kocht hij bij W.H. Smith een aantal potloden (2B, 4B en 6B), een schetsblok en een goed gummetje. Hij wilde ook een puntenslijper kopen, maar herinnerde zich dat er een paar straten verderop een buitensportwinkel zat. Hij liep daar binnen en trakteerde zichzelf op een Swiss Army-zakmes. Daarmee kon hij zijn potloden slijpen en indien nodig ook stokken snijden en steentjes uit paardenhoeven verwijderen.

Hij kwam een kwartier voor de trein zou vertrekken op het station aan, haalde zijn kaartje en ging op een bankje op het perron zitten.

Een uur naar Kings Cross. De metro naar Paddington, Hammersmith & City-lijn. Viereneenhalf uur naar Truro. Twintig minuten naar Falmouth. Dan een taxi. Als hij de stoel die hij tussen Paddington en Truro gereserveerd had inderdaad kreeg, en niet voor de wc op de rugzak hoefde te zitten, kon hij een paar honderd bladzijden lezen.

Vlak voor de trein kwam, bedacht hij dat hij de steroïdenzalf niet bij zich had. Niet dat het uitmaakte. Die was tegen eczeem. Een alledaags kwaaltje. Hij kon onder het eczeem zitten, dan nog was het geen probleem.

De zinsnede 'onder het eczeem' zitten en het bijbehorende beeld had hij beter niet tot zijn gedachten kunnen toelaten.

Hij keek op om te zien hoelang het nog duurde voor zijn trein kwam, maar in plaats van het beeldscherm zag hij op het bankje naast zich een mismaakte clochard zitten. De zijkant van zijn gezicht bestond geheel uit korsten, alsof iemand het onlangs met een kapotte fles had bewerkt of alsof een of ander gezwel zich door zijn hoofd heen vrat.

Hij probeerde weg te kijken. Het lukte niet. Het was net of je van grote hoogte naar beneden keek en duizelig werd: de val leek je te roepen.

Aan iets anders denken.

Hij wrong zijn hoofd omlaag en dwong zichzelf naar vijf grijze ovalen kauwgom te blijven kijken die tussen zijn tenen in de grond zaten gedrukt.

'I took a trip on a train and I thought about you.' Hij zong het liedje zachtjes voor zich heen. 'I passed a shadowy lane and I thought about you.'

De mismaakte clochard stond op.

Allemachtig, hij kwam zijn kant uit.

George hield zijn hoofd omlaag. 'Two or three cars parked under the stars, a winding stream, moon shining down...'

De clochard liep langs George en zigzagde langzaam over het perron.

Hij was ladderzat. Zat genoeg om de rails op te zigzaggen. Te zat om er weer af te klimmen. George keek op. Over een minuut kwam de trein. Hij zag voor zich hoe de clochard over de betonrand kieperde, hoorde het krijsen van de remmen, de doffe dreun en het lichaam dat over de rails werd geschoven, de wielen die erdoorheen sneden alsof het ham was.

Hij moest de clochard tegenhouden. Maar dan moest hij hem wel aanraken, en George wou hem niet aanraken. Die wond. Die stank.

Nee. Hij hoefde de clochard niet tegen te houden. Er waren andere mensen op het perron. Er waren spoorwegbeambten. De clochard was hun verantwoordelijkheid.

Als hij omliep naar het andere perron hoefde hij de clochard niet te zien sterven. Maar als hij dat deed, miste hij zijn trein misschien. Anderzijds, als de clochard onder de trein kwam, zou die vertraging oplopen. Dan zou George zijn aansluiting naar Truro missen en viereneenhalf uur naast de wc moeten zitten.

Dokter Barghoutian had Katies blindedarmontsteking verkeerd gediagnosticeerd. Maagpijn, had hij gezegd. Drie uur later stormden ze de eerste hulp binnen en in een mum van tijd lag Katie op de operatietafel.

Hoe had George dat in vredesnaam kunnen vergeten?

Dokter Barghoutian was een prutser.

George wreef een nutteloze chemische zalf in een kankergezwel. Een steroïdenzalf. Van steroïden ging celweefsel juist sneller en beter groeien. Hij wreef een zalf waarvan celweefsel sneller en beter ging groeien rechtstreeks in een tumor.

Het gezwel op het gezicht van de zwerver. Zo zou George eruit komen te zien. Overal.

De trein liep binnen.

Hij pakte zijn rugzak op en wierp zich in de open deur van het dichtstbijzijnde rijtuig. Als de reis maar snel genoeg begon, kon hij de ontspoorde gedachten misschien op het perron achterlaten.

Hij liet zich in een stoel zakken. Zijn hart klopte alsof hij de hele weg van huis naar het station had gerend. Hij had er veel moeite mee om stil te zitten. Tegenover hem zat een vrouw met een zachtpaarse regenjas. Het kon hem nu niet schelen wat ze dacht.

De trein kwam in beweging.

Hij keek uit het raam en stelde zich voor dat hij een vliegtuigje bestuurde dat evenwijdig aan de trein vloog, zoals hij als jongetje vaak had gedaan; hij trok aan de joystick om hekken en bruggen te nemen en zwenkte naar links of rechts om schuren en telegraafpalen te ontwijken.

De trein maakte vaart. De rivier over. De A605 over.

Hij was misselijk.

Hij bevond zich in een omgekeerde hut op een zinkend schip dat water maakte. Het was aardedonker. De deur zat nu ergens onder hem. Het maakte niet uit waar. Als hij hem vond en opendeed, zou hij alleen maar ergens anders sterven.

Hij schopte als een gek, probeerde zijn hoofd in de slinkende piramide van muffe lucht te houden waar de twee wanden en het plafond samenkwamen.

Zijn mond ging onder water.

Er liep olieachtig water in zijn luchtpijp.

Hij stopte zijn hoofd tussen zijn benen.

Hij ging overgeven.

Hij leunde achterover.

Zijn lichaam werd koud en het bloed trok uit zijn hoofd.

Hij stopte zijn hoofd weer tussen zijn benen.

Het voelde alsof hij in de sauna zat.

Hij ging rechtop zitten en deed het raampje open.

De vrouw met de zachtpaarse regenjas keek woest.

De wondkorst zou hem met boosaardige traagheid wurgen, een kwaadaardig schurftig aanhangsel dat zich met zijn eigen lichaam voedde.

'*I peeked through the crack, looked at the track, the one going back...*'

Veldbedden? Wandelingen langs de Helford? Biertjes bij het haardvuur met Brian? Was hij wel goed bij zijn hoofd? Het zou een regelrechte kwelling zijn.

Hij stapte uit in Huntingdon, strompelde naar het eerste het beste bankje, ging zitten en reconstrueerde in gedachten het cryptogram uit de *Telegraph* van die ochtend. Knieval. Roemers. Oxidatie...

Het nam ietsje af.

Hij had terminale kanker. Het was een afgrijselijke gedachte. Maar als hij die daar nou kon opbergen, in de doos 'Terminale Kankergedachten', kon hij misschien verder.

Okapi. Vrek. Tamtam...

Hij moest de volgende trein terug nemen. Met Jean praten. Een kopje thee drinken. Muziek opzetten. Hard. Zijn eigen huis. Zijn eigen tuin. Alles precies waar het hoorde. Geen Brian. Geen clochards.

Rechts van hem hing een beeldscherm. Behoedzaam stond hij op en liep eromheen om te kunnen lezen wat erop stond.

Perron 2. Twaalf minuten.

Hij zette koers naar de trap.

Over een uur was hij thuis.

31

Jean zette George af, schoof achter het stuur en reed terug naar het dorp.

Ze was nog nooit vier dagen alleen geweest, haar leven lang niet. Gisteren had ze zich er nog op verheugd. Maar nu het zover was, was ze bang.

Ze berekende het precieze aantal uren dat ze alleen zou zijn, als ze niet bij Ottakar's of op St. John's was.

Zondagavond zou ze met David zijn. Maar zondagavond leek ineens nog zo ver weg.

Ze parkeerde voor het huis, keek op en zag David op het paadje met mevrouw Walker staan praten, de buurvrouw.

Wat moest hij hier in vredesnaam? Mevrouw Walker was het zelfs niet ontgaan dat ze de melkboer nu ook jus d'orange lieten bezorgen. God mocht weten wat het mens nu dacht.

Jean stapte uit.

'Ah, Jean. Bof ik toch nog.' David lachte naar haar. 'Ik wist niet of ik George thuis zou treffen. Ik ben mijn leesbril vergeten toen ik bij jullie kwam eten.'

Leesbril? God, wat kon die vent liegen. Jean wist niet of ze onder de indruk moest zijn of juist heel bang. Ze keek naar mevrouw Walker. Het mens leek wel verliefd.

'Meneer Symmonds en ik maakten even een praatje,' zei ze. 'Hij zei dat George zulke lekkere risotto maakt. Ik dacht dat hij me voor de gek hield.'

'Raar maar waar,' zei Jean. 'George kookt inderdaad. Ongeveer eens in de vijf jaar.' Ze wendde zich tot David. 'Hij zal het jammer vinden. Ik heb hem net in de stad afgezet. Hij gaat naar zijn broer. In Cornwall.'

'Wat jammer nou,' zei David.

Hij leek zo ontspannen dat Jean zich afvroeg of hij misschien toch gewoon zijn leesbril kwam halen. 'Nou, kom dan maar even binnen.'

'Leuk om kennis te maken,' zei hij tegen mevrouw Walker.

'Insgelijks.'

Ze gingen naar binnen.

'Sorry,' zei David. 'Ik was een beetje vroeg.'

'Vroeg?'

'Ik dacht dat je al terug zou zijn van het station. Het was niet de bedoeling dat ik de nieuwsgierige buurvrouw tegen het lijf zou lopen.' Hij trok zijn jasje uit en hing het over een stoel.

'De bedoeling? David, wij wonen hier. Je kunt niet zomaar komen binnenvallen als je daar zin in hebt.'

'Moet je horen.' Hij pakte haar bij de hand en nam haar mee naar de keukentafel. 'Ik wil het ergens met je over hebben.' Hij gaf haar een stoel, haalde zijn leesbril uit zijn jaszak en legde die op tafel. 'Om mee naar je buurvrouw te zwaaien als ik wegga.'

'Je hebt dit vaker gedaan.'

'Dit?' Hij glimlachte niet. 'Dit heb ik nog nooit gedaan.'

Ineens voelde ze zich ongemakkelijk. Ze wilde dolgraag theezetten, afwassen, wat dan ook. Maar hij had haar rechterhand gepakt en legde zijn andere hand eroverheen, alsof haar hand een piepklein diertje was dat niet mocht ontsnappen.

'Ik moet je iets zeggen. Ik moet het je persoonlijk zeggen. En ik moet het je zeggen wanneer je tijd hebt om erover na te denken.' Hij zweeg even. 'Ik ben een oude man...'

'Je bent niet oud.'

'Alsjeblieft, Jean, ik heb weken geoefend. Laat me het er in een keer uit krijgen zonder dat ik voor gek sta.'

Ze had hem nog nooit zo zenuwachtig gezien. 'Sorry.'

'Op mijn leeftijd krijg je geen herkansing. Goed, misschien krijg je wel een herkansing. Misschien is dit mijn herkansing wel. Maar...' Hij keek naar hun handen. 'Ik hou van je. Ik wil met je samenleven. Jij maakt me zielsgelukkig. En ik weet dat het egoïstisch is. Maar ik wil meer. Ik wil 's avonds met je naar bed gaan en 's ochtends naast je wakker worden. Toe, laat me uitpraten. Voor mij is dit makkelijk. Ik woon alleen. Ik hoef geen rekening met anderen te houden. Ik kan doen wat ik wil. Maar voor jou ligt het anders. Dat weet ik wel. Ik heb respect voor George. Ik mag George. Maar ik heb je over hem horen praten en ik heb jullie samen gezien en... Je zult wel nee gaan zeggen. En dat begrijp ik ook wel. Maar ik zou er de rest van mijn leven spijt van hebben als ik het nooit had gevraagd.'

Ze zat te trillen.

'Alsjeblieft. Denk erover na. Als je ja zegt, zal ik mijn uiterste best doen om het zo pijnloos en zo makkelijk mogelijk voor je te maken... Maar als het echt niet kan, zal ik net doen of dit gesprek nooit heeft plaatsgevonden, want ik wil je absoluut niet afschrikken.' Hij keek haar weer aan. 'Zeg niet dat ik nu alles heb verpest.'

Ze legde haar hand op zijn hand, zodat hun vier handen een stapeltje op tafel vormden. 'Weet je...'

'Wat?' Hij leek echt ongerust.

'Zoiets liefs heeft nog nooit iemand tegen me gezegd.'

Hij ademde uit. 'Je hoeft niet meteen een antwoord te geven.'

'Dat ga ik ook niet doen.'

'Denk erover na.'

'Het zal moeilijk worden om ergens anders aan te denken.' Ze lachte een beetje. 'Je lacht. Dat is voor het eerst sinds je hier binnen bent.'

'Opluchting.' Hij kneep in haar hand.

Ze schoof haar stoel achteruit, liep om de tafel heen, ging bij hem op schoot zitten en kuste hem.

32

Katie en Graham hadden het niet over Ray. Ze hadden het zelfs niet over de bruiloft. Ze hadden het over Bridget Jones en over de tankauto die 's ochtends op het tv-nieuws over de rand van een viaduct had gehangen en over het waarlijk bizarre kapsel van de vrouw die in de hoek achter in het café zat.

Dit was precies wat Katie nodig had. Net of je een oude trui aantrok. Zat lekker. Rook vertrouwd.

Maar toen ze net om de rekening had gevraagd en opkeek, zag ze Ray het café in komen en op hen af lopen. Heel even vroeg ze zich af of er misschien iets ernstigs was gebeurd. Toen zag ze zijn gezicht en werd ze woedend.

Ray bleef naast hun tafeltje staan en keek naar Graham.

'Wat heeft dit te betekenen?' vroeg Katie.

Ray zweeg.

Graham legde rustig zeven munten van een pond op het roestvrij stalen schoteltje en duwde zijn armen in de mouwen van zijn jack. 'Dan ga ik maar.' Hij stond op. 'Bedankt voor het gesprekje.'

'Ik vind dit heel vervelend.' En tegen Ray: 'Godsamme, Ray, word een keer volwassen.'

Even kwam de afschuwelijke gedachte bij haar op dat hij Graham ging slaan. Maar dat deed hij niet. Hij keek alleen maar hoe Graham langzaam naar de uitgang liep.

'Nou, dat was hartveroverend, Ray. Ik kan niet anders zeggen. Hoe oud ben je nou?'

Ray staarde haar aan.

'Ga je nog wat zeggen of blijf je daar gewoon dom staan kijken?'

Ray draaide zich om en liep het café uit.

De serveerster kwam het roestvrij stalen schoteltje ophalen en Ray verscheen op de stoep voor het raam. Hij tilde een vuilnisbak boven zijn hoofd, brulde als een gestoorde zwerver en slingerde de bak weg.

33

Toen George thuiskwam, was hij inmiddels een stuk rustiger.

De auto stond voor de deur, dus was hij een beetje verbaasd en teleurgesteld dat er niemand thuis was. Anderzijds was het wel prettig om alleen in de gang van zijn eigen huis te staan. Het bigvormige notitieblokje op de telefoontafel. De flauwe geur van geroosterd boord. Dat dennenboomspul waarmee Jean het tapijt schoonmaakte. Hij zette zijn rugzak neer en liep de keuken in.

Hij pakte de waterkoker en zag dat een van de stoelen op de grond lag. Hij pakte hem op en zette hem recht.

Hij dacht even aan spookschepen, alles nog precies zoals het was toen het noodlot toesloeg, halflege schalen en borden op tafel, dagboekaantekeningen die midden in een zin ophielden.

Maar hij beheerste zich. Het was maar een stoel. Hij vulde de waterkoker, stopte de stekker in het stopcontact, legde zijn handen plat op het formica werkblad, ademde langzaam uit en liet de dwaze gedachten vervliegen.

En toen hoorde hij het geluid, ergens boven zijn hoofd, alsof iemand een zwaar meubelstuk verschoof. Eerst nam hij aan dat het Jean was. Maar het was een geluid dat hij nog nooit had gehoord in huis, een ritmisch gebonk, bijna machinaal.

Het scheelde weinig of hij had geroepen. Maar hij bedacht zich. Hij wilde weten wat er aan de hand was voor hij liet merken dat hij er was. Het verrassingselement zou van pas kunnen komen.

Hij ging de gang in en de trap op. Bovengekomen besefte hij dat het geluid uit een van de slaapkamers kwam.

Hij liep de overloop over. Katies oude kamer was dicht, maar de deur van hun slaapkamer stond op een kier. Daar kwam het geluid vandaan.

Hij keek snel rond en zag de vier grote marmeren eieren in de fruitschaal op de ladekast. Hij pakte het zwarte ei en sloot zijn hand eromheen. Als wapen stelde het niet veel voor, maar het was keihard, en hij voelde zich er veiliger mee. Hij gooide het een paar keer op en liet het in zijn handpalm ploffen.

Het was zeer wel mogelijk dat hij zo tegenover een drugsverslaafde kwam te staan die hun laden overhoop stond te halen. Hij hoorde bang te zijn, maar na wat er die ochtend al gebeurd was, scheen die tank leeg te zijn.

Hij stapte op de deur af en duwde hem zachtjes open.

Twee mensen hadden geslachtsgemeenschap op het bed.

Hij had nog nooit twee mensen gezien die geslachtsgemeenschap hadden, niet in het echt. Zijn eerste impuls was om gauw terug te stappen, uit gêne. Toen herinnerde hij zich dat het zijn kamer was. En zijn bed.

Hij wilde het tweetal op luide toon vragen waar ze in godsnaam mee bezig waren toen hij zag dat het oude mensen waren. Op dat moment maakte de vrouw het geluid dat hij beneden had gehoord. En het was niet zomaar een vrouw. Het was Jean.

Ze werd verkracht.

Hij hief de vuist met het marmeren ei op en stapte weer naar voren, maar ze zei: 'Ja, ja, ja, ja,' en nu zag hij dat de blote man tussen haar benen David Symmonds was.

Ineens hing het huis scheef. Hij stapte achteruit en hield de deurpost vast om niet te vallen.

Er verstreek tijd. Hoeveel tijd precies was moeilijk te zeggen. Ergens tussen de vijf seconden en twee minuten.

Hij voelde zich niet zo lekker.

Hij trok de deur terug in zijn oorspronkelijke positie en hield zich staande met behulp van de trapleuning. Hij legde het marmeren ei voorzichtig terug in de schaal en wachtte tot het huis weer recht stond, als een groot schip na een lange golf.

Toen dat gebeurd was, ging hij de trap af, pakte zijn rugzak, liep de voordeur uit en trok die achter zich dicht.

Er klonk een geluid in zijn hoofd dat hij gehoord zou kunnen hebben als hij op een spoorbaan lag en er een sneltrein over hem heen reed.

Hij begon te lopen. Lopen was goed. Lopen maakte je hoofd leeg.

Er reed een blauwe stationcar langs.

Deze keer was het de stoep die helde. Hij bleef staan, boog zich vooröver en ging bij een lantaarnpaal over zijn nek.

Hij bleef in deze houding staan om zijn broek niet te bevuilen en viste een bejaard zakdoekje uit zijn zak, waarmee hij zijn mond afveegde. Op de een of andere manier leek het niet goed om het zakdoekje op straat te gooien, en hij wilde het weer in zijn zak stoppen, toen zijn rugzak onverwachts verschoof. Hij stak zijn hand uit om de lantaarnpaal te pakken, miste en rolde een heg in.

Hij stond met gehaktpastei en fruitsalade op zijn blad bij de kassa van het wegrestaurant ter hoogte van Knutsford langs de M6, toen hij wakker werd van een blaffende hond. Hij deed zijn ogen open en zag een groot stuk bewolkte hemel omzoomd door blaadjes en takjes.

Hij staarde een tijdje naar de bewolkte hemel.

Het stonk flink naar braaksel.

Langzaamaan werd duidelijk dat hij in een heg lag. Hij had een rugzak om. Nu wist hij het weer. Hij had op straat overgegeven, en een paar honderd meter verderop had zijn vrouw geslachtsgemeenschap met een andere man.

Hij wou niet in een heg liggen.

Het duurde een paar seconden voor hij weer wist hoe je je ledematen bestuurt. Toen het zover was haalde hij een takje uit zijn haar, ontdeed zich van de rugzak en stond heel voorzichtig op.

Aan het eind van de straat stond een vrouw met enige interesse naar hem te kijken, alsof hij een dier in een safaripark was. Hij telde tot vijf, haalde diep adem en hees de rugzak op zijn schouders.

Hij deed een aarzelende stap.

Hij deed nog een stap, iets minder aarzelend.

Het ging.

Hij zette koers naar de hoofdweg.

34

Katie zou maandag haar excuses moeten aanbieden.

Ze stond midden in peuterspeelzaal 1 Jacob aan haar sjaal rond te zwaaien ter-wijl Ellen haar over Wereldbewustzijnsdag probeerde te vertellen. Maar er zat zo veel Ray-rotzooi in haar kop dat er niets tot haar doordrong. En wat ze steeds voor ogen kreeg, was een beeld uit die zombiefilm: Ellens hoofd dat met een zwa-re plank werd afgehakt, en het bloed dat uit haar hals spoot.

In de bus probeerde ze Ray uit haar hoofd te zetten door aan Jacob te vragen wat hij op de crèche had gedaan, maar hij was te moe om te praten. Hij stopte zijn duim in zijn mond en gleed met zijn hand in haar jack om over de wollige voering te wrijven.

De buschauffeur wilde blijkbaar een of ander snelheidsrecord verbeteren. Het regende en ze rook het zweet van de vrouw die rechts van haar zat.

Ze wilde iets kapotmaken. Of iemand pijn doen.

Ze legde haar arm om Jacob heen en probeerde iets van zijn rust over te ne-men.

Jezus, als ze met Graham naar het dichtstbijzijnde hotel was gegaan en hem suf had geneukt, had ze niet meer ellende over zich heen kunnen krijgen.

De bus stopte. Met een ruk.

Bij het uitstappen zei Katie tegen de chauffeur dat hij een eikel was. Helaas raapte Jacob net een interessant plakje droge modder op zodat ze over hem strui-kelde, wat het effect enigszins tenietdeed.

Toen ze de voordeur openmaakten was Ray al thuis. Dat voelde ze. Het gang-licht was uit, maar er hing iets nors en krakerigs in de lucht, alsof je een grot in ging en wist dat de reus om de hoek op een scheenbeen zat te knauwen.

Ze liepen de keuken in. Ray zat aan de tafel.

Jacob zei: 'We waren in de bus. Mama zei een lelijk woord. Tegen de chauffeur.'

Ray zweeg.

Ze boog zich voorover en zei tegen Jacob: 'Ga jij even boven spelen, goed? Ik moet met Ray praten.'

'Ik wil hier beneden spelen.'

'Zo meteen mag je beneden komen spelen,' zei Katie.'Waarom pak je je Playmobiltruck niet even, hè?' Hij moest binnen vijf seconden gaan meewerken of ze sprong uit haar vel.

'Wil ik niet,' zei Jacob. 'Daar is niks aan.'

'Ik meen het. Ga naar boven. Ik kom zo bij je. Kom, dan doe ik je jas uit.'

'Ik wil mijn jas aanhouden. Ik wil een monsterdrank.'

'Jezus Christus, Jacob,' gilde Katie. 'Ga naar boven. Nu meteen.'

Even dacht ze dat Ray zijn befaamde diplomatieke mannenkunstje zou doen door Jacob zonder een woord over te halen om rustig naar boven te gaan, en dat zij zou ontploffen omdat het zo ongelooflijk schijnheilig was. Maar Jacob stampvoette alleen maar en zei: 'Ik haat je', en blies verongelijkt de aftocht met de capuchon van zijn jas nog op, als een hele boze kabouter.

Ze zei tegen Ray: 'We dronken een kop koffie. Hij is de vader van mijn kind. Ik wou even praten. En als je denkt dat ik met iemand ga trouwen die me behandelt zoals jij vandaag hebt gedaan, dan vergis je je lelijk.'

Ray staarde haar zwijgend aan. Toen stond hij op, liep nors de gang in, pakte zijn jack en smeet de voordeur achter zich dicht.

Jezus.

Ze liep naar de keuken, greep de rand van het aanrecht en hield die een minuut of vijf heel stevig vast om Jacob geen angst aan te jagen door te krijsen of iets aan diggelen te gooien.

Ze nam een slok melk uit het pak en liep de trap op. Jacob zat op de rand van zijn bed, jas nog aan, capuchon nog op, en oogde als na een ouderlijke ruzie, gespannen, wachtend op de taxi naar het weeshuis.

Ze ging op het bed zitten en trok hem op schoot. 'Het spijt me dat ik zo boos werd.'

Ze voelde hem verslappen toen zijn armpjes om haar heen kwamen. 'Jij wordt toch ook weleens boos?'

'Ja,' zei hij, 'ik word boos op jou.'

'Maar toch hou ik van je.'

'Ik hou ook van jou, mama.'

Ze hielden elkaar een paar seconden vast.

'Waar is papa Ray?' vroeg Jacob.

'Die is weggegaan. Hij houdt niet zo van ruzie.'

'Ik hou ook niet van ruzie.'

'Dat weet ik,' zei Katie.

Ze deed zijn capuchon af, veegde wat stukjes berg uit zijn haar en gaf hem een zoen.

'Ik hou van je, eekhoorntje. Ik hou het meest van jou in de hele wereld.'
Hij wurmde zich los. 'Ik wil met mijn truck spelen.'

35

George ging met de bus naar de stad en nam een kamer in hotel Cathedral. Hij had nooit van dure hotels gehouden. Voornamelijk vanwege het fooien geven. Wie gaf je een fooi, wanneer, en hoeveel? Rijke mensen wisten dat intuïtief of zaten er niet er mee als ze de lagere standen voor het hoofd stootten. Gewone mensen als George deden het verkeerd en kregen ongetwijfeld spuug in hun roerei.

Maar deze keer voelde hij geen onzekerheid knagen. Hij verkeerde in een shock. Later zou het onaangenaam worden, dat stond wel vast. Maar nu was het eigenlijk wel prettig om in een shock te verkeren.

'Uw creditcard, meneer.'

George pakte zijn kaart aan en schoof hem in zijn portemonnee.

'En uw sleutel.' De receptionist richtte zich tot een ronddrentelende portier. 'John, breng jij meneer Hall even naar zijn kamer?'

'Ik vind het wel, denk ik,' zei George.

'Derde etage. Linksaf.'

Boven haalde hij de rugzak leeg op het bed. Hij hing de overhemden, truien en broeken in de kast en legde zijn ondergoed opgevouwen in de la eronder. Hij pakte de kleinere spullen eruit en legde die keurig naast elkaar op de tafel.

Hij deed zijn behoefte, waste zijn handen en droogde ze af aan een belachelijk dikke handdoek, die hij recht terughing over de verwarmde stang.

Gegeven de omstandigheden wist hij zich eigenlijk heel goed te redden.

Hij nam een verpakt plastic bekerglas, haalde het hoesje eraf en schonk er een flesje whisky uit de minibar in leeg. Hij pakte een zakje zoute pinda's en consumeerde beide, terwijl hij voor het raam stond en uitkeek over het rommelige grijze landschap van daken.

Eenvoudiger kon het niet. Een paar dagen in een hotel. Dan zou hij ergens iets huren. Een flat in de stad, misschien, of een huisje in het dorp.

Hij dronk de whisky op en stopte nog eens zes pinda's in zijn mond.

Daarna ging hij zijn eigen leven bepalen. Hij ging zelf beslissen wat hij wou zien, wie hij wou zien, wat hij met zijn tijd deed.

Objectief gezien kon je dat als iets positiefs beschouwen.

Hij vouwde het halflege zakje pinda's dicht en legde het op tafel, spoelde het bekerglas om, droogde het af met een van de zakdoekjes die het hotel zijn gasten ter beschikking stelde, en zette het naast de wasbak.

Twaalf uur tweeënvijftig.

Een hapje eten en dan een wandelingetje voor de spijsvertering.

36

Toen David weg was, kuierde ze in haar ochtendjas naar de keuken.

Alles gloeide een beetje. De bloemen van het behang. De wolken die aan het eind van de tuin als sneeuwbanken in de lucht gestapeld stonden.

Ze zette koffie, maakte brood met ham klaar, en nam een paar paracetamolletjes tegen de pijn in haar knie.

En de gloed werd wat minder.

Boven, in Davids armen, had het nog mogelijk geleken, om dit allemaal achter zich te laten, een nieuw leven te beginnen. Maar nu hij weg was leek het bespottelijk. Een kwalijk idee. Iets wat mensen op de televisie deden.

Ze keek naar de klok aan de muur. Ze keek naar de rekeningen in het toastrekje en de kaasplank met het klimopmotief.

Ineens zag ze haar hele leven voor zich uitgespreid, als foto's in een album. George en zij voor de kerk in Daventry, de wind die de bladeren als oranje confetti van de bomen blies, het echte feest dat volgende morgen pas begon toen ze beider families achterlieten en in Georges donkergroene Austin naar Devon reden.

Een maand in het ziekenhuis na de geboorte van Katie. George die elke dag fish & chips meebracht. Jamie op zijn rode driewieler. Het huis in Clarendon Lane. IJs op de ruiten die eerste winter en bevroren washandjes die je moest losbreken. Het leek allemaal zo degelijk, zo normaal, zo goed.

Als je zo naar iemands leven keek, zag je nooit wat er ontbrak.

Ze waste haar bord af en zette het in het rek. Het huis leek plotseling erg kleurloos. De aanslag rond de voet van de kranen. De barsten in de zeep. De treurige cactus.

Misschien wilde ze wel te veel. Misschien wilde iedereen tegenwoordig wel te veel. De wasdroger. Het bikinifiguur. De gevoelens die je had toen je eenentwintig was.

Ze liep naar boven, en terwijl ze zich aankleedde voelde ze dat ze weer werd wie ze was.

'Ik wil 's avonds met je naar bed gaan en 's ochtends naast je wakker worden.'

David begreep het niet. Je kon wel nee zeggen. Maar je kon zo'n gesprek niet hebben en dan net doen of het nooit had plaatsgevonden.

Ze miste George.

37

George las het boek van Peter Ackroyd tijdens een lange maaltijd in een drukke en vrij matige pizzeria aan Westgate.

Hij had eenzame eters altijd triest gevonden. Maar nu hij de eenzame eter was, voelde hij zich nogal zelfgenoegzaam. Voornamelijk door het boek. Iets leren terwijl verder iedereen zijn tijd zat te verknoeien. Net of je 's nachts werkte.

Na de maaltijd maakte hij een wandeling. Het centrum van de stad was geen ideale plek om te slenteren, en het leek absurd om zich in een taxi naar een of andere stille plek te laten rijden, dus liep hij door Eastfield in de richting van de ringweg.

Hij zou de auto een keer moeten ophalen. In het donker misschien, als hij de minste kans had om Jean tegen te komen. Maar was het zijn auto wel? Hij had absoluut geen zin in een vervelende ruzie. Of erger nog, in een beschuldiging van diefstal. Misschien was het uiteindelijk beter om een nieuwe auto te kopen.

Hij ging de verkeerde kant uit. Hij had westwaarts moeten lopen, maar dan was hij de kant van Jean uit gegaan. En die kant wilde hij niet uit, hoe pittoresk het landschap bij haar in de buurt ook was.

Hij stak de ringweg over, liep langs de industrieterreinen en kwam eindelijk tussen groene weiden terecht.

Enige tijd verkwikten de koude lucht en de open hemel hem, en leek het alsof hij alle voordelen genoot van een stevige wandeling langs de Helford, maar dan zonder het gezelschap van Brian en zes uur in een trein.

Toen doemde er links van hem een oude fabriek op. Roestige schoorstenen. Rechthoekige leidingen. Vlekkige vultrechters. Het was geen fraai plaatje. En dat gold ook voor de kapotte ijskast die even verderop in een parkeerhaven was achtergelaten.

De grijze lucht en het eindeloze vlakke land gingen op hem drukken.

Hij wilde aan zijn atelier werken.

Hij besefte dat hij niet meer aan zijn atelier kon werken.

Hij zou aan een ander project moeten beginnen. Een kleiner project. Een goedkoper project. Zweefvliegen kwam ongevraagd in zijn gedachten op en moest snel worden verjaagd.

Schaken. Joggen. Zwemmen. Liefdadigheidswerk.

Tekenen kon hij natuurlijk evengoed nog. Dat kon je bijna overal doen, en het was niet duur.

Hij bedacht dat Jean misschien wel ergens anders zou willen gaan wonen. Bij David. In dat geval kon hij toch doorgaan met het atelier.

En dankzij deze opbeurende gedachte kon hij omkeren, en met kloeke pas teruglopen naar de stad.

Tegen de tijd dat hij weer in het centrum was, schemerde het. Toch leek het nog niet laat genoeg om terug te gaan naar het hotel en in het restaurant daar te eten. Gelukkig kwam hij langs een bioscoop en besefte dat hij al heel wat jaren geen film meer op het witte doek had gezien.

Training Day leek een goedkope politiethriller. *Spy Kids* was duidelijk voor jeugdige kijkers en *A Beautiful Mind*, herinnerde hij zich, ging over iemand die gek werd, en was dus niet aan te raden.

Hij kocht een kaartje voor *The Lord of the Rings: The Fellowship of the Ring*. De recensies waren goed geweest, en ergens in het verre verleden, wist hij nog, had hij het boek met plezier gelezen. Hij liet zijn kaartje knippen en koos een stoel in het midden van de zaal.

Een meisje uit een groepje pubers op de rij voor hem draaide zich om en keek wie er achter hen was komen zitten. George keek een beetje rond en besefte dat hij een wat oudere man was, die in zijn eentje in een bioscoop vol jongelui zat. Het was nog geen rondhangen bij een speelplaats, maar ongemakkelijk voelde hij zich wel.

Hij stond op, liep terug naar het gangpad en ging midden op de voorste rij zitten waar het beeld groter en duidelijker zou zijn, en niemand hem van iets onbetamelijks kon betichten.

De film was lang niet slecht.

Maar na zo'n veertig minuten bleef de camera even op het gezicht van Christopher Lee gericht, die de boze Saruman speelde, en zag George een donker stukje op diens wang. Op zich niets bijzonders, ware het niet dat hij onlangs in de krant had gelezen dat Christopher Lee was gestorven. Waaraan? George wist het niet meer. Het was waarschijnlijk geen huidkanker geweest. Maar het was niet onmogelijk. En als het huidkanker was, zag hij Christopher Lee nu voor zijn ogen sterven.

Of misschien ging het om Anthony Quinn.

Hij pijnigde zijn hersens om de necrologieën terug te halen die hij de laatste maanden had gelezen. Auberon Waugh, Donald Bradman, Dame Ninette de Va-

lois, Robert Ludlum, Harry Secombe, Perry Como... Hij zag ze voor zich, opge-
steld als het strijdende voetvolk in de film zelf, de infanteristen in een of andere
gigantische oorlog tussen natuurkrachten waarop ze geen enkele greep hadden;
stuk voor stuk werden ze onherroepelijk naar de rand van een machtig ravijn ge-
duwd, als waardeloze centen in een wreed schuifspelletje op kosmische schaal.
De ene golf na de andere verdween over de rand en viel gillend in de afgrond.

Toen hij weer naar het doek keek, zag hij de ene groteske close-up na de andere van vergrote gezichten, die allemaal een raar gezwel of een abnormaal donkere vlek hadden, allemaal melanomen in de dop.

Hij voelde zich niet lekker.

Toen verschenen de orcs weer, en hij zag nu wat het eigenlijk waren: geen mensen maar wezens wier hoofdhuid was afgestroopt, zodat ze geen lippen of neus-
gaten meer hadden en hun gezicht volledig uit rauw, levend vlees bestond. En of
het nu kwam doordat hun uiterlijk het resultaat van een kwaadaardige huidziek-
te leek, of doordat ze geen huid hadden en dus ook geen huidkanker konden krijgen of er daardoor juist abnormaal vatbaar voor waren en als albinokinderen in
de Sahara aan kanker begonnen te sterven zodra ze ter wereld kwamen – hij wist
het niet, maar het was hem in elk geval te veel.

Het interesseerde hem niet meer wat de rest van de zaal van hem vond. Hij
stond op, liep zigzaggend door het oplopende gangpad naar de uitgang, viel de
krankzinnig lichte en lege foyer in, wankelde de grote klapdeuren door en belandde in het relatieve duister op straat.

38

Jean ging net met een glas wijn voor de tv zitten om naar het nieuws te kijken, toen Brian belde om te zeggen dat George er nog niet was. Hij zou wel ergens op een rangeerspoor bij Exeter staan en Virgin Trains vervloeken, besloten ze. Jean hing op en vergat het gesprek.

Ze haalde een kalkoenburger uit de vriesla, zette de stoompan op en begon worteltjes te schrappen.

Ze at haar avondmaal onder het kijken naar een romantische flutfilm met Tom Hanks. Bij de aftiteling belde Brian weer en hij zei dat George er nog steeds niet was. Hij zou over een uur nog een keer bellen, zei hij, als hij dan nog niets had gehoord.

Ineens leek het huis akelig leeg.

Ze trok een nieuwe fles wijn open en dronk erg snel nog een glas.

Ze moest niet zo raar doen. Mensen als George kregen geen ongelukken. En anders (zoals toen hij dat stukje glas in zijn oog kreeg) belde hij meteen naar huis. Als hij in het ziekenhuis terechtkwam, zouden ze een papiertje in zijn jaszak vinden met Brians telefoonnummer plus een beschrijving en vermoedelijk ook een getekend kaartje van de route naar het huisje.

Hoe kwam ze erbij om dit zelfs maar te denken? Te veel jaren van bezorgdheid over tieners die naar feestjes gingen en daar misschien wel drugs gebruikten. Te veel jaren van verjaardagen niet vergeten, en van de stekkers van hete krultangen uit het stopcontact halen die op vloerkleden in slaapkamers waren blijven liggen.

Ze schonk nog een glas wijn in en probeerde weer tv te kijken, maar ze kon niet stil blijven zitten. Ze waste af. Ze maakte de ijskast leeg. Ze haalde de smurrie uit het afvoergaatje aan de achterkant, waste de rekjes in warm zeepsop, nam de zijkanten af en droogde ze met de theedoek.

Ze bond de pedaalemmerzak dicht en liep ermee de tuin in. Toen ze naast de vuilnisbak stond hoorde ze het wak-wak-wak van een politiehelikopter. Ze keek omhoog en zag boven aan een lange kegel zoeklicht het zwarte silhouet in de vuiloranje hemel boven het stadscentrum. En ze kon het onzinnige idee niet van zich afzetten dat ze George zochten.

Ze ging naar binnen, deed de deur op slot en besefte dat ze de politie zou moeten bellen als ze binnen een uur niets had gehoord.

39

Jamie strompelde als een zombie door de volgende paar dagen en verspeelde een herenhuis in Dartmouth Park aan John D. Wood, doordat hij vol zelfmedelijden over Tony dagdroomde in plaats van bij de bejaarde eigenaars te slijmen.

De derde dag maakte hij zich op kantoor belachelijk door na wat lui knip- en plakwerk op Primelocation een eenkamerappartement met zwembad aan te bieden, op drie hoog.

Waarna hij besloot dat het tijd werd om in te grijpen. Hij vond een cd van The Clash in het handschoenenkastje van de auto, zette die hard op en maakte in gedachten een lijstje van alles aan Tony waarvan hij gek werd (in bed roken, gebrek aan kookkunst, onbeschaamd winden laten, dat getik met die lepels, het vermogen om een halfuur lang te praten over wat er zoal kwam kijken bij het installeren van een dakkapel...).

Thuis brak hij de cd ritueel in tweeën en smeet hem in de prullenbak.

Als Tony wilde terugkomen, mocht hij zelf het initiatief nemen. Jamie was niet van plan om te gaan kruipen. Hij was van plan om ongebonden te zijn. En hij was van plan om daar plezier aan te beleven.

40

De sfeer in de binnenstad werd merkbaar rumoeriger naarmate meer jeugd zich verzamelde voor een avondje stevig drinken. Dus liep George via Bridge Street naar de rivier voor een beetje rust en een verklaring voor de cirkelende helikopter.

Toen hij bij de kade aankwam, besefte hij dat wat er gebeurde zowel ernstiger als interessanter was dan wat hij had gedacht. Er stond een ambulance op de weg geparkeerd met daarachter een politiewagen, het blauwe licht roterend in de koude lucht.

Normaal was hij weggelopen om niet morbide te lijken. Maar vandaag was niets normaal.

De helikopter hing zo laag dat hij het lawaai als een trilling in zijn hoofd en schouders voelde. Hij bleef bij het hekje van harmonicagaas naast het Chinese restaurant staan en stopte zijn handen in zijn broekzakken voor de warmte. Een zoeklicht dat onder aan de helikopter zat, ging zigzaggend over het wateroppervlak.

Er was iemand in de rivier gevallen.

Met een windvlaag waaide een flard krakerig walkietalkiegepraat langs.

Op zijn eigen macabere manier was het geweldig. Net een film. Zoals het leven zelden was. Het gele rechthoekje van het ambulanceraam, de schuivende wolken, het klotsende water onder de benedenwaartse trek van de helikopter, alles feller en intenser dan normaal.

Verderop liepen twee mannen met fluorescerende gele jassen systematisch het jaagpad langs de rivier af. Ze schenen met staaflantaarns in het water en porden met een lange stok naar voorwerpen onder water. Zoekend naar een lichaam, nam hij aan.

Een sirene brulde en werd meteen weer uitgezet. Een autoportier sloeg dicht.

Zijn blik ging naar het water beneden.

Hij had eigenlijk nog nooit goed naar de rivier gekeken. Niet in het donker. Niet wanneer het water hoog stond. Hij was er altijd van uit gegaan dat het geen probleem zou zijn als hij in het water viel. Hij kon aardig zwemmen. Elke morgen veertig baantjes als ze in een hotel met zwembad verbleven. En toen John Zinewski's Fireball omsloeg was hij wel even bang geweest, maar het was nooit bij hem opgekomen dat hij kon verdrinken.

Dit was anders. Het zag er niet eens uit als water. Het ging te hard, kolkend en kronkelend, en rollend als een groot beest. Stroomopwaarts van de brug hoopte het zich tegen de pijlers op als lava die om een rots heen moet. Voorbij de pijlers verdween het in een donker gat.

Ineens zag hij hoe zwaar water eigenlijk was wanneer het zich als massa verplaatste, zoals teer of stroop. Het zou je omlaag sleuren of tegen een betonnen muur verpletteren, zonder dat je er iets aan kon doen, hoe goed je ook kon zwemmen.

Er was iemand in de rivier gevallen. Het drong plotseling tot hem door wat dat inhield.

Hij stelde zich de eerste schok voor van de hevige kou, het wanhopig graaien naar houvast op de oever, de stenen glad van het mos, nagels die afbraken, kleren die snel doorweekt raakten.

Maar misschien was het wel de bedoeling geweest. Misschien had iemand zich in de rivier gestort. Niet geprobeerd om aan wal te klauteren. De enige strijd was misschien de strijd geweest om los te laten, af te rekenen met die honger naar licht en leven.

Hij zag voor zich hoe iemand naar beneden trachtte te zwemmen, het donker in. Hij herinnerde zich het stuk over verdrinken in *Hoe wij sterven*. Hij zag hoe diegene water probeerde in te ademen, hoe de luchtpijp zich met een krampreflex sloot om het zachte longweefsel te beschermen. Met een dichte luchtpijp was het onmogelijk om te ademen. En hoe langer je niet ademde, des te zwakker je werd. Je zou water en lucht gaan inslikken. Het water en de lucht zouden tot schuim worden geklotst, en het hele gruwelijke proces zou nu niet meer te stuiten zijn. Door het schuim zou je moeten kokhalzen (deze details stonden hem nog bijzonder helder voor de geest). Je zou braken. Het braaksel zou de mond vullen en met die laatste snik, als door het zuurstofgebrek in de bloedbaan de verkrampte luchtpijp wel open móest gaan, zou je geen andere keuze hebben dan het door te slikken, water, lucht, schuim, braaksel, alles.

Hij stond nu vijf minuten aan de waterkant. De helikopter had hij tien minuten geleden gezien. God mocht weten hoelang het geduurd had voordat er alarm was geslagen, of voordat de helikopter was gekomen. De persoon in kwestie was inmiddels vrijwel zeker dood.

Hij voelde iets van het afgrijzen dat hij in de trein had gevoeld, maar deze keer werd hij er niet door overweldigd. Sterker nog, het werd in evenwicht gehouden door een soort troost. Hij kon zich voorstellen dat je dit deed. De dramatiek. Zoals je je kon voorstellen dat je vredig stierf als de juiste muziek maar klonk. Zoals dat adagio van Barber dat ze altijd op Classic FM draaiden als hij in de auto zat.

Het leek zo gewelddadig, zelfmoord. Maar hier, nu, zo dichtbij, leek het anders, meer een geval van het lichaam geweld aandoen dat je aan een onleefbaar leven geketend hield. Het afkappen en vrij zijn.

Hij keek nog eens naar beneden. Vijftien centimeter van zijn tenen deinde en glibberde het water, blauw, zwart, blauw, zwart, in het zwaailicht van de politiewagen.

41

Jean belde Jamie, maar zonder resultaat. Ze belde Katie, maar die had het blijkbaar druk en Jean had geen zin om te horen dat ze niet moest overdrijven, dus hing ze op voordat ze onenigheid kregen.

Ze belde het ziekenhuis. Ze belde Virgin. Ze belde Wessex Trains en GNER. Ze belde de politie en kreeg te horen dat ze 's ochtends terug moest bellen als hij dan nog zoek was.

Ze had dit over zichzelf afgeroepen. Door te overwegen bij hem weg te gaan.

Ze probeerde te slapen, maar telkens wanneer ze begon weg te doezelen, hoorde ze dat er werd aangeklopt en zag ze een jonge agent met een ernstig gezicht op de stoep staan, en werd ze misselijk en draaierig en doodsbang, alsof iemand op het punt stond een van haar armen of benen af te hakken.

's Ochtends om vijf uur viel ze eindelijk in slaap.

42

George was niet in de stemming om in een restaurant te zitten. Dus liep hij een winkeltje in en kocht een futloos broodje, een sinaasappel en een banaan met een paar plekjes.

Hij ging terug naar zijn hotelkamer, maakte een kopje oploskoffie en at zijn avondmaal. Toen hij dat gedaan had, besefte hij dat hij verder niets te doen had, en dat het slechts een kwestie van tijd was voordat zijn gedachten weer met hem aan de haal gingen.

Hij deed de minibar open en wilde een blikje Carlsberg pakken, maar bedacht zich. Als hij midden in de nacht wakker werd en de duistere krachten op afstand moest houden, moest hij wel bij de tijd zijn. Hij pakte een Mars en zocht Eurosport op de televisie.

Er kwamen vijf jongelieden in beeld. Ze stonden op een bergachtige verhevenheid met helmen en rugzakken in de fluorescerende kleuren die tegenwoordig verplicht waren voor jongelui in de vrije natuur.

George probeerde erachter te komen hoe je met de afstandsbediening het geluid harder kon zetten, toen een van de jongens zich ineens omdraaide, naar de afgrond achter zich rende en zich in het niets stortte.

George slaakte een gilletje, en deed een uitval naar de televisie om te proberen de man nog te grijpen.

Het beeld versprong en George zag de man langs een enorme rotswand vallen. Een, twee, drie seconden. Toen ging zijn parachute open.

Georges hart ging nog steeds tekeer. Hij schakelde over naar een andere zender.

Op kanaal 45 kreeg een wetenschapper een elektrische schok toegediend: zijn haar ging recht overeind staan en zijn geraamte werd even zichtbaar. Op 46 kronkelde een groep in bikini geklede vrouwen met opgepompte borsten op de maat van popmuziek. Op 47 ging de camera langs de gevolgen van een terreurdaad in een land met een onverstaanbare taal. Op 48 was een reclamespotje voor goedkope sieraden. Op 49 was een programma over olifanten. Op 50 was iets in zwartwit met buitenaardse wezens.

Als er maar vier kanalen waren geweest, had hij er misschien een moeten kiezen, maar het grote aantal op zich was verslavend, en hij maakte verschillende keren het hele rondje en bleef bij elk beeld een paar tellen hangen, tot hij zijn maag een beetje voelde draaien.

Hij sloeg Ackroyd open, maar lezen leek op dit moment een zware kluif, dus liep hij de badkamer in en liet het bad vollopen.

Hij wilde zich gaan uitkleden, maar herinnerde zich dat er delen van zijn lichaam waren die hij niet wou zien. Hij deed het badkamerlicht uit en besloot zijn hemd en onderbroek aan te houden tot vlak voordat hij in het bad zou stappen.

Maar toen hij op de rand van het bed zat en zich vooroverboog om zijn sokken uit te trekken, zag hij op de biceps van zijn linkerarm een aantal kleine rode puntjes. Een stuk of zes, zeven, dicht bij elkaar. Hij wreef erover met het idee dat het misschien een soort vlek was, of een pluisje van kledingvezels, maar dat bleek niet zo te zijn. En het waren ook geen kleine korstjes. En wrijven had geen effect.

Terwijl de vloer op de inmiddels bekende manier plaatsmaakte voor een brede, gapende schacht, troostte hij zich een ogenblik met de gedachte dat hij voorlopig even niet aan Jean en David zou denken.

De kanker zaaide zich uit. Of er was een tweede vorm van kanker bij gekomen nu de eerste zijn immuunsysteem had verzwakt.

Hij had geen idee hoelang de puntjes er al zaten. Hij kon zich niet herinneren dat hij ooit goed naar zijn biceps had gekeken. Een stem in zijn hoofd zei dat ze er waarschijnlijk al jaren zaten. Een andere stem zei dat het dus symptomen waren van een proces dat onder de oppervlakte zijn dodelijke werk al had gedaan.

Door zijn ineengedoken houding werd hij zich op onaangename wijze bewust van het broodje, de banaan, de sinaasappel en met name de Mars. Hij wilde niet weer overgeven, zeker niet in een hotel. Dus met zijn ogen dicht dwong hij zichzelf om op te staan en begon tussen het raam en de deur te ijsberen, in de hoop dat het kalmerende effect van zijn middagwandeling opnieuw zou optreden. Na tweehonderd keer heen en weer hield het ritme de paniek enigszins in bedwang.

Op dat moment hoorde hij echter water op een tegelvloer kabbelen. Het duurde een paar tellen voor hij doorhad waar het geluid van kabbelend water op tegels vandaan kon komen. Toen het zover was deed hij zijn ogen open en sprintte naar de badkamer, maar struikelde over de hoek van het bed, en sloeg met zijn hoofd tegen de deurpost.

Hij krabbelde op en strompelde de donkere badkamer in, waar hij moest oppassen dat hij op de ondergelopen vloer niet nog een keer uitgleed. Hij draaide de kranen dicht, gooide alle beschikbare handdoeken op de grond, trok voorzichtig de stop los, en knielde naast de wc om op adem te komen.

De pijn in zijn hoofd was behoorlijk, maar bracht toch enige verlichting, omdat het een gewonere pijn was, die op voorspelbare wijze toe- en afnam.

Hij legde zijn hand op zijn voorhoofd. Het was warm en nat. Hij wilde zijn ogen liever niet opendoen om te zien of dat van het bloed of het badwater was.

Met zijn voet tikte hij de deur achter zich dicht, waardoor het nog donkerder werd.

Er bibberden wazige roze lichtjes op de achterkant van zijn oogleden, als een kabouterdorp in de verte.

Hij had hier geen behoefte aan. Uitgerekend vandaag.

Toen hij op adem was gekomen, stond hij langzaam op en liep naar de slaapkamer, met zijn ogen nog altijd stijf dicht. Hij knipte het licht uit en trok zijn kleren weer aan. Hij deed zijn ogen weer open, haalde een aantal blikjes, flesjes en versnaperingen uit de minibar en ging weer in de stoel voor de televisie zitten. Hij trok een blikje Carlsberg open, zocht de muziekzender en wachtte op meer kronkelende vrouwen met opgepompte borsten, in de hoop dat zij een seksuele fantasie konden opwekken die pakkend genoeg was om hem te doen vergeten waar hij was, wie hij was, en wat hem de afgelopen twaalf uur was overkomen.

Hij at een Snickers.

Hij voelde zich als een klein kind na een hele lange dag. Hij wilde door iemand die groter en sterker was naar een warm bed worden gedragen, waar hij in een diepe slaap kon vallen die hem snel naar het begin van een nieuwe dag zou brengen waarop alles weer goed en schoon en simpel was.

De vrouw die op televisie zong, leek een jaar of twaalf. Ze had vrijwel geen borsten en droeg een spijkerbroek en een gescheurd T-shirt. Het zou iets onverkwikkelijks hebben gehad om naar haar te kijken als ze niet zo vreselijk boos was geweest en niet om de haverklap naar de camera was gestormd om in de lens te schreeuwen. Ze deed George denken aan Katie als puber in een van haar explosieve buien.

De muziek was ruig en verre van welluidend, maar onder invloed van de drank begreep hij wel hoe jongeren, die mogelijk zelf ook dronken waren of bewustzijnsveranderende middelen hadden gebruikt, erin konden opgaan. Het stuwende ritme, de simpele melodie. Alsof je vanuit je veilige huiskamer naar onweer en bliksem keek. Het idee dat er buiten je hoofd iets gebeurde wat nog heftiger was.

De jonge vrouw werd gevolgd door twee zwarte mannen die op één toon over een aanhoudende discodreun heen zongen. Ze droegen flodderbroeken en honkbalpetjes en bezigden een of ander onbegrijpelijk gettoslang. Op het oog leken ze een stuk minder boos dan de jonge vrouw in de vorige clip, maar ze wekten de stellige indruk dat ze, in tegenstelling tot de boze jonge vrouw, zonder blikken of blozen bij je zouden inbreken.

Ze hadden een achtergrondkoortje van drie vrouwen die bijzonder schaars waren gekleed.

Hij maakte een flesje wodka open.

Tegen middernacht had hij zich een stuk in zijn kraag gedronken en vroeg zich af waarom hij dat niet eerder had gedaan. Hij was volkomen ontspannen en vergat steeds wie hij was. Wat lekker was.

Hij ging naar de wc, deed zijn behoefte, wankelde terug naar de slaapkamer en zeeg neer op het donzen dekbed. Zijn hoofd had in maanden niet zo leeg gevoeld. De gedachte kwam bij hem op dat hij alcoholist kon worden. Het leek op dit moment nog niet zo'n gekke oplossing voor zijn problemen.

Toen raakte hij buiten bewustzijn.

Midden in de nacht was hij bezig met een landing. Op vliegveld Heathrow, mogelijk. Of Charles de Gaulle. Hij zat in een vliegtuig dat ook een helikopter was, en de vrouw naast hem had een hondje op schoot, wat in echte vliegtuigen niet gebeurde.

Hij was merkwaardig kalm. En niet zomaar: het vliegtuig, of de helikopter, voelde als de armen van die grotere, sterkere persoon door wie hij graag naar bed gedragen had willen worden.

Hij keek door het raampje de duisternis in. Het uitzicht was adembenemend mooi: het verkeer beneden pulseerde als lava in de barsten van een enorme zwarte steen.

Er klonk muziek, ofwel in zijn hoofd ofwel uit de koptelefoon die hem was verstrekt, een rijk orkestraal geluid dat onvoorstelbaar kalmerend was. En het ruitjesmotief op de stof van de stoelhoes voor hem rimpelde licht, als golfjes die terugkaatsten van een kademuur en zichzelf tegemoetkwamen waardoor er een glinsterend raster van nat zonlicht ontstond.

Toen vloog het vliegtuig, of de helikopter, ergens tegenaan.

Er was een geweldige klap en alles schoof een paar meter opzij. Vervolgens was er een seconde verbijsterde stilte. Toen zakte het vliegtuig ineens naar rechts en klonk er gekrijs en vloog er allerlei eten en handbagage rond, en hing het hondje als een ballon aan zijn riem in de lucht.

George probeerde wanhopig zijn gordel los te krijgen, maar zijn vingers waren dood, voelden als wanten en weigerden te doen wat hij wilde, en hij keek door het piepkleine plexiglazen patrijspoortje naar brandende kerosine en dikke zwarte rook, die onder uit de rechtervleugel stroomde.

Plotseling werd het dak van het vliegtuig als het deksel van een sardineblikje weggerukt en barstte er een verschrikkelijke wind los, die kleine kinderen en cabinepersoneel duikelend het donker in slingerde.

Een drankkarretje danste door het gangpad en onthoofdde een man die links van George zat.

Toen zat hij niet meer in het vliegtuig. Hij sleede met Brian van Lunn Hill af. Hij hielp Jean om de hak van haar schoen uit een rooster in Florence te trekken. Hij stond bij mevrouw Amery in de klas en probeerde steeds maar weer 'parallel' te spellen terwijl iedereen hem uitlachte.

Toen zat hij weer in het vliegtuig en tegelijkertijd stond hij midden in de nacht in zijn eigen achtertuin omhoog te kijken naar het slaapkamerraam en zich af te vragen wat dat rare gekreun was dat daarvandaan kwam. Ineens lichtte de buitenkant van het huis fel oranje op. Hij draaide zich om en zag het aankomen, als een vloedgolf van wrakstukken, maar dan door de lucht, verlicht door de kerosinemeteoor in het midden.

De grond beefde. Liters gloeiend zwart plastic spatten tegen een winkelpui. Een vliegtuigstoel stuiterde door een woonstraat op een pauwenstaart van witte vonken. Een mensenhand viel in een draaimolen op een kinderspeelplaats.

De neuskegel boorde zich in een parkeergarage en George werd wakker en lag in drijfnatte kleren op een groot bed in een kamer die hij niet herkende, met de smaak van braaksel in zijn mond, een pijn alsof er een ijzeren pin in de zijkant van zijn hoofd was geramd, en de wetenschap dat de droom nog niet voorbij was, dat hij daar nog steeds door de nacht viel, hunkerend naar die laatste klap waarmee het licht voorgoed zou doven.

43

Jean werd om negen uur wakker van de telefoon. Ze sprong uit bed, holde de gang in en nam op.

'Jean, met mij.' Het was David.

'Sorry, ik dacht dat het...'

'Gaat het wel?'

Dus vertelde ze hem over George.

'Ik zou me geen zorgen maken,' zei David. 'Hij heeft een bedrijf gehad. Hij weet hoe hij hulp moet krijgen als hij die nodig heeft. Hij heeft niet gebeld omdat hij je niet ongerust wil maken. Er is vast een hele logische verklaring.'

David had ze gisteravond moeten bellen, besefte ze.

'Bovendien,' zei hij, 'ben je alleen thuis. Toen Mina en ik uit elkaar waren gegaan, heb ik een maand niet goed kunnen slapen. Weet je wat? Blijf zondag hier slapen. Dan zorg ik voor je.'

'Heel graag. Dank je.'

'Je hoeft me niet te bedanken,' zei David. 'Voor wat dan ook.'

44

Toen Jamie de volgende dag thuiskwam van zijn werk, leek zijn vrijgezellensta-
tus eindelijk meer een kans dan een beproeving. Hij zette U2 op, draaide de volumeknop open, maakte een lekkere mok thee en streek zijn broek.

Hij nam een douche, waste zijn haar en trok zich snel even af. Daarbij stelde
hij zich voor dat een lange Canadese knul met geaderde biceps en kleine haartjes, die onder aan zijn rug in een blonde V uitliepen, de badkamer van de ski-
hut in kwam, zijn dikke witte handdoek liet vallen, het hokje in stapte, zich vooroverboog, Jamies pik in zijn mond nam en een vinger in zijn kont liet glijden.

Toen hij een halfuurtje later in slaap viel na het lezen van een artikel in de *Ob-
server* over epilepsie, had hij gevoel dat hij aan een nieuw leven begon.

45

Katie wist eigenlijk niet hoe ze zich voelde.

Ray was niet teruggekomen. Hij zwierf over straat of sliep bij iemand op de bank. Hij zou de volgende morgen komen aanzetten met een bosje bloemen of een lullig doosje bonbons van een tankstation, en dan zou zij moeten zwichten omdat hij er zo gekweld uitzag. En ze had er geen woorden voor hoe ongelooflijk ze daarvan zou balen.

Anderzijds had ze wel het rijk alleen met Jacob.

Ze keken naar *Ivor het locomotiefje* en lazen *Hennie de Heks* en vonden het bladertekenfilmpje dat Jamie in de hoek van Jacobs tekenblok had gemaakt, van een hond die kwispelde en poepte, waarna de poep opstond en in een mannetje veranderde dat wegrende. Jacob wilde dat zij er ook een zouden maken en ze wist een klein bladertekenfilmpje te maken met een gebrekkig getekende hond in een harde wind, waarvan Jacob drie beeldjes inkleurde.

In het bad hield hij zes hele tellen lang zijn ogen dicht, terwijl zij de shampoo uit zijn haar spoelde, en hadden ze een gesprek over hoe hoog een wolkenkrabber was, en dat zelfs een wolkenkrabber die tien keer zo hoog was nog in de wereld zou passen, omdat de wereld echt reusachtig was, want dat was niet alleen de aarde maar ook de zon en de maan en de planeten en de hele kosmos.

Daarna aten ze gevulde pasta met pesto en vroeg Jacob: 'Gaan we nog naar Barcelona?'

En Katie zei: 'Natuurlijk', en pas later, toen Jacob naar bed was, begon ze zich af te vragen of het waar was wat ze tegen Ray had gezegd. Zou ze weigeren met iemand te trouwen die haar zo behandelde?

Zij zou het huis kwijtraken, Jacob zou weer een vader kwijtraken. Ze zouden naar een armoedig flatje moeten verhuizen. Bonen op witbrood. Werk verzuimen zodra Jacob ziek werd. Bij Aidan pleiten om een baan te behouden die ze niks vond. Geen auto. Geen vakantie.

Maar als ze het wel deed? Zouden ze net als haar ouders kibbelen en uit elkaar groeien? Zou ze een halfslachtige verhouding beginnen met de eerste de beste vent die zich aanbood?

En ze werd niet eens zozeer treurig van het idee van een dergelijk leven. Na een paar jaar als alleenstaande moeder in Londen kon je het meeste wel aan. Nee, het compromis deed pijn, het vooruitzicht dat alle principes die ze had gehad, het raam uit zouden gaan. Die ze nog steeds had. Het idee dat ze haar moeders zelfvoldane preekjes over jonge vrouwen die alles tegelijk wilden zou moeten aanhoren, zonder iets te kunnen terugzeggen.

Het moest een verdomd grote doos bonbons worden.

46

De kater was bijna net zo effectief in het verdringen van Georges andere problemen als de alcohol zelf was geweest.

Als vroege twintiger was hij zich ook weleens aan drank te buiten gegaan, maar toch niet in deze mate. Er leken daadwerkelijk zandkorrels tussen zijn oogballen en de kassen eromheen te zitten. Hij nam twee pijnstillers, ging over zijn nek en besefte dat hij zou moeten wachten tot de pijn vanzelf minder werd.

Hij ging liever niet douchen, maar hij had in zijn slaap geplast. Ook had hij aan zijn val tegen de deurpost een jaap op zijn hoofd overgehouden, en toen hij in de spiegel keek vertoonde hij wel enige gelijkenis met de clochard die hij de dag daarvoor op het perron had gezien.

Hij trok de gordijnen dicht, zette de knop op warm, sloot zijn ogen, ontdeed zich van zijn kleren, ging in de waterstraal staan, wreef zachtjes wat shampoo in zijn schedel en draaide langzaam als een kebab rond om zich af te spoelen.

Pas toen hij uit de douche stapte, herinnerde hij zich dat de handdoeken doorweekt waren. Op de tast bereikte hij de slaapkamer, waar hij zijn eigen handdoek uit de rugzak haalde, zich voorzichtig afdroogde en zijn lichaam behoedzaam in een stel schone kleren manoeuvreerde.

Het liefst wilde hij een paar uur roerloos op de rand van het bed gaan zitten. Maar hij had behoefte aan frisse lucht, en hij moest hier nodig weg.

Hij legde de natte handdoeken in het bad en spoelde zijn mond met wat koud water en een likje tandpasta.

Hij pakte de rugzak in en kwam er vervolgens achter dat bukken buiten zijn mogelijkheden lag, dus moest hij liggend op de grond zijn veters vastmaken.

Hij overwoog het bed op te maken, maar het leek erger om de vlekken te verbergen dan om ze zichtbaar te laten. Wel veegde hij met een prop vochtig wc-papier het bloed van de muur naast de badkamerdeur.

Hij zou nooit meer terug kunnen naar dit hotel.

Hij trok zijn jas aan, keek of zijn portemonnee er nog was en ging een paar minuten zitten om krachten te verzamelen alvorens hij de rugzak op zijn rug hees.

Er leken heuse bakstenen in te zitten, en onderweg naar de lift moest hij tegen de gangmuur leunen en wachten tot het bloed weer naar zijn hoofd trok.

In de foyer werd hij door de man achter de balie begroet met een opgeruimd 'Goedemorgen, meneer Hall.' Hij liep door. Ze hadden zijn creditcardgegevens. Hij wilde niet vertellen wat hij met de kamer had gedaan, of zich in bochten wringen om niet te vertellen wat hij met de kamer had gedaan. Hij wilde niet enigszins onvast voor de balie staan met een mysterieuze hoofdwond.

Een portier hield de deur open, hij stapte het lawaai en het felle licht van de ochtend in en begon te lopen.

De lucht leek vol te zijn van geuren die speciaal bedoeld waren om zijn maag tot het uiterste op de proef te stellen: uitlaatgassen, gebakken spek, sigarettenrook, bleekwater... Hij ademde door zijn mond.

Hij ging naar huis. Hij moest met iemand praten. En Jean was de enige met wie hij kon praten. Over de slaapkamerepisode konden ze het een andere keer wel hebben.

De slaapkamerepisode uitpraten leek momenteel eerlijk gezegd een minder groot probleem dan een bus nemen. De wandeling van vijf minuten naar het station voelde als het oversteken van de Alpen, en toen de bus kwam moest hij met dertig ongewassen mensen in een kleine ruimte gepropt zitten, en werd hij vijfentwintig minuten lang krachtig door elkaar geschud.

Toen hij in het dorp was uitgestapt, bleef hij een paar minuten op het bankje bij de halte zitten om zich te concentreren, en het malende gebonk in zijn hoofd wat te laten afnemen.

Wat moest hij gaan zeggen? Onder normale omstandigheden zou hij nooit tegenover Jean hebben toegegeven dat hij gek werd. Maar onder normale omstandigheden werd hij ook niet gek. Hopelijk zou zijn verfomfaaide toestand medeleven oproepen zonder dat hij al te veel hoefde uit te leggen.

Hij stond op, tilde zijn rugzak op, haalde diep adem en zette koers naar huis.

Ze stond in de keuken toen hij binnenkwam.

'George.'

Hij zette zijn rugzak bij de trap en wachtte tot ze de gang in kwam. Hij sprak heel zacht om de pijn tot een minimum te beperken. 'Ik geloof dat ik gek begin te worden.'

'Waar was je nou?' Jean zei dit erg hard. Of misschien klonk het alleen hard. 'We waren doodongerust.'

'Ik zat in een hotel,' zei George.

'Een hotel? Maar je ziet eruit of je...'

'Ik voelde me... Nou, ik geloof dus dat ik...'

'Wat heb je op je hoofd?' vroeg Jean.

'Waar?'

'Daar.'

'O, dat.'

'Ja, dat.'

'Ik ben tegen een deurpost gevallen,' legde George uit.

'Een deurpost?'

'In dat hotel.'

Jean vroeg of hij soms had gedronken.

'Ja, maar niet toen ik mijn hoofd stootte. Sorry. Kun je wat zachter praten?'

'Wat moest je in vredesnaam in een hotel?'

Zo hoorde het helemaal niet te gaan. Hij was degene die zo vriendelijk was om bepaalde zaken even te vergeten. Hij was degene die het voordeel van de twijfel verdiende.

Zijn hoofd deed heel veel pijn.

'Waarom ben je niet naar Cornwall gegaan?' vroeg Jean. 'Brian belde om te vragen wat er gebeurd was.'

'Ik moet gaan zitten.' Hij liep naar de keuken en vond een stoel die afschuwelijk piepte op de plavuizen. Hij ging zitten, met zijn hoofd in zijn handen.

Jean kwam hem achterna. 'Waarom heb je me niet gebeld, George?'

'Je was...' Bijna had hij het gezegd. Voornamelijk uit rancune. Gelukkig kwamen de woorden niet. De geslachtsdaad was net als het toiletbezoek. Daar praatte je niet over, zeker niet 's ochtends om half tien in je eigen keuken.

En terwijl hij worstelde en de woorden niet vond, kwam het beeld hem weer voor de geest, het scrotum van die man, haar hangende dijen, zijn billen, de warme lucht, het gekreun. En hij voelde een soort stomp in zijn buik, een diep, diep onrecht, deels angst, deels walging, deels iets wat nog veel verder ging, even verontrustend als het gevoel dat hij gehad zou hebben wanneer hij uit het raam keek en niets dan water zag.

Hij wilde de woorden niet vinden. Als hij het beeld aan een ander mens beschreef, zou hij er nooit meer vanaf komen. En met dat besef kwam een soort bevrijding.

Het was niet nodig om het aan een ander mens te beschrijven. Hij kon het vergeten. Hij kon het ergens in zijn achterhoofd opbergen. Als het daar lang genoeg onaangeroerd lag, zou het verbleken en zijn kracht verliezen.

'George, wat moest je in een hotel?'

Ze was boos op hem. Dat was eerder gebeurd. Dit was zijn oude leven. Het voelde geruststellend. Het was iets wat hij aankon.

'Ik ben bang dat ik doodga.' Zo. Hij had het gezegd.

'Dat is absurd.'

'Ik weet dat het absurd is, maar toch is het zo.' Hij voelde een soort gloed die hij nooit had verwacht, en al helemaal niet deze ochtend. Hij praatte openhartiger met Jean dan hij ooit had gedaan.

'Waarom?' vroeg ze. 'Je gaat niet dood.' Stilte. 'Toch?'

Ze was bang. Nou, misschien kon het geen kwaad dat ze een beetje bang was. Hij haalde zijn overhemd uit zijn broek, net als hij bij dokter Barghoutian had gedaan.

'George...?' Ze zocht met haar hand steun op de rug van de stoel.

Hij trok zijn hemd omhoog en duwde zijn broeksband omlaag.

'Wat is dat?' vroeg ze.

'Eczeem.'

'Ik begrijp het niet, George.'

'Volgens mij is het kanker.'

'Maar het is geen kanker.'

'Volgens de huisarts is het eczeem.'

'Waarom maak je je dan zorgen?'

'Ik heb ook kleine rode puntjes op mijn arm.'

De telefoon ging. Een paar tellen lang verroerde geen van beiden zich. Toen schoot Jean met verbazingwekkende snelheid op het toestel af met de woorden: 'Blijf maar, ik ga wel,' hoewel George geen aanstalten had gemaakt om in beweging te komen.

'Ze nam op. 'Hallo... Ja. Hallo... Ik kan nu niet praten... Nee, er is niets... Hij zit hier... Ja. Ik bel je terug.' Ze hing op. 'Dat was... Jamie. Ik had hem gisteravond gebeld. Toen ik me afvroeg waar je was.'

'Heb je nog van die codeïnetabletten?' vroeg George.

'Ik geloof van wel.'

'Ik heb een enorme kater.'

'George?'

'Ja?'

'Lijkt het je geen goed idee om naar bed te gaan? Misschien ben je over een paar uur dan wat opgeknapt.'

'Ja. Ja, dat lijkt me wel een goed idee.'

'Kom, dan gaan we naar boven,' zei Jean.

'En die codeïne. Die heb ik echt nodig, denk ik.'

'Ik ga zoeken.'

'En misschien niet naar bed. Misschien ga ik gewoon op de bank liggen.'

47

Ray verscheen de volgende morgen niet. Noch de volgende avond. Katie was te kwaad om zijn kantoor te bellen. Het zoenoffer moest van Ray komen.

Maar toen hij de dag daarna nog niet verscheen, zwichtte ze en belde, al was het maar voor haar gemoedsrust. Hij zat in vergadering. Na een uur belde ze weer. Hij was naar buiten. De secretaresse vroeg of ze iets kon doorgeven, maar Katie had niets te zeggen waarvan ze de vrouw deelgenoot wilde maken. Ze belde voor de derde keer, hij zat niet op zijn plaats, en ze vroeg zich zo langzamerhand af of hij soms gezegd had dat hij haar niet wilde spreken. Ze belde niet meer.

Ze vond het trouwens wel heerlijk om het huis voor zich alleen te hebben en was niet van plan om dat op te geven zolang het niet hoefde.

Op donderdagavond zette ze met Jacob op het kleed in de huiskamer de Brio-spoorbaan in elkaar. De brug, de tunnel, de hijskraan, de stevige railsegmenten die als puzzelstukken in elkaar grepen. Jacob maakte een sliert van trucks achter stoomlocomotief Thomas, en liet die vervolgens in een legolawine ontsporen. Katie zette de bomen en het station neer en maakte van Jacobs dekbed de bergen op de achtergrond.

Ze had een meisje gewild. Belachelijk leek dat nu. Het idee dat het iets uitmaakte. Ze kon zich trouwens niet goed voorstellen dat ze op de grond geknield zat en enthousiast werd over Barbies bezoekje aan de kapper.

'Boem-knal. De machinist z'n... de machinist... de machinist z'n arm wordt eraf gerukt,' zei Jacob. 'Aa-ie, aa-ie, aa-ie...'

Ze wist niets van benzinemotoren of ruimtereizen (Jacob wilde later autocoureur worden, als het even kon op Pluto), maar ze had over twaalf jaar liever zweetlucht en death metal dan eetstoornissen en eindeloos winkelen.

Toen Jacob in bed lag, nam ze een gin-tonic en bekeek de nieuwste Margaret Atwood zonder het boek echt te lezen.

Ze namen zo veel ruimte in. Dat was het probleem met mannen. Het waren niet alleen die uitgespreide benen en dat gebonk op de trap. Het was ook dat voortdurende vragen om aandacht. Als je met een andere vrouw in een kamer zat, kon je nadenken. Mannen hadden dat knipperlichtje boven op hun hoofd. 'Hallo. Ik zit hier. Ik ben er nog'.

En als Ray nou nooit meer terugkwam?

Het leek of ze aan de kant stond, en keek hoe haar leven uitpakte. Alsof het iemand anders overkwam.

Misschien had het met leeftijd te maken. Op je twintigste was het leven een worsteling met een octopus. Elk moment telde. Op je dertigste was het een boswandeling. De meeste tijd zat je met je gedachten ergens anders. Op je zeventigste was het waarschijnlijk net of je naar snooker op tv keek.

Vrijdag verstreek zonder een teken van Ray.

Jacob zei dat hij naar oma wou en ze vond het niet eens zo'n slecht idee. Zij kon het even rustig aan doen, terwijl ma Jacob voor haar rekening nam. Pa kon met Jacob naar het vliegveld als mannen onder elkaar. Ma zou wel naar Ray vragen, maar ze bleef nooit lang bij dat onderwerp hangen.

Toen ze belde, leek haar moeder overdreven enthousiast bij het vooruitzicht. 'We moeten trouwens ook knopen doorhakken over het menu en wie waar komt te zitten. We hebben nog maar anderhalve maand.'

De moed zonk Katie in de schoenen.

Het was in elk geval leuk voor Jacob.

48

Jean belde Brian. Ze zei dat George zich niet lekker voelde en naar huis was gegaan. Hij vroeg of het ernstig was. Ze dacht van niet, zei ze. En hij was zo opgelucht dat hij niet verder vroeg, waarvoor ze uitermate dankbaar was.

Hij lag al vijf uur in diepe slaap op de bank.

Was het ernstig? Ze geen flauw idee wat ze moest denken.

Hij was die ochtend om half tien komen opdagen met een diepe snee in zijn hoofd, en hij zag eruit alsof hij in een greppel had geslapen.

Ze nam aan dat hem iets vreselijks was overkomen. Maar ter verklaring had hij alleen maar gezegd dat hij in een hotel had gezeten. Ze had gevraagd waarom hij niet gebeld had om haar gerust te stellen, maar daar gaf hij geen antwoord op. Hij had duidelijk gedronken: ze rook de alcohol. Toen was ze erg boos geworden.

Toen zei hij dat hij doodging, en begreep ze dat hij niet in orde was.

Hij legde uit dat hij kanker had. Alleen was het geen kanker: het was eczeem. Hij wilde haar per se de huiduitslag op zijn heup laten zien. Ze vroeg zich werkelijk af of hij soms gek werd.

Ze wilde de dokter bellen, maar daar wilde hij absoluut niets van weten. Hij legde uit dat hij al bij de dokter was geweest. De dokter had alles al gezegd.

Ze belde Ottokar's en de school en zei dat ze een paar dagen niet kwam werken.

Ze belde David boven. Die hoorde het hele verhaal aan en zei: 'Zo vreemd is het misschien niet. Denk jij nooit aan doodgaan? Als je midden in de nacht wakker wordt, en niet meer kunt slapen? En met pensioen gaan kan rare dingen met je doen. Al die vrije tijd die je hebt...'

Tegen theetijd vertoonde George tekenen van leven. Ze maakte warme chocola en geroosterd brood voor hem, en hij leek weer een beetje mens te worden. Ze probeerde hem aan het praten te krijgen, maar er kwam net zo weinig zinnigs uit als 's ochtends. Ze zag wel dat hij het een pijnlijk onderwerp vond, dus na een tijdje liet ze het maar.

Ze zei dat hij moest blijven zitten, en haalde zijn lievelingsboeken en -muziek. Hij leek vooral moe. Een uurtje later maakte ze het avondmaal en zette het op het tafeltje voor de televisie, zodat ze samen konden eten. Hij at alles op en vroeg om nog een codeïnetablet, en ze keken naar een programma over apen van David Attenborough.

Haar paniek begon af te nemen.

Het was of de klok dertig jaar was teruggedraaid. Jamie met zijn ziekte van Pfeiffer. Katie met haar gebroken enkel. Tomatensoep met soldaatjes. Samen naar *Crown Court* kijken. Naar *Doctor Dolittle* en *The Swiss Family Robinson*.

De volgende dag kondigde George aan dat hij naar de slaapkamer ging verhuizen. Hij nam de televisie mee naar boven en installeerde zich in bed, en eerlijk gezegd was Jean een beetje verdrietig.

Ze ging elk halfuur even kijken of alles goed was, maar hij leek zich prima te kunnen redden. Wat een van de dingen was die ze altijd in hem had bewonderd. Hij jammerde nooit als hij ziek was. Vond nooit dat hij alle aandacht moest krijgen. Ging gewoon als een zieke hond in zijn mand liggen slapen tot hij weer zin had om achter stokken aan te hollen.

's Avonds zei hij dat ze hem best alleen mocht laten, dus ging ze de volgende morgen de stad in en verkocht vier uur lang boeken en ging 's middags met Ursula eten. Ze wilde gaan vertellen wat er aan de hand was, maar besefte dat ze het dan over de kanker zou moeten hebben en het eczeem en de angst om dood te gaan en de alcohol en zijn hoofdwond, en omdat ze niet de indruk wilde wekken dat hij gek was, zei ze dat hij niet naar Cornwall was gegaan omdat hij buikpijn had. Ursula vertelde vervolgens in geuren en kleuren hoe leuk het was om bij je dochter en haar vier kinderen in Dublin te logeren terwijl haar klussende man de badkamer sloopte.

49

Het was natuurlijk een verrassing om te ontdekken dat je niet goed bij je hoofd was. Maar het verraste George vooral dat het zo pijnlijk was.

Hij had er nooit zo bij stilgestaan. Zijn oom, die ongewassen lui die tegen bussen schreeuwden, Alex Bamford die keer met Kerstmis... *crazy* was het woord dat hij altijd had gebruikt. *Crazy* zoals in *crazy paving* of *crazy golf*. Alles door elkaar en door de war, een vrolijke chaos.

Nu leek het een stuk minder vrolijk. Als hij aan zijn oom dacht, die tien jaar lang in St. Edward's zat zonder dat er iemand van zijn familie op bezoek kwam, of aan die slonzige man die voor kleingeld in Shepherd Street tapdanste, voelde hij het zelfs prikken in zijn ooghoeken.

Als hij mocht kiezen, had hij liever een gebroken been gehad. Met een gebroken been hoefde je niets uit te leggen. En men verwachtte niet van je dat je er door wilskracht weer vanaf kwam.

De angst kwam in golven. Als er een golf over hem heen sloeg, voelde hij zich net als toen hij jaren geleden voor Jacksons een jongetje de weg op zag rennen, dat op een haar na door de motorkap van een remmende auto werd geraakt.

Tussen de golven door verzamelde hij zijn krachten voor de volgende, en probeerde wanhopig om daar niet aan te denken voor het geval die dan eerder zou komen.

Vooral voelde hij een niet-aflatende, malende angst die rommelde en donderde en de wereld donker maakte, net als zo'n ruimteschip in een sciencefictionfilm met een in de strijd gehavende romp die langzaam in beeld schuift, en maar blijft schuiven omdat het ding duizenden keren groter blijkt te zijn dan je dacht toen je alleen de neuskegel zag.

Het idee dat hij werkelijk kanker had, begon bijna een opluchting te lijken, het idee om het ziekenhuis in te gaan, slangetjes in zijn arm te krijgen, van artsen en verpleegsters te horen wat hij doen moest, niet langer te worstelen met het probleem hoe hij de volgende vijf minuten doorkwam.

Hij probeerde niet meer om met Jean te praten. Ze deed haar best, maar ze leek niet in staat om het te begrijpen.

Dat lag niet aan haar. Als iemand een jaar geleden met zulke problemen bij hem was gekomen, had hij net zo gereageerd.

Een deel van het probleem was dat Jean niet depressief werd. Ze piekerde. Ze werd boos. Ze werd verdrietig. En al die gevoelens ervoer ze sterker dan hij (toen hij bijvoorbeeld de kelder opruimde en dat oude vogelhuisje op het vuur gooide, had ze hem zelfs gestompt). Na een dag of twee was het echter altijd weer voorbij.

Maar ze hield hem gezelschap, kookte voor hem en waste zijn kleren, en voor al deze dingen was hij dankbaar.

Ook voor de codeïne was hij dankbaar. Het pakje was bijna vol. Als hij de verschrikking van het wakker worden eenmaal te boven was, kon hij zijn gedachten richten op die twee tabletten na het middagmaal, in de wetenschap dat die hem in een zacht waas zouden hullen tot hij bij het avondmaal een fles wijn mocht ontkurken.

Hij probeerde die eerste nacht op de bank te slapen, maar het lag niet lekker en Jean vond dat gek gedrag gekke ideeën stimuleerde. Dus verhuisde hij naar boven. Het bleek mee te vallen, om in het bed te liggen waar hij het had zien gebeuren. Als je er goed over nadacht, waren bijna overal wel akelige dingen gebeurd: moorden, verkrachtingen, dodelijke ongelukken. Zo wist hij dat er in 1952 in het huis van de Farmers een bejaarde vrouw bij een brand om het leven was gekomen, maar dat voelde je niet als je daar wat ging drinken.

Hij besefte al snel dat het voordelen had om boven te zijn. Je hoefde niet open te doen als je in bed lag, je kreeg niet onverwachts bezoek, en je kon de gordijnen dichtdoen zonder ruzie te krijgen. Dus bracht hij de televisie en de videorecorder naar de slaapkamer en bereidde zich op het ergste voor.

Na een paar dagen waagde hij de gang naar de videotheek om een paar films te huren.

En als hij 's nachts wakker werd en honderden orcs hem met hun gekookte, huidloze gezichten zwijgend stonden op te wachten in de maanbeschenen tuinen, merkte hij dat hij wat lucht kreeg door naar de badkamer te gaan, zich tussen de wc en het bad in te wringen en heel zacht voor zichzelf de liedjes te zingen die hij als klein kind altijd zong.

50

Katie en Jacob kwamen zeulend met hun bagage binnen en lieten die op de grond zakken.

Haar moeder gaf ze allebei een zoen en zei: 'Je vader ligt in bed. Hij is niet zo lekker.'

'Wat heeft hij dan?'

'Eerlijk gezegd weet ik het niet. Het zit misschien wel tussen zijn oren.' Ze huiverde even toen ze 'tussen zijn oren' zei, alsof ze net een kuipje had opengemaakt met iets wat bedorven was.

'Dus ziek is hij eigenlijk niet?' vroeg Katie.

'Hij heeft eczeem.'

'Mag ik naar mijn Bob de Bouwer-film kijken?' vroeg Jacob.

'Sorry, maar opa heeft de videorecorder boven.'

'Met eczeem hoef je toch niet in bed te blijven,' zei Katie. Ze had het gevoel dat ze vaak kreeg bij haar ouders, dat er iets voor haar werd verzwegen, een gevoel dat alleen maar onheilspellender werd naarmate ze ouder werden.

'Mag ik dan met opa naar mijn film kijken?' vroeg Jacob, en hij trok aan Katies broek.

'Ik ben even met oma aan het praten,' zei Katie.

'Hij zegt dat hij bang is om dood te gaan,' fluisterde haar moeder te luid.

'Maar ik wil nu kijken,' zei Jacob.

'Twee minuten,' zei Katie.

'Je weet hoe hij is,' zei haar moeder. 'Ik heb geen idee wat er in dat hoofd van hem omgaat.'

'Gaat opa dood?' vroeg Jacob.

'Opa mankeert helemaal niets,' zei haar moeder.

'Behalve dit dan,' zei Katie.

'Ik wil een koekje,' zei Jacob.

'Nou, toevallig heb ik vanmorgen net Jaffa Cakes gekocht,' zei haar moeder tegen Jacob. 'Bof jij even.'

'Ma, je luistert niet naar me,' zei Katie.

'Mag ik er twee?' vroeg Jacob.

'Zeg, wat ben jij brutaal vandaag,' zei haar moeder.

'Mag ik twee koekjes alsjeblieft?' vroeg Jacob aan Katie.

'Ma...' Katie beheerste zich alsnog. Ze wou geen ruzie met maar moeder nog voor ze haar jas uit had. Ze wist niet eens precies waarom ze boos was. 'Ga jij met Jacob naar de keuken. Geef hem een koekje. Eén koekje. Dan ga ik boven even met pa praten.'

'Oké,' zei haar moeder opgewekt. 'Wil je sinaasappelsap bij je koekje?'

'We gingen met de trein,' zei Jacob.

'O ja?' zei haar moeder. 'Wat voor soort trein was dat?'

'Dat was een monstertrein.'

'O, dat klinkt heel interessant. Bedoel je dat hij op een monster leek, of bedoel je dat er monsters in zaten?'

Het tweetal verdween de keuken in en Katie liep de trap op.

Het voelde verkeerd, pa die ziek in bed lag. Pa was niet van het ziek zijn. Hij was van de kiezen op elkaar en er niet aan denken. Pa die instortte was van dezelfde categorie als pa die kapper werd.

Ze klopte aan en ging naar binnen.

Hij lag midden op het bed met het dekbed tot aan zijn kin opgetrokken, als een angstig oud vrouwtje in een sprookje. Hij zette vrijwel meteen de televisie uit, maar ze zag niettemin dat hij lag te kijken naar... toch niet *Lethal Weapon*?

'Dag jongedame.' Hij leek kleiner geworden. De pyjama droeg zeker bij aan die indruk.

'Ma zei dat je niet lekker was.' Ze vroeg zich af wat ze moest doen. Op het bed gaan zitten was te intiem, blijven staan was te klinisch en om in de leunstoel te gaan zitten, moest ze het hemd aanraken dat hij had aangehad.

'Nee, dat klopt.'

Ze staarden allebei enige ogenblikken zwijgend in de grijzig-groene rechthoek van het televisiescherm met zijn schuine balkje weerspiegeld raam.

'Wil je erover praten?' Ongelooflijk, dat ze dit tegen pa zei.

'Eigenlijk niet.'

Zo direct had ze hem nog nooit gehoord. Ze kreeg het griezelige gevoel dat ze voor de eerste keer daadwerkelijk communiceerden. Alsof je een nieuwe deur in de muur van de huiskamer vond. Het was niet geheel en al aangenaam.

'Ik vrees dat je moeder er niet veel van begrijpt,' zei haar vader.

Katie had geen idee wat ze moest zeggen.

'Het is niet echt iets voor haar.'

Jezus. Dit soort dingen moesten ouders toch zelf oplossen?

Ze had hier geen behoefte aan. Nu niet. Maar hij moest met iemand praten, en ma had daar kennelijk weinig zin in. 'Wat is niet iets voor haar?'

Hij ademde lang en zachtjes in. 'Ik ben bang.' Hij staarde naar de televisie. 'Waarvoor?'

'Dat ik doodga... ik ben bang dat ik doodga.'

'Verzwijg je iets voor ma?' Ze zag een stapel video's naast het bed. *Volcano, Independence Day, Godzilla, Conspiracy Theory...*

'Ik geloof...' Hij zweeg even en tuitte zijn lippen. 'Ik geloof dat ik kanker heb.'

Ze voelde zich duizelig en een beetje flauw. 'Ja?'

'Volgens de dokter is het eczeem.'

'En jij gelooft hem niet.'

'Nee,' zei hij. 'Ja.' Hij dacht goed na. 'Nee. Eigenlijk niet.'

'Misschien moet je naar een specialist.'

Hij fronste zijn wenkbrauwen. 'Dat kan ik niet.'

Bijna zei ze 'laat mij eens kijken', maar het idee was gewoon te afstotend. 'Gaat het echt om kanker? Of speelt er iets anders?'

Hij probeerde zonder veel effect een jamvlekje op het dekbed weg te poetsen. 'Het kan zijn dat ik gek word.'

Beneden gilde Jacob, die in de keuken door haar moeder achternagezeten werd.

'Misschien moet je dan met iemand gaan praten.'

'Je moeder vindt dat ik me aanstel. Wat natuurlijk ook zo is.'

'Iemand die je kan helpen,' zei Katie.

Geen sjoege.

'De huisarts kan je vast wel doorverwijzen.'

Nog steeds geen sjoege. Ze zag hem voor zich in een kamertje met een doos zakdoekjes op tafel en een of andere gretige jongeman met een vest aan, en begreep hem wel. Maar ze wilde niet de enige zijn die dit over zich heen kreeg. 'Je hebt hulp nodig.'

Er klonk een klap in de keuken. Gevolgd door gejammer. Hij reageerde op geen van beide geluiden.

Katie zei: 'Ik moet weg.'

Ook hierop reageerde hij niet. Hij zei heel zacht: 'Ik heb mijn leven vergooid.'

Ze zei: 'Je hebt je leven niet vergooid', op een toon die ze normaal alleen bij Jacob gebruikte.

'Je moeder houdt niet van me. Ik heb dertig jaar lang werk gedaan dat me niets zei. En nu...' Hij huilde. 'Het doet zo'n pijn.'

'Alsjeblieft, pa.'

'Ik heb kleine rode puntjes op mijn arm,' zei hij.

'Hè?'

'Ik durf er niet eens naar te kijken.'

'Luister, pa.' Ze legde haar handen tegen de zijkanten van haar hoofd om zich beter te kunnen concentreren. 'Je bent ongerust. Je bent somber. Je bent... maakt niet uit. Het heeft niets met ma te maken. Het heeft niets met je werk te maken. Het gebeurt in je hoofd.'

'Het spijt me,' zei hij. 'Ik had niets moeten zeggen.'

'Jezus, pa. Je hebt een mooi huis. Je hebt geld. Je hebt een auto. Je hebt iemand die voor je zorgt...' Ze was kwaad. Het was de kwaadheid die ze voor Ray had bewaard. Maar ze kon er niets meer aan doen nu de geest uit de fles was. 'Je hebt je leven niet vergooid. Dat is gelul.'

Ze had zeker tien jaar geen 'gelul' meer tegen hem gezegd. Ze moest de kamer uit voordat het serieus bergafwaarts ging.

'Soms krijg ik geen adem.' Hij deed niets om de tranen van zijn gezicht te vegen. 'Dan ga ik zweten en dan weet ik dat er iets afschuwelijks gaat gebeuren, maar ik heb geen idee wat.'

Toen schoot het haar te binnen. Laatst bij het eten, toen hij van tafel was gevlucht en op de patio was gaan zitten.

Beneden jammerde Jacob niet meer.

'Dat heet een paniekaanval,' zei ze. 'Die heeft iedereen. Goed, misschien niet iedereen. Maar een heleboel mensen. Je bent niet zo vreemd. Of bijzonder. Of anders.' Haar eigen toon verontrustte haar enigszins. 'Er zijn medicijnen voor. Er zijn manieren om zulke dingen op te lossen. Je moet naar iemand toe. Dit raakt jou niet alleen. Je moet wat doen. Je moet niet zo egoïstisch zijn.'

Ze leek ergens halverwege van koers te zijn veranderd.

Hij zei: 'Misschien heb je wel gelijk.'

'Niks misschien.' Ze wachtte even tot ze weer wat rustiger was. 'Ik ga wel met ma praten. Ik zal zorgen dat zij iets regelt.'

'Goed.'

Het was weer net als op de patio. Het beangstigde haar, zoals hij alles maar best vond en haar niet tegensprak. Ze moest aan die oude mannetjes denken die met een stoppelbaard en een zak urine aan een verrijdbaar rekje door ziekenhuizen sloften. Ze zei: 'Nu ga ik naar beneden.'

'Oké.'

Even overwoog ze om hem te omhelzen. Maar ze hadden genoeg nieuwe dingen gedaan voor een ochtend. 'Zal ik je koffie brengen?'

'Bedankt, maar ik heb hier een thermosfles.'

Ze zei: 'Geen gekke dingen doen', met een volledig ongepast grappig Schots accent, voornamelijk uit opluchting. En trok de deur achter zich dicht.

Toen ze in de keuken kwam, zat Jacob op de knie van haar moeder, die hem

chocolade-ijs uit een bakje voerde. Tegen de pijn, ongetwijfeld. Na de chocola-
dekoekjes, vermoedelijk.

Haar moeder keek op en zei op montere toon: 'En, hoe kwam je vader op jou
over?'

Het totale onvermogen van oude mensen om met elkaar te communiceren
bleef verbijsterend. 'Hij moet hulp hebben.'

'Probeer hem dat maar eens aan zijn verstand te brengen.'

'Dat heb ik gedaan,' zei Katie.

'Ik heb een buil,' zei Jacob.

Ze boog zich voorover en gaf hem een knuffel. Hij had ijs in zijn wenkbrauwen.

'Nou, zoals je ongetwijfeld gemerkt zult hebben,' zei haar moeder, 'is het zinloos om te proberen je vader over te halen om iets te doen.'

Jacob wurmde zich los en begon in zijn Batman-rugzak te grabbelen.

'Je moet het niet bespreken,' zei Katie, 'je moet het gewoon doen. Ga met dokter Barghoutian praten. Breng pa naar hem toe. Laat Barghoutian hier komen.
Maakt niet uit.'

Ze zag haar moeder steigeren. Ze zag ook Jacob met resolute tred op de gang
af stappen met *Winterspecial* in zijn kleffe knuistjes. 'Waar ga jij heen, apenoot-
je?'

'Ik ga met opa naar *Bob de Bouwer* kijken.'

'Ik weet niet of dat wel zo'n goed idee is.'

Jacob keek beteuterd.

Misschien moest ze hem laten gaan. Pa was gedeprimeerd. Hij at geen gloeilampen. Hij was misschien zelfs wel blij met een beetje afleiding. 'Nou, vooruit.
Maar wel lief zijn. Opa is erg moe.'

'Oké,' zei Jacob.

'En Jacob?'

'Ja?'

'Niet vragen of hij doodgaat.'

'Waarom niet?'

'Dat is onbeleefd.'

'Oké.' Jacob dribbelde weg.

Ze wachtte even en zei toen: 'Ik meen het. Van pa.' Ze verwachtte een 'Nu
moet jij eens goed luisteren, jongedame...' maar er kwam niets. 'Hij is depressief.'

'Dat had ik al begrepen,' zei haar moeder vinnig.

'Ik wil alleen maar zeggen...' Katie zweeg even en nam gas terug. Ze moest deze discussie winnen. 'Alsjeblieft, ga met hem naar de dokter. Of laat de dokter

hier komen. Of ga anders alleen naar de dokter. Dit gaat echt niet vanzelf over. En de bruiloft komt er ook aan...'

Haar moeder zuchtte, en schudde haar hoofd. 'Je hebt gelijk. We willen natuurlijk niet dat hij zich tegenover iedereen belachelijk maakt.'

51

Mel Gibson hing aan een ketting in een primitieve douche en werd door een oosterse man met startkabels gefolterd.

George ging hier zo in op dat hij, toen er werd aangeklopt, dacht dat Katie dokter Barghoutian onmiddellijk had laten komen.

Maar toen de deur openging, was het Jacob.

'Ik wil naar mijn film kijken,' zei Jacob.

George tastte naar de afstandbediening. 'En welke film is dat?'

Mel Gibson gilde, en verdween.

'*Bob de Bouwer.*'

'Juist.' George moest ineens denken aan de vorige keer dat Jacob naar hem toe was gekomen in deze kamer. 'Is je papa er ook?'

'Welke papa?' vroeg Jacob.

George raakte een beetje in de war. 'Is Graham er ook?' Het leek een dag dat niets onmogelijk was.

'Nee. En papa Ray ook niet. Hij is... hij is weg en hij is niet terug.'

'Juist,' zei George. Hij vroeg zich af wat Jacob bedoelde. Hij kon het waarschijnlijk maar beter niet vragen. 'Deze film...'

'Mag ik die kijken?'

'Ja, die mag je kijken.'

Jacob drukte *Lethal Weapon* eruit, stopte *Bob de Bouwer* erin en spoelde terug met de vanzelfsprekende vaardigheid van een technicus bij Mission Control.

Zo nam de jeugd de wereld over. Al dat gefrutsel met nieuwe apparaten. Op een dag werd je wakker en besefte je dat je eigen vaardigheden lachwekkend waren. Houtsnijden. Hoofdrekenen.

Jacob spoelde de reclames door, zette de band stil en klauterde naast George op het bed. Deze keer rook hij lekkerder, naar zoete koekjes.

George bedacht dat Jacob niet over paniekaanvallen ging praten en hem niet ging aanraden om hulp te zoeken. En dat was geruststellend.

Werden zij ook gek, kinderen? Echt gek, niet zwakzinnig zoals dat meisje van

Henderson. Hij wist het eigenlijk niet. Misschien waren er als ze gingen studeren pas genoeg hersens om verstoord te raken.

Jacob zat naar hem te kijken. 'Je moet op play drukken.'

'Sorry.' George drukte op play.

Er klonk een opgewekt deuntje en de begintitels rolden over een door sterren verlicht model van een sneeuwlandschap. Twee plastic rendieren trippelden een dennenbos in en een speelgoedmannetje kwam op zijn motorslee het beeld in scheuren.

De motorslee had een gezicht.

Jacob stopte zijn duim in zijn mond en hield met zijn andere hand Georges wijsvinger vast.

Tom, het voornoemde speelgoedmannetje, ging zijn poolstation in en nam de rinkelende telefoon op. Het beeld splitste zich en in het tweede beeld verscheen zijn broer Bob, die belde vanuit zijn bouwbedrijf in Europa.

Voor zijn kantoor stonden een wals, een graafmachine en een hijskraan.

De wals, de graafmachine en de hijskraan hadden ook een gezicht.

George dacht terug aan Dick Barton en de Goons, aan Lord Snooty en Biffo de Beer. In de tussenliggende jaren leek alles harder en feller en sneller en simpeler te zijn geworden. Over nog eens vijftig jaar zouden kinderen het concentratievermogen van een mus hebben en geen enkele verbeelding meer.

Bob danste inmiddels rond en riep: 'Tom komt met Kerstmis! Tom komt met Kerstmis...!'

Misschien hield George zichzelf wel voor de gek. Misschien hielden oude mensen zichzelf altijd voor de gek door net te doen of de wereld naar de haaien ging, omdat dat nu eenmaal makkelijker was dan toe te geven dat ze werden achtergelaten, dat de toekomst wegvoer van het strand en zij op hun eilandje 'Opgeruimd staat netjes!' stonden te roepen terwijl ze eigenlijk wel wisten dat ze alleen nog maar op de kiezels konden gaan zitten wachten tot de grote ziektes uit het kreupelhout kropen.

George concentreerde zich op het scherm.

Lethal Weapon was in wezen ook vrij banaal.

Bob hielp mee om het grote plein in gereedheid te brengen voor het jaarlijkse kerstconcert van Lenny & The Lasers.

Jacob schoof wat dichterbij en pakte Georges hele hand vast.

Terwijl Bob druk in de weer was om ervoor te zorgen dat het concert glad kon verlopen, miste Tom de veerboot doordat hij op weg erheen stopte om een rendier uit een ravijn te redden. De kerstvereniging ging niet door.

Bob was erg bedroefd.

Verrassenderwijs was George ook erg bedroefd. Vooral tijdens de flashback naar hun jeugd, waarin Tom als kerstcadeau een speelgoedolifant kreeg die stukging, waarna Tom moest huilen en Bob de olifant voor hem maakte.

Wat later hoorde Lenny (van The Lasers) van Bobs situatie en hij vloog in zijn privévliegtuig naar de noordpool om Tom op te halen. Toen Tom en Bob bij het concert herenigd werden, liepen de tranen over Georges gezicht.

'Ben je verdrietig, opa?' vroeg Jacob.

'Ja,' zei George. 'Ja, ik ben verdrietig.'

'Omdat je doodgaat?' vroeg Jacob.

'Ja,' zei George. 'Ja, omdat ik doodga.' Hij legde zijn arm om Jacob heen en trok hem tegen zich aan.

Na een paar minuten werkte Jacob zich los.

'Ik moet een poep doen.' Hij kroop van het bed af en liep de kamer uit.

De band was afgelopen en op het scherm verscheen witte ruis.

52

Katie trok een stoel bij.

'We huren de lange tent.' Ma zette haar bril op en sloeg de catalogus open. 'Die past wel. Alleen moeten de haringen dan wel in de border. Even kijken...' Ze haalde een A4'tje tevoorschijn met het grondplan van de feesttent. 'De hoofdtafel kan rond of rechthoekig. Acht man per tafel met een maximum van twaalf tafels is...'

'Zesennegentig,' zei Katie.

'... inclusief de hoofdtafel. Heb je de gastenlijst bij je?'

Die had ze niet bij zich.

'Verdorie, Katie, ik kan niet alles in mijn eentje doen.'

'Het is een beetje hectisch geweest de laatste tijd.'

Ze had het moeten zeggen van Ray. Maar ze had geen zin in haar moeders zelfvoldane gezicht. De situatie met pa was al lastig genoeg. En tegen de tijd dat ze romige chocolademousse of tiramisu moesten kiezen was het te laat.

Ze stelde uit haar hoofd een gastenlijst op. Als ze een tante vergat, mocht Ray fijn gaan uitleggen wat hem had bezield. Ervan uitgaande dat de bruiloft plaatsvond. Nou ja, dat eventuele probleem kwam een andere keer wel.

'Ik heb je gezegd dat Jamie misschien iemand meeneemt, hè?'

'Hij heet Tony, ma.'

'Sorry. Ik wou niet... Ik wou geen overhaaste conclusies trekken.'

'Zij zijn langer bij elkaar dan Ray en ik.'

'En jij hebt hem ontmoet,' zei ma.

'Je bedoelt: kan pa dat wel aan?'

'Ik bedoel: is hij aardig?'

'Ik heb hem maar één keer ontmoet.'

'En...?'

'Nou, afgaande op die korte leren broek en die blonde pretpruik...'

'Nu plaag je me.'

'Ja.'

Haar moeder keek ineens ernstig. 'Ik wil gewoon dat jullie gelukkig zijn. Jullie blijven tenslotte mijn kinderen.'

Katie pakte de hand van haar moeder. 'Jamie is verstandig. Waarschijnlijk kiest hij een betere man dan wij allebei.'

Haar moeder keek nu nog ernstiger, en Katie vroeg zich af of ze iets te ver was gegaan.

'Je bent toch wel gelukkig met Ray?'

'Ja ma, ik ben gelukkig met Ray.'

'Mooi zo.' Haar moeder zette haar bril recht. 'Goed. Bloemen.'

Na een uurtje hoorden ze voetstappen en verscheen Jacob grijnzend in de deuropening. Zijn broek en luier hingen aan een been.

'Ik heb een poep gedaan. In de... in de wc. Helemaal zelf.'

Katie speurde het smetteloze beige tapijt af naar bruine brokken. 'Goed zo, jongen.' Ze stond op en liep naar hem toe. 'Maar je had me eigenlijk even moeten waarschuwen.'

'Opa zei dat hij mijn bips niet wou afvegen.'

Toen Katie Jacob naar bed had gebracht en weer beneden kwam, stond haar moeder twee glazen wijn in te schenken en zei: 'Ik moet je iets vertellen.'

Katie pakte de wijn aan en hoopte dat het iets onbelangrijks was. Ze liepen naar de huiskamer.

'Ik weet dat je momenteel veel aan je hoofd hebt, en ik weet ook dat ik je dit niet zou moeten vertellen.' Haar moeder ging zitten en nam een ongewoon grote slok wijn. 'Maar jij bent de enige die het echt snapt.'

'Oké...' zei Katie behoedzaam.

'Sinds een halfjaar...' Haar moeder legde haar handen tegen elkaar alsof ze ging bidden. 'Sinds een halfjaar heb ik kennis aan iemand.'

Haar moeder zei 'kennis aan iemand' heel zorgvuldig, alsof het Frans was.

'Dat weet ik,' zei Katie, die hier absoluut, maar dan ook absoluut niet over wou praten.

'Nee, dat denk je maar,' zei haar moeder. 'Ik bedoel dat ik... iets met een andere man heb.' Ze zweeg even en zei, om alle twijfel weg te nemen: 'Een andere man dan je vader.'

'Dat weet ik,' zei Katie. 'David Symmonds, hè? Die ex-collega van pa.'

'Hoe weet jij in vredesnaam...?' Haar moeder greep de armleuning van de bank vast.

Even was het erg leuk, om ma in de touwen te zien hangen. En toen niet meer, want ze was zich doodgeschrokken.

'Even denken...' Katie ging terug in haar geheugen. 'Je zei dat je hem in de winkel had ontmoet. Hij is weg bij zijn vrouw. Hij is aantrekkelijk voor zijn leeftijd.

Je zei dat je hem nog een keer had ontmoet. Je ging dure kleren kopen. En je was... je deed anders. Het leek me vrij duidelijk dat je...'

Haar moeder hield de armleuning nog altijd goed vast. 'Denk je dat je vader het weet?'

'Heeft hij iets gezegd?'

'Nee.'

'Dan ben je veilig, denk ik.'

'Maar als jij het hebt gemerkt...'

'Meidenradar,' zei Katie.

Meidenradar? Het klonk fout zodra het over haar lippen kwam. Maar haar moeder was zichtbaar opgelucht.

'Het is goed, ma,' zei Katie. 'Van mij zul je geen preek krijgen.'

Was het goed? Katie vroeg het zich af. Nu het gezegd was, leek het toch ietsje anders. Zolang ma maar geen seksadvies wilde.

'Alleen is het niet goed,' zei haar moeder, die stug doorging.

Even was Katie de draad kwijt, en ze vroeg zich af of haar moeder soms zwanger was. 'Waarom niet?'

Ze bekeek de lak op haar nagels. 'David heeft me gevraagd om bij je vader weg te gaan.'

'Aha.' Katie staarde in het bibberige oranje licht dat uit het namaakkolenvuur kwam, en herinnerde zich dat Jamie het jaren geleden een keer uit elkaar had gehaald om de metalen propellertjes te bestuderen, die werden aangedreven door de warmte van de gloeilampen.

'Of eigenlijk,' zei haar moeder, 'is dat oneerlijk tegenover David. Hij wil dat ik bij hem kom wonen, zegt hij. Maar hij begrijpt dat ik dat misschien niet wil. Dat het misschien niet kan.'

Nu was het de beurt aan Katie om verrast te zijn.

'Hij wil me niet opjagen. En hij vindt het niet erg als het blijft zoals het nu is. Hij wil gewoon... hij wil vaker bij me zijn. En ik wil vaker bij hem zijn. Maar het is heel erg moeilijk. Zoals je begrijpt.'

God, hij rookte van die rare damessigaartjes, hè. 'En pa dan?'

'Ja, dat speelt nu natuurlijk ook,' zei haar moeder.

'Die man heeft net een zenuwinzinking gehad.'

'Het gaat inderdaad niet goed met hem.'

'Hij durft de slaapkamer niet uit.'

'Hij komt weleens beneden,' zei haar moeder. 'Om thee te zetten en naar de videotheek te gaan.'

Katie zei, rustig maar beslist: 'Je kunt niet bij pa weggaan. Niet op dit moment. Niet zoals hij nu is.'

Katie was nog nooit voor haar vader opgekomen. Ze voelde zich merkwaardig nobel en volwassen dat ze haar vooroordelen opzijzette.

'Ik ben niet van plan om bij je vader weg te gaan,' zei haar moeder. 'Ik wou alleen... ik wou het je alleen vertellen.' Ze boog zich naar Katie toe en pakte haar hand even vast. 'Bedankt. Het voelt beter nu ik mijn hart heb gelucht.'

Ze zwegen. Het oranje licht flakkerde onder de plastic kolen en boven hoorde Katie een flauw Hollywoodsalvo.

Haar moeder stond langzaam op. 'Ik ga eens kijken of hij iets nodig heeft.'

Katie bleef een paar minuten zitten staren naar de prent aan de muur tegenover haar, een tafereel uit een vossenjacht. De dreigende wolken achter de heuvel. De slecht geproportioneerde boerenhond. De gevallen ruiter die, zag ze nu, verpletterd ging worden door de hoeven van de paarden die achter hem over de heg sprongen.

Achttien jaar lang had ze de prent dag in dag uit gezien, en ze had er nog nooit goed naar gekeken.

Ze schonk nog een glas wijn in.

Het was beangstigend, hoeveel ze op elkaar leken. Haar moeder en zij. Dat met David even daargelaten. Dat met Ray even daargelaten.

Haar moeder was verliefd.

Ze speelde de woorden in gedachten nog eens af, en wist dat ze geroerd zou moeten zijn. Maar wat voelde ze? Alleen maar verdriet om die gevallen ruiter wiens naderende dood ze nooit eerder had gezien.

Ze huilde.

Wat miste ze Ray.

53

De week daarop ging Jamie naar Geoff en Andrew in Bristol. Nog iets wat hij kon doen nu hij weer alleen was. Sinds hun studietijd had hij Geoff zo'n beetje elke maand wel gezien. Tot hij de vergissing maakte om Tony een keer mee te nemen.

Jezus, dat laatste bezoek zou voor eeuwig in zijn geheugen staan gebrand. Andrew die het over imaginaire getallen had en Tony die dacht dat hij gepiepeld werd. Ondanks dat Andrew docent wiskunde was. Waarop Tony meende te moeten terugslaan met het KY-tandpastaverhaal en een aantal overdreven boeren. Zodat Jamie naderhand bloemen en een lange brief moest sturen.

Geoff was aangekomen sinds de laatste keer en droeg weer een bril. Hij leek op de wijze uil uit een kinderverhaal. Hij had ook een nieuwe baan, als financiële man bij een softwarebedrijf dat iets volkomen onbegrijpelijks deed. Andrew en hij waren verhuisd naar een nogal voornaam huis in Clifton, en hadden een west-highlandterriër geadopteerd die Jock heette en in de tuin bij Jamie op schoot klauterde toen ze thee zaten te drinken en sigaretten te roken.

Toen kwam Andrew, en Jamie schrok. Het leeftijdsverschil had nooit zo belangrijk geleken. Andrew was altijd slanker en fitter geweest. Maar nu zag hij er oud uit. En niet alleen door de wandelstok. Op je achttiende kon je ook je enkel breken. Het kwam vooral door zijn manier van bewegen. Alsof hij niet wilde vallen.

Hij gaf Jamie een hand. 'Sorry dat ik zo laat ben. Ik werd opgehouden in een of andere stomme commissie. Je ziet er goed uit.'

'Dank je.' Jamie wilde hetzelfde zeggen, maar kon het niet.

Jamie en Geoff fietsten naar een pittoreske provinciepub, Andrew en Jock namen de auto.

Aanvankelijk leek het triest, zoals Geoffs leven door de ziekte van Andrew werd beperkt. Maar Geoff was nog even toegewijd en leek Andrew nog even graag met wat dan ook te willen helpen. En dat vond Jamie op een andere manier weer triest.

Hij begreep het gewoon niet. Want ineens begreep hij Tony wel. Andrew was een royaal man. Maar hij hield niet van keuvelen en stelde geen vragen. Als het gesprek zijn terrein verliet, viel hij stil en wachtte tot het daar weer terugkwam.

Andrew ging vroeg naar bed en Jamie en Geoff bleven in de tuin zitten om het restant van een fles wijn op te drinken.

Jamie vertelde over Katie en Ray en probeerde uit te leggen waarom hij zijn bedenkingen had bij de relatie. Ray, die haar geen ruimte gaf. De kloof die tussen hen gaapte. En terwijl hij zo zat te praten, besefte hij ineens dat dit alles net zo goed voor Geoff en Andrew gold. Hij probeerde van onderwerp te veranderen.

Geoff kende hem door en door. Misschien kwam elk gesprek uiteindelijk wel op dit onderwerp uit. 'Andrew en ik hebben een heel fijn leven samen. We houden van elkaar. We zorgen voor elkaar. We doen niet zoveel meer aan seks als vroeger. Eerlijk gezegd doen we eigenlijk helemaal niet meer aan seks. Maar, om er geen doekjes om te winden: dat is wel op te lossen.'

'Weet Andrew dat?'

Geoff gaf geen antwoord. 'Ik zal er voor hem zijn. Altijd. Tot het eind. Dát weet hij.'

Een uur later lag Jamie op de slaapbank te kijken naar de rol tapijt en de skimachine in ruste en de cellokist, en hij voelde die ontheemde pijn die hij altijd voelde in zakenhotels en logeerkamers, de kleinheid van je leven als je de rekwisieten weghaalde.

Het zat hem niet lekker, Geoff en Andrew. En hij wist eigenlijk niet waarom. Het feit dat Geoff seks bij andere mannen zocht, en Andrew dat wel en niet wist? Het idee dat Geoff zijn geliefde oud zag worden? Was het omdat Jamie de onvoorwaardelijke liefde wilde die zij hadden? Of omdat die onvoorwaardelijke liefde zo onaantrekkelijk leek?

De volgende week was hij drie dagen bezig met de sollicitatiegesprekken voor de nieuwe secretaresse en alle administratieve rompslomp die daarbij hoorde. Hij ging naar het afscheidsfeestje van Johnny. Hij ging naar *A Beautiful Mind* met Charlie. Hij ging voor het eerst in twee maanden zwemmen. Hij at Chinees in bad terwijl *The Dark Side of the Moon* uit de speakers beneden knalde. Hij las *The Farewell Symphony*, en dat hij het in drie dagen uit had woog bijna op tegen het feit dat het zo geweldig deprimerend was.

Hij had behoefte aan iemand.

Niet voor seks. Nog niet. In zijn ervaring kwam dat een paar weken later. Dan begon je lelijkerds aantrekkelijk te vinden. Vervolgens begon je hetero's aantrekkelijk te vinden. Dan moest je vlug ingrijpen, want als je ging denken dat seks met een van je vriendinnen ook wel kon, doemde er een karrenvracht aan problemen op.

Hij had behoefte aan een... Het woord 'metgezel' riep altijd het beeld op van een oudere toneelschrijver in een zijden huisjasje, die zich met zijn knappe secretaris in een Italiaanse badplaats had teruggetrokken. Net als Geoff, maar dan met meer glamour.

Hij had behoefte aan... Dat gevoel wanneer je iemand vasthield, of wanneer iemand jou vasthield. Zoals je lichaam zich dan ontspande. Net als wanneer je een hond op schoot had.

Hij had behoefte om dicht bij iemand te zijn. Dat wilde iedereen toch?

Hij werd een beetje oud voor de openlucht, en nachtclubs associeerde hij altijd met vrijgezellenavondjes, waar de hormonen de verkeerde kant uit stroomden. Mannen die deden wat ze al deden sinds ze uit de bomen waren geklommen: in groepen samenkomen om zich te bezatten en te ouwehoeren, om maar niet serieus te hoeven zijn of niets te doen te hebben – hun nachtmerries.

Bovendien had Jamie geen goede staat van dienst: Simon de katholieke priester; Garry en zijn nazispulletjes. Jezus, je zou toch denken dat mensen zulke dingen of meteen zouden opbiechten of geheel verzwijgen, in plaats van ze aan het ontbijt mee te delen.

Halverwege zijn ronde door Tesco stopte hij een blikje gecondenseerde melk in zijn mandje, maar bij de kassa kwam hij tot bezinning, en legde het stilletjes achter de lopende band toen niemand keek.

Thuis lag hij op de bank heen en weer te zappen tussen *The Antiques Roadshow* en iets over chimpansees toen hij bedacht dat hij Ryan kon bellen.

Hij ging zijn adresboekje halen.

54

De volgende dag om vier uur was Katie zo onverstandig om tegen Jacob te zeggen: 'Zo vriend, nog een halfuur en dan gaan we terug naar Londen.'

Het sein voor tranen en luid gejammer.

'Ik haat je.'

'Jacob...'

Ze probeerde hem te kalmeren, maar dat zat er vandaag niet in. Dus bracht ze hem naar de huiskamer en deed de deur dicht, en zei dat hij eruit mocht als hij weer rustig was.

Haar moeder zwichtte na twee minuten en ging naar binnen met de woorden: 'Niet zo gemeen doen.' Twee minuten later zat hij in de keuken chocolaatjes te eten.

Wat was dat toch met grootouders? Dertig jaar geleden was het een pak voor je broek en zonder eten naar bed. Nu was het dubbele toetjes en speelgoed op tafel bij het eten.

Ze bracht de spullen naar de auto en nam afscheid van pa. Toen ze tegen hem zei dat ma naar de dokter ging, verstijfde hij van angst, maar haar medegevoel was al een paar uur op. Ze gaf hem een zoen op zijn voorhoofd en trok zachtjes de slaapkamerdeur achter zich dicht.

Ze werkte de tegenstribbelende Jacob de auto in en simsalabim: zodra hij wist dat verzet geen zin meer had, liet hij zich achteroverzakken, zwijgend en uitgeput.

Tweeënhalf uur later stopten ze voor het huis. Het licht in de gang was aan en de gordijnen waren dicht. Ray was thuis. Of thuis geweest.

Jacob lag in coma, dus ze hees hem uit zijn stoel en droeg hem naar de voordeur. In de gang was het stil. Ze bracht hem naar boven en legde hem op zijn bed. Misschien zou hij doorslapen. Mocht Ray tevoorschijn komen, dan wou ze geen ruzie terwijl ze met een wakker kind bezig was. Ze deed zijn schoenen en broek uit en trok het dekbed over hem heen.

Ze hoorde een geluid en ging weer naar beneden.

Ray verscheen in de gang met de blauwe reistas en Jacobs Batman-rugzak uit de auto. Hij bleef even staan, keek op, zei 'Sorry', en bracht toen alles naar de keuken.

Hij meende het. Dat zag ze. Hij had iets geknakts. Ze besefte hoe zelden ze iemand oprecht sorry hoorde zeggen.

Ze liep achter hem aan en ging tegenover hem aan tafel zitten.

'Dat had ik niet moeten doen.' Met zijn vinger liet hij een liggende balpen in kleine kringetjes ronddraaien. 'Weglopen. Dat was stom. Jij moet koffie kunnen drinken met wie je wil. Daar heb ik niks mee te maken.'

'Daar heb je wel wat mee te maken,' zei Katie. 'En ik zou het je ook hebben verteld...'

'Maar dan zou ik jaloers zijn geweest. Dat weet ik. Weet je, ik verwijt jou niks...'

Haar woede was weg. Ze zag in dat hij eerlijker was en meer zelfkennis had dan al haar eigen familieleden. Maar waarom zag ze dat nu pas in?

Ze raakte zijn hand aan. Hij reageerde niet.

'Je zei dat je niet met iemand kon trouwen die je zo behandelde.'

'Ik was boos,' zei Katie.

'Maar je had wel gelijk,' zei Ray. 'Je kunt niet met iemand trouwen die je zo behandelt.'

'Ray...'

'Ik heb de afgelopen dagen veel nagedacht.' Hij zweeg even. 'Je moet niet met mij trouwen.'

Ze wilde hem onderbreken, maar hij stak zijn hand op.

'Ik ben niet geschikt voor jou. Je ouders mogen me niet. Je broer mag me niet...'

'Ze kennen je niet.' Drie dagen alleen in huis was ze blij geweest met de rust en de ruimte. Nu hij voor de tweede keer dreigde weg te lopen, sloeg de schrik haar om het hart. 'En het gaat ze trouwens ook niet aan.'

Hij kneep zijn ogen een beetje dicht terwijl ze praatte, liet het als hoofdpijn over zich heen komen. 'Ik ben niet zo slim als jij. Ik ben niet goed met mensen. We houden niet van dezelfde muziek. Niet van dezelfde boeken. Niet van dezelfde films.'

Het was waar. Maar het klopte helemaal niet.

'Als jij boos wordt, weet ik niet wat ik moet zeggen. En natuurlijk, we kunnen wel met elkaar opschieten. En ik zorg graag voor Jacob. Maar... ik weet het niet... over een jaar, over twee jaar, drie jaar...'

'Ray, dit is belachelijk.'

'Ja?'

'Ja.'

Hij keek haar recht in de ogen. 'Je houdt niet echt van me, hè?'

Katie zweeg.

Hij bleef haar aankijken. 'Toe dan, zeg dan: *Ik hou van je.*'

Ze kon het niet.

'Ik hou namelijk wel van jou. Dat is het probleem.'

De centrale verwarming sloeg aan.

Ray stond op. 'Ik moet naar bed.'

'Het is pas acht uur.'

'Ik heb de afgelopen dagen niet geslapen. Niet fatsoenlijk... sorry.'

Hij ging naar boven.

Ze keek de keuken rond. Voor het eerst sinds ze hier met Jacob was ingetrokken, zag ze wat het was: de keuken van iemand anders met een paar van hun spullen erop geplakt. De magnetron. De emaillen broodtrommel. Jacobs alfabettrein.

Ray had gelijk. Ze kon het niet zeggen. Het was lang geleden dat ze het had gezegd.

Alleen klopte het niet, om het zo te stellen.

Ergens was er een antwoord. Een antwoord op alles wat Ray had gezegd dat haar niet het gevoel gaf dat ze egoïstisch en dom en bekrompen was. Het was er. Ze zag het alleen niet.

Ze pakte de pen waarmee Ray had zitten spelen, en legde die in dezelfde richting als de nerf in het tafelblad. Als ze hem precies evenwijdig kon leggen, viel haar leven misschien niet in duigen.

Ze moest iets doen. Maar wat? De tassen uitpakken? Eten? Ineens leek het allemaal zinloos.

Ze liep naar de ladekast. In het toastrekje stonden drie tickets naar Barcelona. Ze trok de bovenste la open, en pakte de uitnodigingen en enveloppen, de gastenlijst en de cadeaulijst. Ze pakte de fotokopieën van de plattegrond met het rijtje aanbevolen hotels en het mapje postzegels. Ze nam alles mee naar de tafel. Ze schreef namen boven aan alle uitnodigingen en deed ze met de opgevouwen A4'tjes in enveloppen. Die plakte ze dicht, ze deed er een postzegel op en maakte er drie mooie witte stapeltjes van.

Toen ze klaar was pakte ze haar huissleutels, liep met de enveloppen naar het eind van de straat en deed ze op de bus. Ze wist niet of ze er door positief te denken voor wilde zorgen dat alles goed kwam, of dat ze zichzelf strafte omdat ze niet genoeg hield van Ray.

55

Jean maakte een afspraak bij de huisarts en reed er na school met George heen.

Ze verheugde zich er bepaald niet op. Maar Katie had gelijk: de koe moest bij de hoorns worden gevat.

Hij bleek echter verrassend plooibaar.

In de auto nam ze alles met hem door. Hij moest de waarheid spreken. Geen flauwekul over een zonnesteek of een licht gevoel in zijn hoofd. Hij mocht niet weg voordat dokter Barghoutian beloofd had om iets te doen. En zij wilde precies weten wat de dokter had gezegd.

Ze herinnerde hem eraan dat de bruiloft van Katie eraan kwam, en dat hij heel wat had uit te leggen als hij zijn dochter niet ten huwelijk gaf en geen speech hield.

Merkwaardigerwijs leek hij het wel prettig vinden om gecommandeerd te worden, en hij beloofde alles te doen wat ze zei.

Ze gingen naast elkaar in de wachtkamer zitten. Zij probeerde wat te kletsen. Over de Indiase architect die aan de overkant van de straat was komen wonen. Over de blauweregen die gesnoeid moest worden voor hij onder het dak kroop. Maar hij had meer belangstelling voor een oude *OK!*

Toen zijn naam werd geroepen, tikte ze hem zachtjes op zijn been om hem succes te wensen. Hij liep het vertrek door, een beetje gebogen en met zijn blik vast op het vloerkleed gericht.

Ze probeerde wat in haar P.D. James te lezen, maar dat ging niet. Ze hield niet van wachtkamers bij de dokter. De mensen zagen er altijd zo sjofel uit. Alsof ze niet goed voor zichzelf hadden gezorgd, wat waarschijnlijk ook zo was. Ziekenhuizen vielen wel mee. Zolang ze maar schoon waren. Witte verf en strakke lijnen. Mensen die echt ziek waren.

Ze kon niet weggaan bij George. Haar gevoelens deden er niet toe. Ze moest aan George denken. Aan Katie. Aan Jamie.

Maar als ze zich voorstelde dat ze niet bij hem wegging, dat ze nee zei tegen David, was het of het licht aan het eind van een donkere tunnel doofde.

Ze pakte de *OK!* van George en las over de honderdste verjaardag van de koningin-moeder.

Tien minuten later verscheen George weer.

'En?' vroeg ze.

'Kunnen we naar de auto gaan?'

Ze gingen naar de auto.

De dokter had hem een antidepressivum voorgeschreven en voor de week daarop een afspraak voor hem gemaakt bij een klinisch psycholoog. Wat hij ook met de dokter had besproken, het had hem duidelijk uitgeput. Ze besloot niet door te vragen.

Ze gingen naar de apotheek. Hij wou niet naar binnen, mompelde iets over 'boeken over ziektes', dus ging ze zelf en kocht terwijl het recept werd klaargemaakt, spruitjes en worteltjes in de winkel ernaast.

Onderweg naar huis haalde hij het flesje uit de tas en bekeek het uitgebreid. Ze kon moeilijk beoordelen of hij ontzet of opgelucht was. Eenmaal in de keuken nam zij het onder haar hoede, keek hoe hij de eerste pil met een glas water doorslikte en zette het flesje in het kastje boven de broodrooster.

Hij zei: 'Dank je wel', en trok zich terug in de slaapkamer.

Ze hing de was op, maakte een beker koffie, vulde de cheque en het bestelformulier voor de feesttent in, en zei toen dat ze even naar de bloemist moest.

Ze reed naar David en probeerde uit te leggen wat een onmogelijke beslissing het was. Hij verontschuldigde zich dat hij er op zo'n moeilijk moment mee was gekomen. Ze zei dat hij dat niet moest doen. Hij zei dat er niets was veranderd, en dat hij zou wachten, hoe lang ze ook nodig had.

Hij legde zijn armen om haar heen en ze hielden elkaar vast en het voelde alsof ze thuiskwam na een lange, zware reis, en ze wist dat ze dit nooit zou kunnen opgeven.

56

Jamie dronk een cappuccino in Greek Street terwijl hij op Ryan zat te wachten.

Het was niet helemaal eerbaar wat hij deed, een afspraakje met Tony's ex. Dat wist hij wel. Maar Ryan had ingestemd, dus wat Ryan deed was ook niet helemaal netjes.

Jammer dan. Wat was eer trouwens? Maggie was de enige die hij kende die werkelijk integer was, en die liep allerlei nare ziektes op in stoffige uithoeken van West-Afrika. Had niet eens haar eigen meubels.

Bovendien had Tony het uitgemaakt, dus als er wat van kwam met Ryan, wat was daar dan mis mee?

Een kwartier te laat.

Jamie bestelde nog een koffie en sloeg *Het bewustzijn verklaard* van Daniel Dennett nog maar eens open, dat hij in een van zijn regelmatig terugkerende aanvallen van zelfverbetering had gekocht (de Swiss Ball, die stomme opera-cd...) Thuis las hij *Pet Sematary*, maar als je dat in het openbaar las, was het net of je in je onderbroek van huis was gegaan.

> Dit betekent niet dat de hersenen nooit 'geheugenbuffers' gebruiken om het raakvlak tussen de interne hersenprocessen en de asynchrone buitenwereld te versoepelen. Het 'echogeheugen' waarmee we prikkelpatronen heel even kunnen vasthouden terwijl de hersenen ze beginnen te verwerken, is hiervan een duidelijk voorbeeld (Sperling 1960 en Neisser 1967; zie ook Newell, Rosenbloom en Laird 1989, p. 107).

Achterop stond een recensie uit *The New York Review of Books* waarin het boek 'helder' en 'geestig' werd genoemd.

Maar hij wilde ook niet iemand lijken die moeite had om *Het bewustzijn verklaard* te lezen, dus liet hij zijn ogen over de bladzijden dwalen, en sloeg er om de paar minuten eentje om.

Hij dacht aan de nieuwe website en vroeg zich af of de achtergrondmuziek een vergissing was. Hij dacht terug aan het reisje naar Edinburgh vorig jaar. Dat gezoem van de banden op de kasseien voor het hotel. Hij vroeg zich af waarom die nooit meer werden gebruikt. Ziekenwagens en rolstoelen, waarschijnlijk. Hij stelde zich voor dat Ryan zijn hand heel even op zijn dij legde en zei: 'Ik ben zo blij dat je hebt gebeld.'

Vijfentwintig minuten te laat. Jamie had het gevoel dat hij begon op te vallen.

Hij pakte zijn spullen bij elkaar en kocht een *Telegraph* bij de sigarenwinkel op de hoek. Hij bestelde een pul bier in de pub aan de overkant van de straat, en vond een lege tafel op de stoep waarvandaan hij de koffiebar in de gaten kon houden.

Drie minuten later schoof er een man met een leren broek en een wit T-shirt bij Jamie aan tafel, op het tegenoverliggende bankje. Hij legde een motorhelm op de tafel, vormde met zijn rechterhand een pistool, richtte de loop op Jamies hoofd, spande de denkbeeldige haan met zijn duim, maakte een klikgeluid en zei: 'Makelaar.'

Jamie vond het een beetje verontrustend.

'Lowe & Carter,' zei de man.

'Eh, ja,' zei Jamie.

'Koerier. Wij zitten in het gebouw aan de overkant van de straat. Ik haal weleens wat bij jullie op. Jij hebt een bureau achter in de hoek bij het raam.' Hij stak zijn hand uit. 'Mike.'

Jamie schudde de hand. 'Jamie.'

Mike pakte *Het bewustzijn verklaard*, dat Jamie op de tafel had gelegd, waar het een globale indruk kon geven zonder daadwerkelijk gelezen te hoeven worden. Rond Mikes rechterbovenarm zat een dikke, Keltisch ogende rand getatoeëerd. Hij bekeek het boek even en legde het neer. 'Een meesterlijk vlechtwerk van diepe inzichten.'

Jamie vroeg zich af of de man geestelijk wel in orde was.

Mike lachte zachtjes. 'Staat achterop.'

Jamie draaide het boek ter controle om.

Mike nam een slokje. 'Geef mij maar rechtbankdrama's.'

Heel even vroeg Jamie zich af of Mike soms bedoelde dat hij graag dingen deed die in de rechtszaal eindigden.

'John Grisham en zo,' zei Mike.

Jamie trok een beetje bij. 'Ik heb zelf eerlijk gezegd ook wat moeite met dat boek.'

'Is hij niet komen opdagen?'

'Hoezo?'

'Ik zag je aan de overkant zitten.'

'O... Inderdaad.'

'Vriendje?'vroeg Mike.

'De ex van mijn ex.'

'Moeilijk.'

'Ik denk dat je gelijk hebt.'

Jamie keek over Mikes schouder heen naar de koffiebar en zag Ryan daar staan, die de straat naar beide kanten af keek. Hij leek kaler dan in Jamies herinnering. Hij droeg een beige regenjas en een blauw rugzakje.

Jamie wendde zich af.

'Vertel me eens een geheim,' zei Mike. 'Iets wat niemand weet.'

'Toen ik zes was zei mijn vriendje Matthew dat ik niet in de bloempot op de slaapkamer van mijn zuster durfde te plassen.'

'En toen plaste jij in de bloempot.'

'Ik plaste in de bloempot.' Vanuit zijn ooghoek zag hij Ryan met zijn hoofd schudden en richting Soho Square lopen. 'Strikt genomen is het geen geheim, denk ik, omdat ze erachter kwam. Na een paar dagen stonk het namelijk vreselijk.' Ryan was weg. Jamie werd wat rustiger. 'Ik had een plastic gitaartje, gekregen op vakantie in Portugal. Dat stak ze in de fik. In de tuin. Alleen brandde het ongelooflijk goed. Portugal deed in 1980 waarschijnlijk nog niet aan handelsnormen. Ik hoor nog die gil en die knappende snaren. Dat litteken op haar arm heeft ze nu nog.'

Zijn ouders zouden er na een blik op Mike van uitgaan dat hij auto's jatte: de scheersnee, de vijf oorringetjes. Maar dit... dit contact dat er tussen hen was, deze naamloze lading die in de lucht hing... in vergelijking daarmee leek alles dom en oppervlakkig.

Mike keek hem aan en zei: 'Heb je trek?' en leek minimaal drie dingen te bedoelen.

Ze gingen naar een Thais restaurantje verderop in de straat.

'Vroeger was ik tegelzetter. De betere sector. Aardewerk. Marmer. Leisteen. Keukens. Haarden. Die motor is voor het geld. Om de Alexandertechniek te leren en een cursus massage te doen. Dan ga ik freelancen. Genoeg geld verdienen om terug te gaan naar het noorden en daar een praktijk te beginnen.'

Er viel een fijne motregen op de straat. Jamie had drie potten bier achter de kiezen, en de lichten die door de natte voertuigen werden weerspiegeld waren kleine sterretjes.

'Wat ik eigenlijk het mooiste aan Amsterdam vind,' zei Jamie, 'of eigenlijk aan heel Nederland... zijn die prachtige moderne gebouwen overal. Hier bouwen ze alles zo goedkoop mogelijk.'

Jamie wist het fijne niet van de Alexandertechniek. Eerlijk gezegd zag hij

Mike geen enkele vorm van therapie geven. Te veel branie. Maar af en toe beroerde Mike zijn hand met een paar vingers en keek hem met een zwijgende glimlach aan, en dan was er een zachtheid die des te sexyer leek omdat hij de rest van de tijd zo goed verborgen bleef.

Mooie armen, ook. Kleine huidricheltjes over de aderen. Niet pezig. En sterke handen.

Dat masseren zag hij wel voor zich.

Mike stelde voor naar een club te gaan. Maar Jamie wilde hem voor zich alleen. Hij keek naar het zoutvaatje, zette zich schrap, en vroeg of Mike met hem mee naar huis wou, en zoals altijd voelde hij dat rukje, half opwinding, half paniek. Net als bij die parachutesprong. Maar dan prettiger.

'Is dat zo'n makelaarsdroomhuis? Stalen balkon? Keukeneiland met granieten werkblad? Arne Jacobsen-stoelen?'

'Victoriaans rijtjeshuis met een witte bank en een Habitat-salontafel,' zei Jamie. 'En wat weet jij van Arne Jacobsen-stoelen?'

'Ik ben anders in hele mooie huizen geweest, hoor.'

'Voor je werk of voor je plezier?'

'Allebei.'

'Maar was dat nou een "ja" of hou je me in spanning?'

'We pakken de metro,' zei Mike.

Ze keken naar hun spiegelbeeld in het zwarte glas terwijl de wagon door Tufnell Park en Archway ratelde, hun benen elkaar raakten, en de elektriciteit heen en weer stroomde. Andere passagiers stapten in en uit zonder iets te merken. Jamie hunkerde ernaar om vastgehouden te worden, maar wilde ook dat de reis uren zou duren, voor het geval wat later kwam niet beantwoordde aan wat hij zich ervan voorstelde.

Er stapten twee mormonen in, die tegenover hen kwamen zitten. Zwarte pakken. Functionele kapsels. De plastic naambordjes.

Mike boog zich tot vlak bij Jamies oor en zei: 'Ik wil je in je mond neuken.'

Toen ze de flat binnenstrompelden, waren ze nog steeds niet uitgelachen.

Mike duwde Jamie tegen de muur en zoende hem. Jamie voelde Mikes stijve pik in diens spijkerbroek. Hij schoof zijn handen onder Mikes T-shirt en zag in de huiskamer een klein rood lampje knipperen.

'Wacht even.'

'Hè?'

'Antwoordapparaat.'

Mike lachte. 'Een halve minuut. Dan ga ik je pakken.'

'Er staat bier in de ijskast,' zei Jamie. 'Wodka en zo in de kast bij het raam.'

Mike maakte zich los. 'Zin in een jointje?'

'Lekker.'

Jamie liep de huiskamer in en drukte op de knop.

'Jamie, hallo. Met Katie.' Ze was dronken. Of klonk ze dronken, omdat Jamie dronken was? 'Shit, je bent er niet, hè. Shit.'

Ze was niet dronken. Ze huilde. Godallemachtig.

'Nou ja... het spannende nieuws van vandaag is dat de bruiloft niet doorgaat. Want Ray vindt dat we niet moeten trouwen.'

Was dit goed of slecht? Het was alsof je de trein naast je in beweging zag komen. Hij voelde zich een beetje wiebelig.

'O, en we zijn dit weekend thuis geweest en pa ligt in bed met een zenuwinzinking. Letterlijk, met paniekaanvallen en nachtmerries over doodgaan en de hele zooi. En ma gaat misschien bij hem weg en naar die vent van kantoor.'

Jamies eerste gedachte was dat Katie zelf een of andere inzinking had.

'Dus ik dacht: laat ik jou maar even bellen, want het zou me niks verbazen als jij om de zaak compleet te maken een of ander gruwelijk verkeersongeluk hebt gehad, en je niet opneemt omdat je in het ziekenhuis ligt of dood bent, of het land uit bent of zo... Bel me even, oké?'

Piep.

Jamie bleef even zitten om het tot zich te laten doordringen, of van hem wegdrijven, of wat het ook van plan was. Toen stond hij op en liep naar de keuken.

Mike stond een joint aan te steken aan het gasfornuis. Hij richtte zich op, nam een trekje en hield de rook binnen met de bijbehorende verschrikte blik. Hij keek een beetje zoals Jamie zich voelde.

Mike ademde uit. 'Jij ook?'

Dit ging natuurlijk een afschuwelijke scène opleveren. Je sleept iemand tien haltes mee op de Northern Line voor seks die niet doorgaat, en ineens zit je met een gespierde vent in je huis die teleurgesteld is, en geen reden meer heeft om aardig tegen je te zijn.

Zou Mike weleens een auto hebben gejat?

'Wat is er?' vroeg Mike.

'Familieproblemen.'

'Ernstig?'

'Ja.'

'Iemand dood?' Mike pakte een schoteltje van de afdruipplaat en legde de joint op de rand.

'Nee.' Jamie ging zitten. 'Tenzij mijn zuster haar aanstaande vermoordt. Of mijn vader zichzelf. Of de minnaar van mijn moeder.'

Mike bukte zich en pakte Jamies arm. Het waren inderdaad verrassend sterke armen die Mike had.

Mike haalde Jamie voorzichtig overeind. 'Als je het mij vraagt, en ik heb er verstand van... heb jij een beetje afleiding nodig.' Mike trok hem tegen zich aan. Zijn pik was nog steeds stijf.

Heel even zag Jamie voor zich dat Katies zwartgallige voorspelling uitkwam: een nare worsteling; Jamie die uitgleed en met zijn hoofd op de punt van de keukentafel smakte.

Hij week achteruit. 'Wacht even. Dit is geen goed moment.'

Mike legde een hand om Jamies nek. 'Geloof me, het zal je goed doen.'

Jamie duwde tegen Mikes hand, maar die gaf niet mee.

Toen werden Mikes ogen zacht. 'Wat ga je doen als ik wegga? Hier zitten piekeren? Het is te laat om nog iemand te bellen. Toe. Over een paar minuten denk je nergens meer aan. Dat garandeer ik je.'

En weer was het net als bij die parachutesprong. Alleen nog sterker. De alcoholnevel trok even op en Jamie zag in dat dit de reden was dat Tony het had uitgemaakt: Jamie wilde altijd meester zijn van de situatie, hij was bang voor alles wat anders was of wat niet hoorde. En terwijl de nevel terugzakte, kwam het Jamie voor dat seks met deze man nodig was om Tony te bewijzen dat hij kon veranderen.

Mike trok hem naar zich toe en hij bood geen weerstand.

Ze zoenden weer.

Hij legde zijn handen om Mikes nek.

Het was lekker om vastgehouden te worden.

Hij voelde iets ontdooien en barsten, iets wat hem veel te lang in zijn greep had gehouden. Mike had gelijk. Hij kon loslaten, anderen hun eigen problemen laten oplossen. Eindelijk kon hij eens in het moment leven.

Mike gleed met zijn hand naar Jamies kruis en Jamie voelde zijn pik stijf worden. Mike wipte het knoopje los, duwde de rand van Jamies boxershort omlaag en legde zijn hand om Jamies pik heen.

'Voel je je al wat beter?' vroeg Mike.

Jamie bromde bevestigend.

Met zijn vrije hand gaf Mike hem de joint. Ze namen elk een trekje en Mike legde hem terug op het schoteltje.

'Pijp me,' zei Mike.

En toen gebeurde er iets heel anders met Mikes ogen. Hij liet Jamies pik los en leek naar iets te staren wat zich diverse kilometers achter Jamies hoofd bevond.

'Verdomme,' zei Mike.

'Wat is er?'

'Mijn ogen.'

'Hoezo?'

'Ik zie...' Mike schudde zijn hoofd. Hij begon te zweten, kleine transpiratie-druppeltjes op zijn voorhoofd, zijn armen. 'Verdomme, ik zie alles wazig.'

'Hoe bedoel je?'

'Ik bedoel dat ik alles wazig zie.' Mike wankelde opzij en zakte in een stoel.

Katie had gelijk. Het ging alleen op een andere manier gebeuren. Mike was degene die de attaque ging krijgen. Er zou een ziekenwagen komen. Hij zou geen idee hebben van Mikes naam en adres...

Jezus. Die joint. Mocht je een joint in de tuin begraven terwijl iemand een attaque kreeg? Stel dat Mike in zijn tong stikte terwijl Jamie buiten was.

Mike kromp ineen. 'Ik zie niks meer. Jezus. Mijn buik.'

Zijn buik?

'Die klotegarnalen.'

'Hè?' zei Jamie, die zich voor de tweede keer die avond afvroeg of Mike geestelijk wel in orde was.

'Rustig maar,' zei Mike. 'Het is eerder gebeurd.'

'Wat is eerder gebeurd?'

'Geef me een emmer.'

Jamies hoofd zat zo vol dat het een paar tellen duurde voordat hij begreep wat Mike met een emmer moest. Toen had Mike inmiddels op de grond voor zijn stoel overgegeven.

'O kut,' zei Mike.

Jamie zag zichzelf in zijn eigen keuken staan kijken naar een grote omelet van kots, met een penis die over de rand van zijn boxershort hing, en ineens voelde hij zich heel schuldig dat hij uit de koffiebar was vertrokken voordat Ryan kwam, ook al had Ryan een belachelijk rugzakje en uitgedund haar, en hij wist dat dit zijn straf was. En het was slecht om gespannen te zijn en alles in de hand te willen houden, maar het was ook goed, want als hij iets gespannener was geweest en alles iets meer in de hand had willen houden, was dit nooit gebeurd.

Hij stopte zijn penis terug.

'Het spijt me vreselijk,' zei Mike.

Jamie trok de la open en gaf hem een theedoek met het logo van London Bus waarvan hij nooit zo weg was geweest.

Mike veegde zijn gezicht af. 'Ik moet naar de wc.'

'Boven aan de trap,' zei Jamie.

'Waar is de trap?'

Goeie genade, die vent zag niets.

Jamie hielp Mike de trap op, en ging terug naar de keuken om niet te hoeven ruiken of horen wat er in de badkamer stond te gebeuren.

Hij wou Mike weg hebben. Maar hij moest ook een beter mens worden. En een beter mens worden betekende Mike niet weg willen hebben. Het betekende zich om Mike bekommeren. Want als aardige mensen ellende meemaakten, konden ze zeggen dat het toeval was, of gewoon pech, of dat het nou eenmaal zo ging in de wereld. Maar als akelige mensen ellende meemaakten, wisten ze dat het hun eigen schuld was, en dat maakte de ellende nog wat erger.

Hij pakte de afwashandschoenen onder de gootsteen vandaan en trok ze aan. Hij pakte twee Tesco-zakken uit de kast en stopte de ene in de andere. Hij nam de taartschep uit de rommella, knielde en begon het braaksel van de grond te schrapen en in de zakken te kwakken. Het was geen prettig werkje (boven zou het ongetwijfeld nog erger worden), maar het was goed om een onprettig werkje te hebben.

Boetedoening. Dat was het woord dat hij zocht.

O, jezus. Er liep braaksel in de naden tussen de vloerplanken.

Hij veegde de vloer droog met een paar velletjes keukenpapier, en gooide die ook in de Tesco-zakken. Hij vulde een kan met zeepsop, boende de naden schoon met de groenteborstel en gooide de groenteborstel ook in de Tesco-zakken.

Er kwam een naar geluid uit de wc.

Hij goot bleekwater op de vloer, wreef dat met een doekje over de hele plek uit, en gooide het doekje in de zakken. Hij veegde de taartschep schoon met een nieuw doekje, en overwoog even om hem een nachtje in een bleekwateroplossing te laten weken, maar hij besefte dat hij hem waarschijnlijk nooit meer zou gebruiken, en gooide hem bij de rest van de rommel in de Tesco-zakken. Hij knoopte de binnenste zak dicht, en vervolgens de buitenste. Hij stopte ze in een derde zak voor het geval ze zouden lekken, knoopte die ook dicht, liep ermee door de gang, deed de voordeur open en gooide alles in de vuilnisbak.

Er kwam weer een naar geluid uit de wc.

Hij hield van Tony. Ineens was het hem pijnlijk duidelijk. Die stomme ruzies van ze. Over de bruiloft. Over de verrekijker. Over de ketchup. Die hadden niets te betekenen.

Hij ging naar Tony toe. Zodra dit hier was opgelost. Hoe laat het ook was. Zeggen dat het hem speet. Alles vertellen.

Ze gingen samen naar de bruiloft. Nee, nog beter: hij ging dit weekend met Tony naar Peterborough.

Alleen was pa op de een of andere manier ingestort. Daar moest hij eerst wel even wat meer over weten.

Hoe dan ook, zodra het kon ging hij met Tony naar Peterborough.

Hij ging naar de badkamer en klopte zachtjes aan.

'Gaat het?'

'Niet geweldig,' zei Mike.

Zelfs door de deur heen rook het niet goed. Hij vroeg met enig angst en beven of hij Mike soms moest helpen, en haalde erg opgelucht adem toen Mike nee zei.

'Immodium,' zei Jamie. 'Ik heb Immodium in de slaapkamer.'

Mike zweeg.

Een paar minuten later zat Jamie aan de keukentafel met een keur aan vrijelijk verkrijgbare geneesmiddelen voor zich uitgestald, als een inheemse venter die op het aanmeren van de grote boot wacht.

Immodium. Maagtabletten. Paracetamol. Ibuprofen. Aspirine. Antihistamine. (Was antihistamine bedoeld voor zo'n soort allergische reactie? Hij wist het niet zeker.)

Hij zette water op en zag dat de benodigde theeën en koffies er waren. Er stond nog ruim een halve liter halfvolle melk in de koelkast. Er was geen chocolademelk, maar wel een nog ongeopend busje cacaopoeder van een mislukt bakproject.

Hij was van alles voorzien.

Na een minuut of tien hoorde hij dat de deur van de badkamer van het slot ging, gevolgd door Mikes voetstappen op de trap. Mike kwam duidelijk behoedzaam naar beneden.

Er verscheen een hand op de deurstijl en Mike kwam het beeld in gemanoeuvreerd. Hij zag er niet gezond uit.

Jamie wilde vragen wat hij Mike kon aanbieden qua medicijnen en warme dranken, maar Mike zei: 'Het spijt me vreselijk,' en liep de gang in op weg naar de voordeur.

Tegen de tijd dat Jamie was opgestaan, had Mike de deur al achter zich dichtgetrokken. Jamie dacht even na. Een goed mens zijn betekende dat je je om anderen moest bekommeren. Het betekende niet dat je ze gevangen moest houden. En blijkbaar kon Mike weer zien. Anders was hij niet weggegaan.

Toch?

Jamie liep naar het raam en lichtte de rand van het gordijn even op om de straat af te kijken. Die was leeg. Hij was er vrij zeker van dat blinden zich niet met een dergelijke snelheid voortbewogen.

Hij ging naar boven. De badkamer was brandschoon.

Hij was nog te dronken om auto te rijden. Hij pakte zijn sleutels en zijn jasje, liep de voordeur uit, en deed die achter zich op slot.

Hij had een taxi kunnen bellen, maar hij wou niet wachten. Het was een halfuur lopen naar Tony's flat, maar hij had de frisse lucht nodig. En als hij Tony wakker maakte – nou, dit was belangrijker dan slapen.

Hij liep door Wood Vale Gardens en stak voor het ziekenhuis Park Road over. Het regende niet meer, en in de meeste huizen was het nu donker. Over de straten lag een vuiloranje gloed, en de schaduwen onder de auto's waren dik en zwart.

Tony had gelijk: hij was egoïstisch geweest. Je moest water bij de wijn doen wanneer je je leven met iemand wou delen.

Hij stak Priory Road over.

Hij zou Katie morgen bellen. Vermoedelijk zag ze het allemaal somberder in dan het was. Wat begrijpelijk was wanneer het even moeilijk ging met Ray. Zijn vader die gek werd? Zijn moeder die wegging? Hij wist niet wat onwaarschijnlijker was.

Een dronken fietser kwam slingerend langs.

Zijn vader die te veel piekerde, en zijn moeder die zei dat het haar te veel werd. Dat kon hij zich wel voorstellen. Dat was zo'n beetje de normale toestand.

Het kwam wel goed. Het moest gewoon goed komen. Hij ging met Tony naar die bruiloft, wat er ook gebeurde.

Hij liep in Allison Road, toen er een hondje door een tuinhek kwam. Nee, geen hondje. Een vos. Dat gewichtloze drafje. Die pluimstaart.

Er startte een auto en de vos glipte een steegje in.

Om half een was hij in Vale Road.

Hij was opgeknapt van de wandeling. Hij overwoog te proberen een droevige indruk te maken, maar besefte dat het een dom idee was. Hij wilde Tony niet terug omdat hij een rotavond had gehad. Door die rotavond had hij ingezien dat hij Tony terug wilde. Voorgoed. En dat was een blije gedachte.

Hij belde aan en wachtte een halve minuut.

Hij belde nog eens aan.

Er ging nog een halve minuut voorbij voordat hij voetstappen hoorde. Tony deed open, gekleed in zijn boxershort en verder niets. Er lag een koude blik in zijn ogen. 'Jamie...?'

'Het spijt me,' zei Jamie.

'Geeft niet. Wat is er gebeurd?'

'Nee. Ik bedoel het spijt me van alles. Van al het andere.'

'Je bedoelt?'

Jamie vermande zich. Hij had dit wat beter moeten voorbereiden. 'Dat ik je heb weggejaagd. Dat ik... Tony, ik heb een rotavond gehad, en daardoor heb ik een heleboel dingen ingezien...'

'Jamie, het is goddomme midden in de nacht. Ik moet morgen werken. Wat kom je doen?'

Diep ademhalen. 'Ik hou van je. En ik mis je. En ik wil je terug.'

'Je bent lazarus, hè.'

'Nee. Of, dat was ik wel. Maar nu niet meer... Ik meen het echt, Tony.'

Tony's uitdrukking veranderde niet. 'Ik ga weer naar bed. En als ik jou was, zou ik dat ook maar doen.'

'Je hebt iemand bij je, hè.' Jamie begon te huilen. 'Daarom mag ik niet binnenkomen.'

'Hoe oud ben je nou, Jamie?'

'Kut.'

Tony begon de deur dicht te doen.

Jamie was ervan uitgegaan dat Tony hem op z'n minst zou binnenlaten. Zodat ze konden praten. Het was weer precies hetzelfde egocentrisme. Denken dat iedereen zich wel naar zijn plan zou schikken. Nu besefte Jamie dat, maar het was te moeilijk om dat in een halve seconde te zeggen.

'Wacht.' Hij ging op de drempel staan om te voorkomen dat Tony de deur dichtdeed.

Tony deinsde enigszins terug. 'Jezus. Je stinkt naar kots.'

'Dat weet ik,' zei Jamie, 'maar het is niet mijn kots.'

Tony legde zijn vlakke hand op Jamies borst en duwde hem terug op het afstapje. 'Welterusten, Jamie.'

De deur ging dicht.

Jamie bleef enige minuten op het afstapje staan. Hij wilde op het stukje beton bij de vuilnisbakken gaan liggen en daar tot de volgende ochtend slapen zodat Tony hem zou zien als hij naar buiten kwam, en medelijden met hem zou krijgen. Maar hij zag meteen wel in dat dit even dom en slap en kinderachtig was als de rest van zijn domme, slappe, kinderachtige plan.

Hij ging op de stoeprand zitten janken.

57

Jean zou de bruiloft zelf moeten regelen. Van de rest van de familie hoefde ze duidelijk niet veel hulp te verwachten.

Werkelijk. Ze was dol op haar dochter, maar voor iemand die volhield dat vrouwen niet onderdeden voor mannen, kon ze onvoorstelbaar chaotisch zijn.

Relaxed, noemde Katie dat.

Thuiskomen van de universiteit met al haar kleren in zwarte vuilniszakken, en die dan in de open garage laten staan zodat ze door de vuilnismannen werden meegenomen. Verf morsen op de kat. Haar paspoort kwijtraken op Malta.

Arme George. Ze had het hem niet makkelijk gemaakt. Alsof ze van verschillende planeten kwamen, die twee.

Twaalf jaar bekvechten over de tandpasta. George die dacht dat ze het expres deed om hem op stang te jagen. Na het poetsen in de gootsteen spugen en weigeren om het weg te spoelen, waardoor het aankoekte. Katie die niet kon geloven dat een normaal mens zich zo kon opwinden over zoiets lulligs.

Ze deed dat trouwens nog steeds. Vanmorgen nog. Jean had het schoongemaakt. Net als vroeger.

Eigenlijk was Jean best trots op het feit dat Katie zich door niemand de wet liet voorschrijven. Natuurlijk had ze zich weleens zorgen gemaakt. Dat Katie nooit een behoorlijke baan zou krijgen. Of per ongeluk zwanger zou raken. Of nooit een man zou vinden. Of op de een of andere manier in de problemen zou raken (ze had één keer een waarschuwing gekregen omdat ze een politieagente had beledigd).

Maar Jean koesterde het idee dat ze zo'n vrije geest ter wereld had gebracht. Soms keek ze naar haar dochter en zag ze gebaartjes of een gezichtsuitdrukking die ze van zichzelf herkende, en dan vroeg ze zich af of ze misschien meer op Katie geleken zou hebben wanneer ze dertig jaar later was geboren.

Wat ironisch dat Jamie homo bleek te zijn. Die zou de gastenlijst en de uitnodigingen voor zijn bruiloft al een paar jaar van tevoren hebben laten drukken.

Niets aan te doen.

De eerste keer had het organiseren van Katies bruiloft als het voorbereiden van de geallieerde landing in Normandië gevoeld. Maar nu ze in de boekwinkel werkte en meehielp op de school, besefte ze dat het niet moeilijker was dan een huis kopen of een vakantie boeken: gewoon een reeks kleine taken die allemaal voor een bepaald moment uitgevoerd moesten worden. Je stelde een lijst op van dingen die je moest doen. Je deed ze. Je vinkte ze af.

Ze bestelde de bloemen. Ze huurde de disco af die Claudia voor de bruiloft van Chloë had gebruikt. Ze hakte de knopen door met het cateringbedrijf over het menu. Ze boekte de fotograaf.

Het zou van een leien dakje gaan. Al was het maar voor haarzelf. Het zou allemaal gesmeerd lopen, en iedereen zou het naar zijn zin hebben. Aan het eind van de dag zou ze met een voldaan gevoel haar benen op tafel leggen.

Ze schreef Katie een brief met een lijst van de dingen die ze nog moest doen (een bandje met muziek voor het stadhuis, Rays pak, cadeaus voor de getuigen, ringen...) Katie zou razend zijn, maar gezien haar optreden van het afgelopen weekend leek het beslist niet onmogelijk dat Katie zou vergeten dat ze ging trouwen.

Ze bestelde de tafelkaartjes. Ze kocht een nieuwe jurk voor zichzelf en bracht Georges pak naar de stomerij. Ze bestelde een taart. Ze huurde drie auto's om de naaste familie terug te brengen naar het dorp. Ze schreef namen op hun uitnodigingen en adressen op de enveloppen.

Even overwoog ze om David van de lijst te schrappen. George had er na het etentje op aangedrongen dat hij werd uitgenodigd. Ze moesten hun eigen gelederen aanvullen om niet 'door Rays clan te worden overspoeld', of zoiets. Maar ze wilde niet dat George lastige vragen ging stellen, dus kreeg David een uitnodiging. Hij hoefde tenslotte niet te komen.

58

Het was bijna aangenaam geweest bij dokter Barghoutian.

Zijn grens voor wat aangenaam was en wat niet, was de laatste paar weken natuurlijk aanzienlijk verlaagd. Niettemin had het een merkwaardig kalmerend effect om met iemand over zijn problemen te praten en die ervoor betaald werd om te luisteren. Kalmerender dan kijken naar *Volcano* of *The Peacemaker*, want dan hoorde hij altijd een soort malende bastoon van angst, alsof er aan de overkant van de straat werd gebouwd.

Vreemd om te merken dat hij minder bang was wanneer hij zijn angsten beschreef, dan wanneer hij probeerde er niet aan te denken. Zo zag je je vijand in elk geval duidelijk, misschien had het daarmee te maken.

De pillen waren minder goed. Die eerste nacht sliep hij slecht en de tweede nacht nog een stuk slechter. Hij huilde veel en moest zich verzetten tegen de neiging om in alle vroegte lange wandelingen te gaan maken.

Hij nam bij het ontbijt nu twee codeïnetabletten, dronk halverwege de ochtend een groot glas whisky en poetste daarna langdurig zijn tanden om geen achterdocht bij Jean te wekken.

Het idee om een psychiatrisch ziekenhuis in te gaan werd steeds aantrekkelijker. Maar hoe kreeg je dat voor elkaar? Door met je auto de tuin van de buren in te rijden? Door je bed in brand te steken? Door midden op de weg te gaan liggen?

Telde het als je zoiets opzettelijk deed? Of was het een teken van krankzinnigheid als je deed alsof je krankzinnig was?

En als het bed brandbaarder bleek dan verwacht?

Misschien kon je in een grote kring rond het bed water op het tapijt gieten als een soort barrière.

De derde nacht was praktisch ondraaglijk.

Desondanks bleef hij hardnekkig de pillen slikken. De dokter had gezegd dat er bijwerkingen konden zijn, en over het geheel genomen gaf George de voorkeur aan behandelingen waaraan pijn te pas kwam. Na zijn val van de ladder was hij bij een chiropractor geweest, die weinig meer deed dan achter zijn hoofd in haar handen klappen. Diverse ongerieflijke weken later ging hij naar een osteopaat, die hem van achteren stevig beetpakte, en zo krachtig ophees dat zijn wervelkolom kraakte. Binnen een paar dagen liep hij weer normaal.

Niettemin was hij dankbaar toen het op de zesde dag nadat hij met de pillen was begonnen, tijd was voor zijn afspraak bij de klinisch psycholoog.

Hij had nog nooit een klinisch psycholoog ontmoet, in functie of anderszins. Voor zijn gevoel stonden ze niet zo ver af van mensen die tarotkaarten lazen. Het was heel goed mogelijk dat hem gevraagd zou worden of hij zijn moeder naakt had gezien, of op school was gepest (wat zou er van de beruchte Gladwell-tweeling zijn geworden?) Of was dat psychotherapie? Hij was niet helemaal zeker van de verschillen.

Maar zijn ontmoeting met mevrouw Endicott bleek helemaal niet de halfzachte affaire te zijn die hij had verwacht. Sterker nog: hij kon zich niet herinneren wanneer hij voor het laatst zo'n onderhoudend gesprek had gehad.

Ze bespraken zijn werk. Ze bespraken zijn pensionering. Ze bespraken zijn toekomstplannen. Ze bespraken Jean en Jamie en Katie. Ze bespraken de aanstaande bruiloft.

Ze vroeg naar zijn paniekaanvallen, wanneer die kwamen, hoe ze voelden, hoe lang ze duurden. Ze vroeg of hij aan zelfmoord had gedacht. Ze vroeg waarvoor hij precies bang was, en luisterde heel geduldig terwijl hij worstelde om dingen te verwoorden die moeilijk te verwoorden waren (de orcs bijvoorbeeld, of zoals de grond leek te wijken). En al geneerde hij zich misschien voor sommige dingen, haar aandacht was oprecht en constant.

Ze vroeg naar het plekje en zei dat de huisarts hem naar een dermatoloog kon doorverwijzen als dat zou helpen. Hij zei nee, en legde uit dat hij diep in zijn hart wel wist dat het maar eczeem was.

Ze vroeg of hij vrienden had met wie hij hierover had gepraat. Hij legde uit dat je met vrienden niet over zulke dingen praatte. Hij zou in elk geval niet willen dat zijn vrienden met zulke problemen bij hem aankwamen. Het gaf geen pas. Ze knikte instemmend.

Hij vertrok zonder opdrachten en zonder oefeningen – hij hoefde alleen maar te beloven dat hij over een week terug zou komen. Buiten bedacht hij dat hij was vergeten om de bijwerkingen van de medicijnen ter sprake te brengen. Toen besefte hij dat hij niet dezelfde man was die in de bus hierheen was gestapt. Hij was sterker, stabieler, minder angstig. Hij kon de bijwerkingen van een paar pillen wel aan.

Later die middag lag hij in bed naar een of ander golftoernooi op bbc2 te kijken. Golf had hem nooit zo aangesproken, maar de truttige truien en al dat groen dat zich aan het oog ontrolde, hadden wel wat geruststellends.

Het leek onbillijk dat hij met al zijn inspanningen om de geestelijke kant van het probleem op te lossen nog niets was opgeschoten met de lichamelijke kant.

Als het plekje op een teen of een vinger had gezeten, bedacht hij, had hij die gewoon kunnen laten weghalen en was hij klaar geweest. Dan zou hij alleen de pillen hoeven te slikken en elke week naar de psycholoog gaan totdat alles weer normaal was.

Er ontstond een plan in zijn hoofd.

Het plan, zo leek hem, was een behoorlijk goed plan.

59

Nadat Katie haar uitnodigingen op de bus had gedaan en bij Jamie had ingesproken, ging ze weer aan de keukentafel zitten.

Ze wou iets kapotmaken. Maar ze mocht geen dingen kapotmaken. Niet na de uitbrander die ze Jacob had gegeven omdat hij tegen de videorecorder had geschopt.

Ze pakte het grote mes en stak zeven keer in de broodplank. Bij de achtste keer brak het lemmet, en haalde ze de zijkant van haar hand open aan het afgebroken stuk dat in de broodplank stond. Overal zat bloed.

Ze wikkelde de keukenhanddoek om haar hand, pakte de verbanddoos, plakte een paar grote pleisters op de snee, maakte alles schoon, en gooide het kapotte mes weg.

Aan slapen hoefde ze niet te denken. Het bed betekende dat ze naast Ray moest gaan liggen. En de bank betekende haar nederlaag toegeven.

Hield ze van Ray?

Hield ze niet van Ray?

Ze had sinds vier uur niets gegeten. Ze zette water op. Ze nam een pak Maryland Chocolate Chip Cookies, at er zes op terwijl ze stond, werd een beetje misselijk, en legde de rest terug in de kast.

Hoe kon Ray slapen op zo'n moment?

Had ze ooit van hem gehouden? Of was het alleen maar dankbaarheid? Dat hij het zo goed deed met Jacob. Dat hij geld had. Dat er geen apparaat bestond dat hij niet kon repareren. Dat hij haar nodig had.

Maar verdomme, dat waren toch echte dingen. Zelfs het geld. Jezus, je kon ook van iemand houden die arm en incompetent was, en samen een leven leiden dat van de ene ramp naar de andere strompelde. Maar dat was geen liefde, dat was masochisme. Zoals Trish. Als je daaraan begon, eindigde je dus in een keet in Snowdonia met meneer Vibrational Healing, die draken uit houtblokken sneed.

Die boeken en die films konden haar geen moer schelen. Wat haar familie vond interesseerde haar niet.

Waarom was het dan zo moeilijk om te zeggen dat ze van hem hield?

Misschien omdat hij als Clint Eastwood dat restaurantje binnen was komen stappen en een vuilnisbak op straat had gesmeten.

Eigenlijk was het te gek voor woorden, nu ze er nog eens goed over nadacht. Drie dagen was hij spoorloos. Ze wist niet eens of hij nog leefde. Vervolgens kwam hij weer aankakken, zei een paar keer sorry, deelde haar mee dat de bruiloft niet doorging, en dan moest zij gaan zeggen dat ze van hem hield.

Drie dagen. Godallemachtig.

Als je vader wou zijn, moest je je heel wat verantwoordelijker gedragen.

Misschien moesten ze inderdaad niet trouwen. Misschien was het een belachelijk idee, maar als hij ging proberen haar de schuld te geven...

Zo. Dat voelde beter. Dat voelde een stuk beter.

Ze zette haar beker neer en beende naar boven om hem wakker te maken en hem eens flink de waarheid te zeggen.

60

George besloot dat hij het op woensdag ging doen.

Jean ging naar haar zuster, een bezoek dat al een tijdje op het programma stond. Ze had wel iets gezegd over afbellen wanneer George niet alleen wou zijn, maar hij vond dat ze moest gaan.

Toen ze eindelijk uit Northampton had gebeld om te zeggen dat ze veilig was aangekomen en te vragen of alles goed het hem was, zocht hij de benodigdheden bij elkaar. Als hij eenmaal begonnen was, zou hij niet veel tijd en energie hebben, dus moest alles in gereedheid zijn.

Hij spoelde twee codeïnetabletten weg met een flink glas whisky. Hij legde drie vrij oude blauwe handdoeken op elkaar in de badkamer. Hij legde de draadloze telefoon op de keukentafel, deed waspoeder in het laatje van de wasmachine, en liet het deurtje openstaan.

Hij pakte een leeg roomijsbakje van twee liter achter uit de provisiekast, controleerde of het deksel paste en bracht het samen met een paar pedaalemmerzakken naar de badkamer. Hij legde de zakken op de grond en zette het bakje op de kranen van het bad. Hij maakte de verbanddoos open en zette die op de plank.

Hij begon de whisky en de codeïne te voelen.

Hij ging weer naar beneden, pakte de schaar uit de la en sleep die met het grijze wetsteentje dat ze voor het vleesmes gebruikten. Voor de zekerheid sleep hij het vleesmes ook maar meteen; hij liep met beide werktuigen naar boven en legde ze aan het andere uiteinde van het bad, tegenover de kranen.

Uiteraard was hij bang. Maar de chemicaliën begonnen de angst te verdoven, en de wetenschap dat zijn problemen weldra voorbij zouden zijn, gaf hem moed.

Hij deed de gordijnen in de badkamer dicht, en de deuren in de gang. Hij deed alle lichten uit en liet zijn ogen aan het donker wennen. Hij trok zijn kleren uit, vouwde ze op en legde ze in een keurig stapeltje boven aan de trap.

Hij wilde de badkamer weer in lopen, maar bedacht dat hij niet in zijn eigen badkamer zonder kleren bewusteloos op de grond gevonden wilde worden. Hij trok zijn onderbroek weer aan.

Hij zette de douche op warm, richtte de straal op de muur en trok de plastic harmonicadeur dicht.

De badmat was dik en wollig. Was die wasbaar? Hij wist het niet helemaal zeker. Uit voorzorg legde hij de mat zo ver mogelijk weg.

Hij zette zijn voet in het bad om de watertemperatuur te voelen. Precies goed. Hij stapte het bad in.

Het was zover. Als hij eenmaal begon, was er geen weg terug meer.

Hij controleerde nog een keer of alles klaar lag. De schaar, het roomijsbakje, de pedaalemmerzakken...

Het eerste deel, wist hij, werd het moeilijkste. Maar dat zou niet lang duren. Hij haalde diep adem.

Hij nam de schaar in zijn rechterhand en tastte met de vingers van de linker over zijn heup naar het plekje. Hij pakte het vlees eromheen beet, en de weeë tinteling die vanuit zijn vingers door zijn arm naar boven trok (alsof hij een spin opraapte, of hondenpoep), bevestigde slechts de noodzaak van wat hij deed.

Hij trok het plekje weg van zijn lichaam.

Hij keek heel even omlaag, en toen gauw weer weg.

Het uitgerekte vlees eindigde in een witte punt, als warme kaas op een pizza. Hij opende de bek van de schaar.

'Diep ademhalen, en uitblazen als de pijn komt.' Dat had de osteopaat gezegd.

Hij drukte de geslepen helften van de schaar tegen de uitgerekte huid en kneep hard.

Hij hoefde er niet aan te denken dat hij uitademde. Dat ging helemaal vanzelf.

De pijn was zo veel erger dan enige andere pijn die hij ooit had gevoeld dat het leek of er een halve meter boven zijn hoofd een straaljager landde.

Hij keek weer omlaag. Zo'n grote hoeveelheid bloed had hij niet verwacht. Het leek wel iets uit een film. Het was dikker en donkerder dan hij gedacht zou hebben, olieachtig bijna, en verrassend warm.

Wat hij ook zag toen hij omlaag keek, was dat hij het vlees rond het plekje niet helemaal had losgeknipt. Integendeel, het hing als een heel rauw biefstukje aan zijn heup.

Hij pakte het nog eens vast, opende de schaar weer en probeerde opnieuw te snijden. Maar door het bloed kreeg hij geen goede grip en het vet leek deze keer dikker.

Hij boog zich voorover, legde de schaar op de rand van het bad, en pakte het vleesmes.

Echter, toen hij zich weer oprichtte, dreef er een zwerm kleine witte lichtjes door zijn gezichtsveld en leek zijn lichaam verder weg dan de bedoeling was. Hij stak zijn hand uit om steun te zoeken tegen de betegelde muur. Helaas bevond het vleesmes zich nog in die hand. Hij liet het mes vallen en drukte met zijn hand tegen de muur. Het mes viel in het bad, landde met de punt in zijn voet, en bleef staan.

Nu begon het hele vertrek te draaien. Het plafond kwam in beeld gezwaaid, hij kreeg een scherpe close-up van dat avocadogroene magneetdingetje waar de zeep aan hing, en vervolgens knalde de warme kraan tegen zijn achterhoofd.

Hij lag op zijn zij in het bad en zag het in zijn volle lengte. Het leek of er een varken in was geslacht.

Het plekje zat nog steeds aan zijn lichaam.

Goeie god. De gewonde kankercellen stroomden nu ongetwijfeld door het reepje vlees tussen lel en heup om kleine kolonies te stichten in zijn longen, zijn beenmerg, zijn hersenen...

Hij wist nu dat hij niet de kracht had om het weg te halen.

Hij moest naar het ziekenhuis. Daar zouden ze het voor hem afsnijden. Misschien zouden ze het in de ziekenwagen voor hem afsnijden als hij de situatie zorgvuldig uitlegde.

Heel langzaam ging hij op handen en knieën zitten.

Zijn endorfinen werkten bepaald niet goed.

Hij moest de trap af zien te komen.

Verdomme.

Hij had de hele operatie in de keuken moeten doen. Hij had in dat oude plastic badje kunnen gaan staan dat de kinderen 's zomers gebruikten. Of was dat een van de dingen die bij het opruimen van de garage in 1985 waren gesneuveld?

Dat zat er dik in.

Hij boog zich over de rand van het bad en pakte een van de handdoeken.

Hij aarzelde. Wilde hij echt de stof van een handdoek in een open wond drukken?

Behoedzaam stond hij op. De kleine witte lichtjes kwamen weer even terug.

Hij wierp een blik naar beneden. Het was moeilijk te zien wat wat was in het wondgebied, en hij werd een beetje wee van het kijken. Hij wendde zijn hoofd af en liet zijn ogen rusten even op de bespetterde tegels.

Inademen. Vasthouden. Uitademen. Drie. Twee. Een.

Hij wierp nog een blik naar beneden. Hij pakte de lel vlees onderaan beet en drukte hem terug op zijn plaats. Hij paste niet zo goed. En zodra hij hem losliet, gleed hij uit de wond en bungelde akelig aan zijn natte rode hengsel.

Hij zag letterlijk iets kloppen in de wond. Het was geen geruststellend gezicht.

Hij pakte het vlees weer vast, hield het op zijn plaats en drukte de handdoek erop.

Na een minuutje wachten stond hij op.

Als hij meteen om een ziekenwagen belde, kwamen ze misschien te snel. Hij zou de boel eerst een beetje opruimen en dan bellen.

Om te beginnen moest hij de douche schoonmaken.

Maar toen hij naar de douchekop reikte, leek die hoger te zitten dan hij zich herinnerde en zijn romp wilde liever niet gestrekt worden.

Hij zou het laten zitten en een of ander verhaal bedenken voor als Jean terugkwam van Sainsbury's.

Was ze naar Sainsbury's? Het was allemaal een beetje wazig.

Hij besloot dat hij zich beter kon aankleden.

Ook dat, besefte hij, zou niet meevallen. Hij had een onderbroek aan die drijfnat was van het bloed. In de kast in de slaapkamer lagen schone onderbroeken, maar om daar te komen moest hij tien meter beige tapijt over, en er liep een flinke hoeveelheid bloed langs zijn been.

Zijn voorbereiding had beter gekund.

Hij drukte de handdoek wat steviger tegen de wond en veegde het bloed van de vloer door op de andere twee handdoeken te gaan staan, en een paar minuten langzaam door de badkamer rond te schuifelen. Hij probeerde te bukken om de twee handdoeken op te rapen en ze vervolgens in de badkuip te gooien, maar zijn lichaam had al even weinig zin in bukken als in strekken.

Hij besloot het niet nog erger te maken. Hij strompelde de slaapkamer in en belde 999.

Toen hij achterom keek, zag hij echter dat hij voetstappen op het beige tapijt had gemaakt. Dat zou Jean helemaal niet leuk vinden.

'Politie, brandweer of ambulance?'

'Politie,' zei George zonder na te denken. 'Nee, wacht. Ambulance.'

'Ik verbind u door...'

'Met de ambulancedienst. Mag ik uw telefoonnummer?'

Wat was zijn telefoonnummer? Hij was het vergeten, merkte hij. Hij gebruikte het ook haast nooit.

'Hallo?' zei de vrouw aan de andere kant van de lijn.

'Sorry,' zei George, 'maar ik weet het nummer niet meer.'

'Maakt niet uit. Zegt u het maar.'

'Ja, goed. Ik heb me dus verwond. Met een grote beitel. Er is behoorlijk wat bloed.'

Katies nummer, bijvoorbeeld. Dat kon hij zich zonder moeite herinneren. Of niet? Eerlijk gezegd wist hij dat ook niet meer.

De vrouw aan de andere kant van de lijn zei: 'Mag ik uw adres?'

Ook daar moest hij diep over nadenken.

Toen hij had opgehangen, bedacht hij dat hij natuurlijk was vergeten om de beitel te zoeken voor hij in het bad stapte. Jean zou al boos genoeg zijn. Als ze erachter kwam dat hij deze knoeiboel had veroorzaakt door te proberen de kanker eraf te knippen met haar goeie schaar, zou ze witheet zijn.

Maar de beitel lag in de kelder en de kelder was heel ver weg.

Had hij nou opgehangen?

Was hij nou op zijn adres gekomen voordat hij had opgehangen? Als hij had opgehangen.

Ze konden telefoontjes traceren.

Althans, in films.

Maar in films vielen mensen ook bewusteloos neer als er iemand in hun schouder kneep.

Hij zag zichzelf in de spiegel in de gang, en vroeg zich af waarom er een gekke ouwe naakte vent bloedend naast hun telefoontafeltje stond.

De keldertrap was echt heel lastig.

Voordat Jean en hij veel ouder werden, was het misschien een idee om een nieuwe, minder steile trap te nemen. Een leuning zou ook geen kwaad kunnen.

Halverwege de kelder ging hij op iets staan wat voelde als een van die legosteentjes die Jacob soms liet slingeren, zo eentje met één nop. Hij struikelde en liet de handdoek vallen. Hij raapte de handdoek weer op. Die zat onder het zaagsel en allerlei dode insecten. Hij vroeg zich af wat hij met een handdoek moest. Hij legde hem op de vrieskist. Om de een of andere reden leek de handdoek doordrenkt te zijn met bloed. Dat zou hij tegen iemand moeten zeggen.

De beitel.

Hij stak zijn hand in het groene mandje en haalde hem onder de klauwhamer en de rolmaat vandaan.

Toen hij zich omdraaide om terug te lopen, zakte hij zachtjes door zijn knieën en rolde zijwaarts in het kinderbadje, dat ze half opgeblazen lieten om schimmelvorming aan de binnenkant te voorkomen.

Hij keek van heel dichtbij naar een afbeelding van een vis. Er spoot water omhoog uit de kop van de vis, wat erop duidde dat het een walvis was. Maar hij was ook rood, wat erop duidde dat het misschien toch een heel andere vis was.

Hij rook rubber en hoorde spattend water en zag kleine schelpvormige zonneglinsteringetjes voor zijn ogen dansen, en die erg aantrekkelijke jonge vrouw uit dat hotel in Portugal in haar limegroene bikini.

Als zijn geheugen hem niet bedroog, was dat waar ze dat smerige toetje in die uitgeholde ananas hadden gekregen.

Hij had bijzonder veel pijn, al was het moeilijk te zeggen hoe dat precies kwam.

Hij was ook heel moe.

Hij ging even slapen.
Ja, dat leek hem een goed idee.

61

Katie ging haar relatie redden.

Ze belde om acht uur naar kantoor. Ze wilde een boodschap inspreken, en werd volledig verrast toen Aidan opnam (als hij niet zo verdomd wakker had geklonken, had ze hem ervan verdacht dat hij op kantoor had geslapen – ze kon zich niet voorstellen dat hij extra werk deed wanneer er geen andere mensen keken).

'Mag ik raden?' zei Aidan sarcastisch. 'Je bent ziek.'

Het was eenvoudiger geweest om ja te zeggen, maar het was een dag voor eerlijkheid. Bovendien gaf ze Aidan niet graag gelijk. In niets. 'Nee, dat niet, maar ik neem vandaag toch vrij.'

'Dat gaat niet.'

Er klonk een klaterend geluid op de achtergrond. Hij stond toch niet te wateren met de draadloze telefoon in zijn hand? 'Jullie kunnen best een dagje zonder me.'

'Het Henley is op brandveiligheid gecontroleerd. De danszaal is afgekeurd. Werk aan de winkel voor ons, dus.'

'Aidan?' zei ze op de bitse snauwtoon die je gebruikte als stoute kinderen ergens onmiddellijk mee moesten ophouden.

'Ja?' zei hij met het wat trillende stemmetje dat stoute kinderen gebruikten als ze die bitse snauwtoon hoorden.

'Ik blijf thuis. Ik leg het je later wel uit. Ik zoek morgen een nieuwe zaal voor je.'

Aidan herstelde zich. 'Katie, als je hier om tien uur niet bent...'

Ze hing op. Het was heel goed mogelijk dat ze geen baan meer had. Het leek niet zo belangrijk.

Ray kwam even na negenen, nadat hij Jacob naar de crèche had gebracht. Hij belde naar zijn werk en sprak een paar mensen om er zeker van te zijn dat de zaak tijdens zijn afwezigheid niet volkomen in het honderd liep. Toen zei hij: 'En nu?'

Katie wierp hem zijn jas toe. 'We gaan met de metro de stad in. Jij mag kie-

196

zen wat we vanmorgen doen. Ik kies wat we vanmiddag doen.'

'Goed,' zei Ray.

Ze gingen opnieuw beginnen. Maar deze keer was ze niet alleen en niet wanhopig. Ze wilde weten of ze hem aardig vond, en niet alleen maar nodig had.

Dat hij moest leren omgaan met zijn woede kwam later wel aan de orde. Trouwens, als de bruiloft niet doorging, mocht iemand anders dat varkentje wassen.

Ray wilde naar het Millennium Wheel. Ze kochten kaartjes, moesten een halfuurtje wachten, en aten in die tijd een ijsje op een bankje, kijkend naar de sterke stroom van het water dat richting Noordzee trok.

'Weet je nog, wafelijs?' vroeg Katie. 'Zo'n dik rechthoekje ijs tussen twee van die dunne koekjes met een ruitjespatroon. Misschien bestaat het nog wel...'

Ray luisterde niet echt. 'Dit is net vakantie.'

'Mooi zo,' zei Katie.

'Het enige probleem met vakantie,' zei Ray, 'is dat je daarna weer naar huis moet.'

'Er schijnen maar drie dingen te zijn die meer stress veroorzaken dan op vakantie gaan,' zei Katie. 'Dood van je partner, van baan veranderen. En verhuizen, als ik me goed herinner.'

'Drie dingen?' zei Ray, starend in het water. 'En als je kind doodgaat?'

'Goed, misschien meer dan drie.'

'Vrouw dood, kind met handicap,' zei Ray.

'Dodelijke ziekte,' zei Katie. 'Arm of been kwijt. Auto-ongeluk.'

'Huis afgebrand.'

'Oorlogsverklaring.'

'Een hond aangereden zien worden.'

'Een mens aangereden zien worden.'

'Een mens aanrijden,' zei Ray.

'Een hond aanrijden.'

'Een heel gezin aanrijden.'

Ze lachten weer.

Ray vond het Wheel teleurstellend. Te goed gemaakt, zei hij. Hij wilde de wind door zijn haar en een roestige leuning, en een kleine kans dat het hele ding zou instorten.

Katie zat te denken dat ze een hoogtelimiet in haar plannen voor de dag had moeten opnemen. Ze was misselijk. Marble Arch, Battersea Power Station, de Augurk, een paar groene heuvels daar, die helemaal in Nepal leken te liggen. Ze staarde naar het lichte hout van de ovale bank in het midden, en probeerde te denken dat ze in de sauna zat.

Ray zei: 'Toen wij klein waren, hadden we familie die op een oude boerderij woonde. Via het slaapkamerraam kon je op het dak klimmen. Als pa en ma dat hadden geweten, waren ze razend geweest. Maar ik kan het me nu nog herinneren, dat gevoel dat je boven alles zat. Daken, weilanden, auto's... Alsof je God was.'

'Hoe lang hebben we nog te gaan?' vroeg Katie.

Ray leek geamuseerd. Hij keek op zijn horloge. 'Nog een kwartiertje.'

62

Alleen was het geen zwembad want haar limegroene achterwerk (ze heette Marianna, wist hij nu weer) gleed naar rechts, en hij hoorde ritmische klappen, het geluid van riemen die het water raakten, want hij keek naar de roeiwedstrijd tussen Oxford en Cambridge op televisie (of misschien was het wel Marlena), maar misschien niet op televisie, want hij leunde op een stevige granieten balustrade, al kon hij ook tapijt voelen dat tegen de zijkant van zijn gezicht drukte, wat erop duidde dat hij misschien toch binnenshuis was, en de verslaggever zei iets over de keuken, en een ficus kon je ook tekenen door er een foto van te nemen, en dan een dia op een groot vel papier te projecteren dat je op de muur had geplakt en hem dan over te trekken, wat sommige mensen misschien als valsspelen zouden beschouwen, al gebruikte Rembrandt lenzen, dat stond tenminste in dat stuk in *The Sunday Times*, of misschien was het Leonardo da Vinci, en die werden niet van valsspelen beticht, want het ging om het eindresultaat, en ze droegen wit en ze tilden hem op en het was geen kring van licht, meer een staande rechthoek boven aan een trap, al kon het ook zijn dat hij de diaprojector in 1985 had weggegooid, samen met het plastic badje en iemand zei 'George...? George...? George...?' en toen ging hij de rechthoek van helder licht in, en werd er iets over zijn mond heen gedaan, en de deuren gingen dicht en nu steeg hij op in een soort kristallen liftkoker recht boven het huis, en toen hij omlaag keek zag hij het onafgemaakte atelier en de verstopte dakgoot boven het badkamerraampje, waaraan hij nog steeds niets gedaan had, en een stoomtrein op de Nene Valley Railway, en de drie meren van het Country Park, en de lappendeken van weiden, en dat restaurantje in Agrigento, en de vlinders in de Pyreneeën, en de kruislingse condensatiestrepen van straalvliegtuigen, en het blauw van de lucht dat langzaam zwart werd, en het sterke kleine vuur van de sterren.

63

Jean had altijd moeite gehad met haar zuster. Zelfs al voor haar wedergeboorte. Eerlijk gezegd was het zelfs iets beter na haar wedergeboorte. Want toen was er een duidelijke reden dat ze moeite had met Eileen. Je wist dat het nooit wat zou worden tussen jullie, want zij ging naar de hemel en jij niet, dus hoefde je het ook niet meer te proberen.

Maar allemachtig, alleen al door de manier waarop ze een vormloos bruin vest droeg, kon ze je het gevoel geven dat je hebberig en zelfzuchtig was.

Tijdens de lunch kwam ze zwaar in de verzoeking om David ter sprake te brengen. Puur om het gezicht van haar zuster te zien. Maar Eileen zou het waarschijnlijk als haar morele plicht beschouwen om George op de hoogte te stellen.

Het maakte niet meer uit. De beproeving zat er weer op voor een jaar.

Tegen de tijd dat ze thuiskwam, verheugde ze zich op een gesprek met George. Over wat dan ook.

Maar toen ze met haar sleutels in haar hand stond besefte ze dat er iets mis was. Door het matglazen ruitje zag ze dat het telefoontafeltje scheef stond. En onder aan de trap lag iets donkers. Het leek armen of mouwen te hebben. Ze hoopte bij God dat het mouwen waren.

Ze deed de deur open.

Het was een jas.

Toen zag ze het bloed. Op de trap. Op het tapijt in de gang. Op de muur naast de deur van de huiskamer zat een bloedige handafdruk.

Ze riep George, maar het bleef stil.

Haar eerste impuls was naar de buren te rennen en daar de politie te bellen. Maar ze dacht zich het gesprek in: ze kon niet zeggen waar hij was of wat er met hem was gebeurd. Zij moest hem als eerste zien.

Ze stapte naar binnen, met ieder haartje op haar lichaam recht overeind. Ze liet de deur op een kier staan. Om die verbinding te behouden. Met de hemel. Met de lucht. Met de gewone wereld.

De huiskamer zag er nog net zo uit als toen ze vanmorgen van huis was gegaan.

Ze liep de keuken in. Het zeil zat onder het bloed. Hij had iets willen wassen. Het deurtje van de wasmachine stond open en op het werkblad erboven stond een doos Persil-tabletten.

De kelderdeur stond open. Langzaam liep ze de trap af. Meer bloed. Allemaal grote vegen aan de binnenkant van het kinderbadje, en strepen langs de zijkant van de vrieskist. Maar geen lichaam.

Ze deed heel, heel erg haar best om niet te denken aan wat hier was gebeurd.

Ze ging de eetkamer in. Ze ging naar boven. Ze ging de slaapkamers in. Toen ging ze de badkamer in.

Hier hadden ze het gedaan. In de douche. Ze zag het mes en wendde haar hoofd af. Ze wankelde achteruit en zakte in de stoel op de gang en gaf zich over aan haar snikken.

Ze hadden hem na afloop meegenomen.

Ze moest iemand bellen. Ze kwam overeind en strompelde de overloop over naar hun slaapkamer. Ze nam de telefoon in haar hand. Dat leek ineens een heel vreemd ding. Alsof ze er nog nooit een had gezien. De twee delen die uit elkaar gingen. Dat geluidje dat eruit kwam. Die drukknopjes met die zwarte cijfers.

Ze wilde de politie niet bellen. Ze wilde niet met vreemden praten. Nog niet.

Ze belde Jamie op zijn werk. Hij was niet op kantoor. Ze belde zijn nummer thuis en sprak een boodschap in.

Ze belde Katie. Die was niet thuis. Ze sprak een boodschap in.

Ze wist hun mobiele nummers niet meer.

Ze belde David. Hij zei dat hij er over een kwartier zou zijn.

Het was ondraaglijk koud in het huis en ze stond te bibberen.

Ze liep naar beneden, pakte haar winterjas en ging op het tuinmuurtje zitten.

64

Jamie stopte op de weg terug van Tony's huis bij een 24-uurstankstation en kocht een pakje Silk Cut, een Twix, een Cadbury's Boost en een Yorkie. Toen hij uiteindelijk in slaap viel, had hij alle chocola opgegeten en elf sigaretten gerookt.

Toen hij de volgende morgen wakker werd, had iemand een kleerhanger van ijzerdraad in de ruimte tussen zijn hersenen en zijn schedel gevouwen. Hij was ook te laat en had geen tijd om te douchen. Hij kleedde zich aan, sloeg een kop oploskoffie met twee pijnstillers achterover, en rende naar de metro.

In de metro herinnerde hij zich dat hij Katie had moeten terugbellen. Nadat hij was uitgestapt haalde hij zijn mobieltje uit zijn zak, maar zag er toch te veel tegenop. Hij zou vanavond wel bellen.

Hij stapte het kantoor in en besefte dat hij had moeten bellen.

Dit kon zo niet doorgaan.

Het ging verder dan Tony. Hij stond op een kruispunt. Wat hij de komende paar dagen deed, zou de koers voor de rest van zijn leven bepalen.

Hij wilde dat mensen hem aardig vonden. En mensen vonden hem ook aardig. Vroeger, tenminste. Maar het ging niet zo makkelijk meer. Het ging niet vanzelf. Hij kreeg niet zomaar meer het voordeel van de twijfel. Ook niet van zichzelf.

Als hij niet uitkeek, werd hij zo'n man die meer om meubels geeft dan om mensen. Zou hij uiteindelijk gaan samenwonen met iemand die ook meer om meubels dan om mensen gaf, en een leven leiden dat van buitenaf volkomen normaal leek, maar in feite al een soort dood was, met een hart verschrompeld tot een rozijn.

Of nog erger: hij zou van het ene groezelige avontuurtje naar het andere waggelen, moddervet geworden omdat het niemand iets kon schelen hoe hij eruitzag, en vervolgens een of andere afschuwelijke ziekte oplopen, omdat hij zo dik was en een lange, langzame dood sterven op een ziekenhuisafdeling vol seniele ouwe kerels die naar urine en kool stonken, en jankten in de nacht.

Hij wierp zich op het intypen van de details van Jack Rileys drie nieuwbouwtjes in West-Hampstead. Ongetwijfeld met een of andere tikfout of verkeerd fotobijschrift zodat Riley kon komen binnenstormen om te eisen dat iemand op zijn lazer kreeg.

De vorige keer had Jamie de zinsnede 'woning verzakt gegarandeerd tussen aankoop en oplevering' toegevoegd, en het geheel uitgeprint tot vermaak van Shona, maar hij moest het velletje haastig weer wegpakken toen hij Riley bij de receptie met Stuart zag staan praten.

Slaapkamer 1. 4,88m max x 3,40m max. Twee schuiframen aan voorkant. Plankenvloer. Telefoonaansluiting...

Hij vroeg zich weleens af waarom hij dit werk in godsnaam deed.

Hij wreef zich in de ogen.

Hij moest ophouden met dat geklaag. Hij ging een goed mens worden. En goede mensen klaagden niet. In Afrika gingen kinderen dood. Jack Riley deed er in het grote geheel niet toe. Sommige mensen hadden niet eens werk.

Gewoon tanden op elkaar.

Hij plakte de interieurfoto's erin.

Aan het bureau tegenover hem zat Giles weer met zijn pen te spelen: tussen duim en wijsvinger heen en weer laten wippen, dan omhooggooien, en een even aantal saltootjes laten maken alvorens hem bij het juiste uiteinde op te vangen. Wat Jamie met zijn zakmes deed. Toen hij negen was.

En als het iemand anders was geweest, Josh, of Shona, of Michael, was het misschien niet zo erg geweest. Maar het was Giles. Die een sjaaltje droeg. En het zilverpapier van een Penguin haalde, dat dubbelvouwde, en dan de onderkant van deze koekreep in het nu dubbel zo dikke zilverpapier wikkelde, zodat er een soort foliehoorntje ontstond waardoor hij geen chocola aan zijn vingers kreeg, en je hem een kogel door zijn kop wou schieten. En hij maakte ook dat geluid, elke keer dat de pen terugviel in zijn hand. Dat kleine klakje met zijn tong. Zoals wanneer je een paard voor kinderen nadeed. Maar dan telkens één klakje.

Jamie vulde een paar aankoopcontracten in en printte drie taxatierapporten.

Hij nam het Tony niet kwalijk. Jezus, hij had zich volkomen belachelijk gemaakt. Tony had gelijk dat hij de deur in zijn gezicht had dichtgegooid.

Hoe kon je in godsnaam van iemand verwachten dat hij van je hield als je jezelf niet eens zag zitten?

Hij typte de bijbehorende brieven, deed alles in enveloppen en belde een aantal mensen terug.

Om half een ging hij naar buiten, kocht een broodje, en at dat onder Karens paraplu in de regen in het park op, dankbaar dat het betrekkelijk rustig was.

Hij had nog steeds hoofdpijn. Terug op kantoor bietste hij twee pijnstillers van Shona, en bleef daarna een groot deel van de middag gebiologeerd door de wolken, die zo boeiend langs het raampje naast de trap trokken, en wilde niets liever dan thuis op de bank liggen met een beker fatsoenlijke thee en een rol koekjes.

Giles begon om 02:39 weer met zijn pen, en was daar om 02:47 nog steeds mee bezig.

Had Tony iemand bij zich gehad? Nou ja, Jamie had weinig recht van spreken. Zonder die desastreuze garnalen was hij met Mike het bed in gedoken. Waarom zou Tony dan alleen moeten zijn?

Dat was wat het inhield, hè, om een goed mens te zijn. Je hoefde geen putten te slaan in Burkina Fasso. Je hoefde je salontafel niet weg te geven. Je moest je gewoon in anderen verplaatsen. Niet vergeten dat het ook mensen waren.

Zoals die zak van een Giles Mynott dus niet deed.

Klak. Klak. Klak.

Jamie moest plassen.

Hij stapte van zijn kruk af, draaide zich om, en botste tegen Josh aan, die met een beker verbluffend hete koffie op weg was naar zijn bureau.

Jamie hoorde zichzelf op zeer luide toon zeggen: 'On. Ge. Looflijke. Klootviool.'

Het werd erg stil op kantoor.

Stuart kwam naar hem toe lopen. Alsof het schoolhoofd weer over de speelplaats beende, toen hij Sharon Parkers blazer had stukgetrokken.

'Alles goed, Jamie?'

'Het spijt me. Het spijt me echt.'

Stuart hing Mister Spock weer uit: je had geen flauw idee wat hij dacht.

'De bruiloft van mijn zuster gaat niet door,' zei Jamie. 'Mijn vader is ingestort en mijn moeder gaat bij een andere man wonen.'

Het had effect op Stuart. 'Misschien moest je de rest van de middag maar vrij nemen.'

'Ja. Dank je wel. Dat zal ik doen. Dank je. Sorry.'

Hij zat in de metro en wist dat hij naar de hel zou gaan. Alleen door Katie en zijn moeder te bellen zodra hij thuiskwam, kon hij de gloeiende vorken beperken die hem te wachten stonden.

Tegenover hem zat een oude man met een verschrompelde hand. Hij droeg een gele regenjas, en had een soort vettige pukkel met papieren bij zich, hij keek Jamie ongegeneerd aan en mompelde voor zich uit. Jamie was zeer opgelucht toen hij bij Swiss Cottage uitstapte.

Zijn moeder bellen werd lastig. Werd hij geacht te weten dat ze bij zijn vader wegging? Werd Katie zelf geacht dat te weten? Ze kon een gesprek hebben opgevangen en overhaaste conclusies getrokken. Die neiging had ze.

Hij zou eerst Katie bellen.

Maar toen hij thuiskwam stond er een boodschap op het antwoordapparaat. Hij drukte op Play en trok zijn jasje uit.

Eerst dacht hij dat het een geintje was. Of een gek die verkeerd had gedraaid. Het was een vrouw die hyperventileerde.

Toen zei de vrouw zijn naam: 'Jamie...? Jamie...?' en hij besefte dat het zijn moeder was en moest hij gauw op de armleuning van de bank gaan zitten.

'Jamie...? Ben je daar...? Er is iets vreselijks gebeurd met je vader. Jamie...? O, verdomme, verdomme, verdomme...'

Een klik en de boodschap was weg.

Niets maakte geluid, niets bewoog. Toen schoot hij overeind en wierp zich op de telefoon, die hij op de grond stootte.

Het nummer van zijn ouders. Shit, wat was hun nummer? Jezus, dat moest hij wel zevenduizend keer gedraaid hebben. Nul een zeven drie drie... twee vier twee...? Twee twee vier...? Twee vier vier? Godsamme.

Hij was al bezig Inlichtingen te bellen toen het nummer hem weer te binnen schoot. Hij toetste het in. Hij telde de keren dat het toestel overging. Veertig. Niemand nam op.

Hij belde Katie.

Antwoordapparaat.

Hij hing op en belde haar mobiele nummer.

Voicemail. Verdomme nog aan toe.

'Katie. Met Jamie. Shit. Je bent er niet. Kut. Ik heb net een heel eng telefoontje van ma gehad. Bel me, oké? Nee. Bel me maar niet. Ik ga naar Peterborough. Misschien ben jij daar trouwens al. Ik spreek je gauw. Ik ga nu meteen.'

'Iets vreselijks'? Waarom waren ouwe mensen altijd zo godvergeten vaag?

Hij rende naar boven voor de autosleuteltjes en weer naar beneden en moest in de gang eventjes tegen de muur leunen om niet van zijn stokje te gaan, en de gedachte kwam bij hem op dat hij dit op de een of andere onduidelijke manier had veroorzaakt, door Katie niet terug te bellen, door Ryan voor niets te laten komen, door niet van Tony te houden, door Stuart niet de hele waarheid te vertellen.

Maar tegen de tijd dat hij de M25 kruiste, voelde hij zich verrassend goed.

Hij had noodsituaties eigenlijk altijd leuk gevonden. Voor zover hij zelf niet in nood zat, tenminste. Je ging je eigen moeilijkheden in hun juiste verhoudingen zien. Het was net als wanneer je op een veerboot zat: je hoefde een paar uur lang niet na te denken over wat je doen moest of waar je heen moest. Dat lag allemaal al vast.

In tijden van oorlog pleegde niemand zelfmoord, zeiden ze toch?

Hij ging met zijn vader praten. Echt praten. Over alles.

Jamie had zijn vader altijd de schuld gegeven van hun gebrek aan communicatie. Hem altijd als een dooie piet beschouwd. Uit lafheid. Zag hij nu in. En luiheid. Om zijn eigen vooroordelen maar bevestigd te zien.

Baldock, Biggleswade, Sandy...

Nog veertig minuten en hij was er.

65

Katie en Ray stonden voor een plastiek getiteld *Hert in bliksemlicht*. Bestaande uit een balk die uit de muur stak en waar een gekartelde zwarte metalen pin aan hing, en wat troep op de grond eronder, die het hert en een geit en een paar 'primitieve dieren' moest voorstellen, al had het in Katies ogen ook de kruisiging van Christus of het recept voor wentelteefjes kunnen voorstellen.

Het aluminium hert was van een strijkplank gemaakt. Dat wist ze omdat ze het kartonnen bordje erbij vrij uitvoerig had gelezen. Ze had een heleboel kartonnen bordjes gelezen en veel uit ramen gestaard en over het privéleven van veel van hun medebezoekers gefantaseerd doordat Ray de kunst uitgebreid bekeek. En daar baalde ze van.

Ze was hier om de verkeerde reden heen gegaan. Ze wilde in haar element zijn, maar dat was ze niet. En ze wilde dat hij niet in zijn element was, maar dat was hij wel.

Je kon zeggen wat je wou van Ray, maar je kon hem midden in Turkmenistan neerzetten, en tegen de tijd dat het donker werd, zou hij in het dichtstbijzijnde dorp paard zitten te eten, en te roken wat daar gerookt werd.

Hij won. En het was geen wedstrijd. Het was kinderachtig om het als een wedstrijd te zien. Maar toch won hij. En zij had moeten winnen.

Eindelijk zaten ze in het museumrestaurant.

Hij hield een suikerklontje zo dat de onderste hoek net zijn thee raakte, en een bruine vloedlijn het klontje langzaam veroverde. Hij zei: 'Het meeste is natuurlijk waardeloos, maar... het is net als met ouwe kerken en zo. Je komt tot rust en je kijkt... wat is er, kind?'

'Niets.'

Ze zag het nu. Dat gooien met die vuilnisbak was het probleem niet. Het niet winnen was het probleem.

Ze vond het prettig dat ze intelligenter was dan Ray. Ze vond het prettig dat zij Frans sprak en hij niet. Ze vond het prettig dat zij een uitgesproken mening over de bio-industrie had en hij niet.

Maar dat telde helemaal niet. Hij was een beter mens. In elk opzicht dat ertoe deed. Behalve dan dat gooien met vuilnisbakken. En, in alle eerlijkheid, als ze wat sterker was geweest, had ze zelf vroeger ook wel eens met een vuilnisbak gesmeten.

Tien minuten later zaten ze op de grote helling naar beneden te kijken, de enorme Turbinehal van het Tate Modern in.

Ray zei: 'Ik weet dat je heel erg je best doet, lieverd.'

Katie zei niets.

Ray zei: 'Je hoeft het niet te doen.' Hij zweeg even. 'Je hoeft niet met me te trouwen vanwege Jacob en het huis en geld en zo. Ik zal je niet op straat zetten. Je mag het helemaal zelf weten. Ik zal in elk geval mijn best doen.'

66

Toen Jamie de wachtkamer in liep, sprong een nette man van achter in de zestig uit een van de oranje plastic stoeltjes op, en versperde Jamie op enigszins verontrustende wijze de weg.

'Jamie?'

'Ja?'

De man droeg een linnen jasje en een antracietgrijze coltrui. Hij zag er niet uit als een arts.

'David Symmonds. Ik ben een kennis van je moeder. Ik ken haar van de boekwinkel waar ze werkt, in de stad.'

'Oké.'

'Ik heb haar hierheen gebracht met de auto,' zei de man. 'Ze had me gebeld.'

Jamie wist niet precies wat de bedoeling was. Moest hij de man bedanken? Betalen? 'Ik denk dat ik mijn moeder ga zoeken.' De man had iets bekends, wat Jamie een raar gevoel gaf. Hij zag eruit als een nieuwslezer, of iemand uit een reclamespotje.

De man zei: 'Toen je moeder thuiskwam, bleek dat je vader naar het ziekenhuis was gebracht. We denken dat er werd ingebroken.'

Jamie luisterde niet. Na de paniektelefoontjes die hij had gepleegd toen hij in het dorp voor het dichte huis stond, wilde hij nu niet worden opgehouden.

De man vervolgde: 'En we denken dat je vader de inbrekers heeft verrast. Maar het valt mee... Sorry. Dat is een belachelijke opmerking. In elk geval leeft hij nog.'

Jamie voelde zich ineens heel slap.

'Er was erg veel bloed,' zei de man.

'Hè?'

'In de keuken. In de kelder. In de slaapkamer.'

'Wat klets je nou?' zei Jamie.

De man deed een stap terug. 'Hij ligt in bed vier. Eh... ik denk dat ik maar het beste naar huis kan gaan. Nu jij hier bent om voor je moeder te zorgen.' De man had zijn handen als een dominee ineengeslagen. Er zat een gestreken vouw in zijn canvasbroek.

Ze hadden geprobeerd om Jamies vader te vermoorden.

De man vervolgde: 'Wens haar veel sterkte. En zeg maar dat ik aan haar denk.'

'Goed.'

De man stapte opzij en Jamie liep naar bed vier. Hij bleef voor het gordijn staan en zette zich schrap voor wat hem te wachten stond.

Maar toen hij het gordijn wegduwde, trof hij zijn ouders lachend aan. Dat wil zeggen, zijn moeder lachte, en zijn vader keek geamuseerd. Dat had hij lang niet gezien.

Zijn vader had geen zichtbare verwondingen, en toen ze zich beiden naar Jamie omdraaiden, kreeg hij de absurde indruk dat hij een zeldzaam romantisch moment verstoorde.

'Pa?' zei Jamie.

'Dag Jamie,' zei zijn vader.

'Het spijt me van die boodschap die ik had ingesproken,' zei zijn moeder. 'Je vader heeft een ongelukje gehad.'

'Met een beitel,' legde zijn vader uit.

'Een beitel?' vroeg Jamie. Was die man in de wachtkamer een gek?

Zijn vader lachte voorzichtig. 'Ik vrees dat ik er thuis nogal een knoeiboel van heb gemaakt. Toen ik het probeerde op te ruimen.'

'Maar alles is nu weer goed,' zei zijn moeder.

Jamie kreeg de indruk dat hij zich kon verontschuldigen dat hij ze had gestoord, en vervolgens weg kon lopen zonder dat iemand dat ook maar enigszins vervelend of vreemd zou vinden. Hij vroeg aan zijn vader hoe die zich voelde.

'Het doet een beetje pijn.'

Jamie wist niet wat hij hierop moest zeggen, dus richtte hij zich maar tot zijn moeder. 'Ik sprak net iemand in de wachtruimte. Hij zei dat hij je hierheen had gebracht.'

Hij wilde gaan zeggen dat de man haar sterkte wenste, maar zijn moeder veerde met een geschrokken gezicht op en zei: 'O, is die er nog steeds?'

'Hij ging nu weg. Nu je hem niet meer nodig had.'

'Misschien ben ik nog op tijd,' zei ze, en ze zette koers naar de wachtruimte.

Jamie ging in de stoel zitten naast het bed van zijn vader en terwijl hij dat deed, wist hij weer wie David Symmonds was. En wat Katie in haar ingesproken boodschap had gezegd. En hij zag zijn moeder voor zich die de wachtruimte door rende, het ziekenhuis uit, en in een rood sportwagentje stapte en het portier dichtsloeg, waarna de bestuurder een dot gas gaf en het tweetal in een wolk uitlaatgas verdween.

Dus toen zijn vader zei: 'Het zit eigenlijk anders', dacht Jamie dat het over de verhouding ging, en hij zei bijna iets heel doms.

'Ik heb kanker,' zei zijn vader.

'Pardon?' zei Jamie, want hij geloofde niet dat hij het goed had verstaan.

'Dat wil zeggen, ik had het,' zei zijn vader.

'Kanker?'

'Volgens dokter Barghoutian was het eczeem,' ging zijn vader verder, 'maar ik had mijn twijfels.'

Wie was dokter Barghoutian?

'Dus heb ik het weggehaald,' zei zijn vader.

'Met een beitel?' Jamie besefte dat Katie gelijk had gehad. In alles. Er was duidelijk iets mis met zijn vader.

'Nee, met een schaar.' Zijn vader zei het op volkomen normale toon. 'Op dat moment leek het een logische stap.' Zijn vader zweeg even. 'Om eerlijk te zijn lukte het me niet om het helemaal weg te knippen. Dat was veel lastiger dan ik had gedacht. Eerst dacht ik dat ze dat rotding er weer aan gingen naaien. Maar je schijnt zoiets beter te kunnen weggooien, en de wond van onder af laten granuleren. Dat heeft die aardige vrouwelijke arts uitgelegd. Een Indiase, geloof ik.' Hij zweeg weer even. 'Het is waarschijnlijk beter om niets tegen je moeder te zeggen.'

'Goed,' zei Jamie, hoewel hij niet precies wist waarmee hij akkoord ging.

'En...' zei zijn vader, 'hoe is het met jou?'

'Met mij is het prima,' zei Jamie.

Ze zwegen enige ogenblikken.

Toen zei zijn vader: 'Ik had een akkefietje aan de hand.'

'Ik heb het van Katie gehoord,' zei Jamie.

'Maar het is nu opgelost, hoor.' De ogen van zijn vader begonnen dicht te vallen. 'Als je het niet erg vindt, ga ik even een dutje doen. Het is een vermoeiende dag geweest.'

Jamie raakte even in paniek bij de gedachte dat zijn vader ineens doodging waar hij bij zat. Hij had nog nooit iemand zien doodgaan, en wist niet precies wat de tekenen waren die daarop wezen. Maar toen hij het gezicht van zijn vader goed bekeek, zag het er net zo uit als wanneer hij thuis op de bank lag te dutten.

Binnen een paar tellen snurkte zijn vader.

Jamie pakte zijn hand. Dat leek bij het moment te passen. Daarna voelde het nogal raar om dat te doen, en liet hij de hand weer los.

In een ander bed kreunde een vrouw alsof ze lag te bevallen. Maar dat zou toch wel een andere afdeling zijn?

Welk deel van zijn lichaam had zijn vader geprobeerd af te snijden?

Maakte het uit? Geen enkel antwoord zou de vraag normaal maken.

Jezus. Zijn vader had dit gedaan. De man die boeken op alfabet zette en klokken opwond.

Misschien luidde het de dementie in.

Jamie hoopte vurig dat zijn moeder er niet vandoor was. Zodat Katie en hij hun vader niet zouden hoeven te verzorgen gedurende zijn langzame aftakeling op weg naar een of ander ellendig verpleeghuis.

Het was een harteloze gedachte.

Terwijl hij nou juist zo zijn best deed om met harteloze gedachten te stoppen.

Misschien was dat wel wat hij nodig had. Iets wat zijn leven overhoop haalde. Terug naar het dorp. Zijn vader verzorgen. Weer leren om een echt mens te zijn. Een soort spirituele ervaring.

Het gordijn ruiste even, en zijn moeder was terug. 'Sorry. Ik kreeg hem nog net te pakken. Iemand van mijn werk. David. Hij heeft me hierheen gebracht.'

'Pa slaapt,' zei Jamie, een vrij overbodige opmerking gezien het gesnurk.

Ging zij met die man naar bed? Het was wel een dag van onthullingen.

Zijn moeder ging zitten.

'Pa zei dat hij kanker had,' zei Jamie na een moment.

'O dat, ja.'

'Had hij dan geen kanker?'

'Niet volgens dokter Barghoutian.'

'O,' zei Jamie.

Jamie wilde iets over de schaar zeggen. Maar toen hij de zin in zijn gedachten vormde, leek die te bizar om uit te spreken, een zieke dagdroom. Hij zou spijt krijgen als hij die meteen zou doorvertellen.

Zijn moeder zei: 'Sorry, ik had het je moeten zeggen voor je hierheen kwam.'

Jamie wist weer niet precies wat ze bedoelde.

Ze zei: 'Het gaat de laatste tijd niet zo goed met je vader.'

'Dat weet ik.'

'We hopen dat het op den duur wel weer overgaat,' zei zijn moeder.

Dus ze ging er niet vandoor met die man. Niet in de naaste toekomst.

Jamie zei: 'God, het komt wel allemaal tegelijk, hè?'

'Hoezo?' Zijn moeder keek bezorgd.

Jamie zei: 'Nou, met de bruiloft die niet doorgaat en zo.'

Het gezicht van zijn moeder ging van het ene soort bezorgd naar een ander soort bezorgd, en Jamie besefte onmiddellijk dat ze niet wist dat de bruiloft niet doorging, en dat hij zijn mond voorbij had gepraat, en dat Katie hem ging vermoorden, en Ray misschien ook wel, en dat zijn moeder ook niet al te blij met hem zou zijn, en dat hij had Katie gewoon meteen had moeten terugbellen.

'Hoezo gaat de bruiloft niet door?' vroeg zijn moeder.

'Eh...' Nu was Jamie voorzichtig. 'Ze zei iets door de telefoon... Ze had iets ingesproken... Ik heb haar zelf sindsdien nog niet gesproken... Het kan een misverstand zijn...'

Zijn moeder veegde iets van haar rok. 'Nou, dat is dan in elk geval een zorg minder.'

67

Katie en Ray gingen via de crèche naar huis.

Jacob was bovenmatig nieuwsgierig waarom ze hem samen kwamen ophalen. Hij voelde dat er iets niet klopte. Maar ze wist hem af te leiden door te zeggen dat ze een piano aan het plafond hadden zien hangen (*Concert for Anarchy*, 1990, van Rebecca Horn, jezus, ze kon daar waarschijnlijk zo een baan krijgen) en algauw had hij het met Ray over Australië dat op zijn kop lag, maar ook weer niet, en dat holbewoners na dinosaurussen maar voor paard-en-wagens kwamen.

Toen ze thuiskwamen, luisterde ze het antwoordapparaat af en hoorde een bizarre stem zeggen dat er iets vreselijks was gebeurd met haar vader. Zo bizar dat het wel om iemand anders z'n vader moest gaan, dacht ze. Toen zei de vrouw dat ze Jamie ging bellen en besefte Katie dat het haar moeder was, en schrok zich dood. Dus speelde ze de boodschap nog eens af. En de tweede keer klonk hij net zo. En toen raakte ze echt in paniek.

Maar er stond nog een boodschap op. Van Jamie.

'... Ik heb net een heel eng telefoontje van ma gehad. Bel me, oké? Nee. Bel me maar niet. Ik ga naar Peterborough. Misschien ben jij daar trouwens al. Ik spreek je gauw. Ik ga nu meteen.'

Jamie zei ook niet wat er met pa was.

Shit.

Ze zei tegen Ray dat ze met de auto naar Peterborough ging. Ray zei dat hij haar wel zou brengen. Ze zei dat hij bij Jacob moest blijven. Ray zei dat ze Jacob konden meenemen. Ze zei dat dit een belachelijk voorstel was. Ray zei dat hij haar niet ging laten rijden als ze zo van streek was.

Jacob hoorde het laatste deel van dit gesprekje.

Ray hurkte voor hem neer en zei: 'Opa is een beetje ziek. Daarom gaan we nu naar hem toe, om even bij hem te kijken. Heb je zin in zo'n avontuur?'

'Denk je dat hij chocola wil?' vroeg Jacob.

'Wie weet,' zei Ray.

'Hij mag de rest van mijn chocoladeknopen.'

'Ik pak de chocoladeknopen,' zei Ray. 'Pak jij dan boven je pyjama en tandenborstel en een schone onderbroek voor morgen?'

'Goed.' Jacob drentelde weg.

Pa had geprobeerd om zelfmoord te plegen. Een andere verklaring kon ze niet bedenken.

Ray zei: 'Pak jij je eigen spullen bij elkaar. Dan doe ik die van mij en Jacob.'

Wat kon het anders zijn in z'n eentje in die slaapkamer? Pillen? Scheermesjes? Touw? Ze moest het weten, al was het maar om de beelden uit haar gedachten te bannen.

Misschien was hij in zijn verwarde toestand het huis uit gelopen en aangereden.

Het was haar schuld. Hij had haar om hulp gevraagd en zij had haar moeder ermee opgezadeld, hoewel ze wist dat die het helemaal niet aankon.

Shit, shit, shit.

Ze graaide een trui uit de la en de kleine rugzak uit de hangkast.

Leefde hij eigenlijk nog?

Had ze maar wat langer met hem gepraat. Had ze maar een week vrij genomen en was ze maar naar haar ouders gegaan. Had ze maar wat meer bij haar moeder aangedrongen. Ze wist verdomme niet eens of hij naar de dokter was geweest. De laatste paar dagen had ze niet eens aan hem gedacht. Niet één keer.

In de auto leek het wat makkelijker. En Ray had gelijk: zij zou inmiddels al iemand hebben geramd. Ze worstelden zich door de staart van het spitsuur, file na file, stoplicht na stoplicht. Ray en Jacob hielden de vaart erin met een paar duizend coupletten van 'De wielen van de bus'.

Tegen de tijd dat ze in Peterborough aankwamen, was Jacob in slaap gevallen.

Ray stopte voor het huis, zei: 'Jij blijft hier', en stapte uit.

Ze wilde protesteren. Ze was geen kind. En het was haar vader. Maar ze was doodmoe, en blij dat een ander de beslissingen nam.

Ray klopte aan en stond lang te wachten. Niemand deed open. Hij liep om naar achteren.

Aan het eind van de straat reden drie kinderen om de beurt met een fiets over een schansje dat ze van een plank en een krat hadden gemaakt, net als zij toen ze negen was, samen met Juliet.

Ray bleef erg lang weg. Ze stapte uit en liep al op het pad naast het huis toen Ray de hoek om kwam.

Hij stak zijn hand op. 'Nee. Niet verder.'

'Waarom niet?'

'Er is niemand thuis.'

'Hoe weet je dat?'

'Ik heb een raampje ingeslagen en de achterdeur opengemaakt.' Hij draaide haar om en liep met haar terug naar de auto.

'Wát heb je gedaan?'

'Ik vertel het je straks wel. Eerst het ziekenhuis bellen.'

'Waarom mag ik niet binnen gaan kijken?' vroeg Katie.

Ray pakte haar beide schouders beet en keek haar recht aan. 'Laat het even aan mij over.'

Hij deed het portier open, pakte zijn mobieltje uit het handschoenenkastje en toetste een nummer.

'George Hall,' zei Ray. 'Dat klopt.'

Ze wachtten.

'Dank u,' zei Ray.

'En?' vroeg Katie.

'Hij ligt in het ziekenhuis,' zei Ray. 'Stap maar in.'

'Wat zeiden ze dan over hem?'

'Niks.'

'Waarom niet?'

'Ik heb niks gevraagd.'

'Jezus, Ray.'

'Als je geen familie bent, zeggen ze toch niks.'

'Ik ben goddomme toch familie.'

'Sorry,' zei Ray. 'Maar stap nou in, alsjeblieft.'

Ze stapte in de auto en Ray reed weg.

'Waarom mocht ik het huis niet in?' vroeg Katie. 'Wat was er dan?'

'Een heleboel bloed,' zei Ray heel zachtjes.

68

Kort nadat Jean Jamie naar de cafetaria van het ziekenhuis had gestuurd om wat te gaan eten, verscheen er een arts. Hij droeg een donkerblauwe pullover met V-hals zonder stropdas, zoals dat tegenwoordig bij artsen de gewoonte was.

'Mevrouw Hall?'

'Ja?'

'Ik ben dokter Parris.'

Hij gaf haar een hand. Het was een knappe man. Hij had iets van een rugby-speler.

Hij zei: 'Komt u even mee?' op zo'n beleefde toon dat ze vergat om bezorgd te zijn. Ze gingen aan de andere kant van het gordijn staan.

'En?' vroeg ze.

Hij wachtte even. 'We willen uw man vannacht graag hier houden.'

'Oké.' Het klonk als een verstandig idee.

Hij zei: 'We willen graag een psychiatrisch onderzoek doen.'

Ze zei: 'O, ja, hij is de laatste tijd inderdaad nogal somber.' Ze was onder de indruk van de grondigheid van het ziekenhuis, maar begreep niet hoe ze dit wisten. Misschien had dokter Barghoutian iets in Georges dossier gezet. Wat een beetje zorgwekkend was.

Dokter Parris zei: 'Als iemand zichzelf iets heeft aangedaan, willen we graag weten waarom. Of dat eerder is gebeurd. Of het waarschijnlijk is dat het weer ge-beurt.'

Jean zei: 'Een paar jaar terug heeft hij zijn elleboog gebroken. Meestal is hij heel voorzichtig.' Ze wist echt niet waar dokter Parris op doelde. Ze glimlachte.

De dokter glimlachte ook, maar het was eigenlijk geen glimlach. 'En die elle-boog brak hij...?'

'Toen hij van een ladder viel.'

'Ze hebben u niet over de schaar verteld, hè?'

'Welke schaar?'

Dus vertelde hij haar over de schaar.

Ze wilde tegen de dokter zeggen dat hij George met iemand anders had verward. Maar hij wist van het bloed en de badkamer en het eczeem. Ze voelde zich dom dat ze in zijn idiote beitelverhaal was getrapt. En ze vreesde voor George.

Straks was hij niet goed meer bij zijn hoofd.

Ze wilde dokter Parris vragen wat er precies met George aan de hand was, of het erger zou worden, of het blijvend was. Maar dat waren egoïstische vragen, en ze wilde niet nog eens voor gek staan. Dus ze bedankte hem en ging weer in de stoel naast Georges bed zitten. Pas toen ze had gezien dat dokter Parris van de zaal af was en er niemand keek, huilde ze stilletjes.

69

Jamie zat koffie te drinken en een kaas-uientaartje te eten in het Kenco Restaurant (Dagschotels, Midweeks Vleesbuffet, Internationale Keuken en nog veel meer...!).

Hij zat zwaar in de puree. Het liefst bleef hij hier zitten tot Katie was gekomen, en zij en zijn moeder een paar stukken van elkaar hadden afgerukt en een soort wapenstilstand hadden bereikt alvorens hij zich weer op de Eerste Hulp waagde.

Hij hield wel van Kenco. Zoals hij ook wel hield van wegrestaurants en luchthavens. Zoals andere mensen er wel van hielden om door kathedralen te lopen of een boswandeling te maken.

De zwarte plastic dienbladen, de nepplanten, en de latwerkjes die ze hadden aangebracht om een tuincentrumgevoel te scheppen... Op zo'n plek kon je nadenken. Niemand kende je. Je werd niet door vrienden of collega's aangeklampt. Je zat alleen, maar je was niet alleen.

Als tiener belandde hij op feestjes altijd in de tuin en ging in het donker op een bankje Camels zitten roken, met achter hem de verlichte ramen en in de verte het vage gedreun van 'Hi Ho Silver Lining'. Dan staarde hij naar de sterrenbeelden boven zich en dacht na over al die grote vragen, het bestaan van God, de aard van het kwaad, het mysterie van de dood, vragen die belangrijker leken dan al het andere in de wereld, tot er een paar jaar voorbij waren gegaan en je een paar echte vragen op je bordje had liggen, zoals hoe je aan de kost moest komen, waarom je verliefd werd op iemand en waarom dat weer overging, en hoe lang je kon blijven roken zonder longkanker te krijgen.

Misschien waren de antwoorden niet belangrijk. Misschien ging het erom dat je de vragen stelde. Niets als vanzelfsprekend beschouwde. Misschien voorkwam je zo dat je oud werd.

En misschien kon je alles aan zolang je elke dag maar een halfuurtje naar een plek als deze kon gaan om je gedachten te laten dwalen.

Een oude man met een soort hagedissenhuid en een gaasje op zijn adamsappel kwam met een beker thee aan de tafel tegenover hem zitten. De vingers van de man z'n rechterhand waren zo bruin van de nicotine dat het leek of ze er niet meer waren.

Jamie keek op zijn horloge. Hij was nu veertig minuten weg. Ineens voelde hij zich erg schuldig.

Hij slokte het restant van de gruizige koffie naar binnen, stond op en liep terug door de hoofdgang.

70

Jean keek naar de slapende George.

Ze dacht aan de dag dat ze naar Georges oom waren gegaan in dat verschrikkelijke ziekenhuis in Nottingham, vlak voor zijn dood. Die treurige oude mannetjes die voor de televisie zaten te roken en door de gangen sjokten. Was dat
Georges voorland?

Ze hoorde voetstappen, en Katie kwam tussen de gordijnen door, verhit en
hijgend. Ze zag er belabberd uit.

'Hoe is het met pa?'

'Goed. Je hoeft je geen zorgen te maken over je vader.'

'We waren ontzettend bang.' Ze was buiten adem. 'Wat is er gebeurd?'

Jean legde het uit. Het ongelukje met de beitel. En nu ze wist dat het niet waar
was, klonk het bespottelijk, en vroeg ze zich af hoe zij er zelf had kunnen intrap-
pen. Maar Katie leek te opgelucht om vragen te stellen.

'Godzijdank... ik dacht...' Katie stopte en liet haar stem dalen voor het geval
George haar zou kunnen horen. 'Laten we het er maar niet over hebben.' Ze wreef
zich in het gezicht.

'Waarover?' vroeg Jean zachtjes.

'Ik dacht dat hij misschien... je weet wel,' fluisterde Katie. 'Hij was depressief.
Hij was bang dat hij doodging. Ik kon geen andere reden bedenken dat jij zo overstuur was.'

Zelfmoord. Dat bedoelde die dokter natuurlijk. Zichzelf iets aandoen.

Katie raakte haar schouder aan en zei: 'Gaat het wel, ma?'

'Jawel,' zei Jean. 'Of nee, eerlijk gezegd niet. Het is moeilijk geweest, om het
voorzichtig uit te drukken. Maar gelukkig zijn Jamie en jij er nu.'

'Nu we het toch over hem hebben...'

'Hij is naar de cafetaria,' zei Jean. 'Je vader sliep en hij had niets gegeten. Dus
heb ik hem weggestuurd.'

'Ray zei dat het huis er vreselijk uitzag.'

'Het huis,' zei Jean. 'Mijn god, dat was ik helemaal vergeten.'

'Sorry.'

'Je gaat toch wel met me mee, hè,' zei Jean. 'Ze houden je vader vannacht hier.'

'Natuurlijk,' zei Katie. 'We doen wat voor jou het beste is.'

'Dank je wel,' zei Jean.

Katie keek naar George. 'Nou, zo te zien heeft hij geen pijn.'

'Nee.'

'Waar heeft hij zich gesneden?'

'Op zijn heup,' zei Jean. 'Ik denk dat hij met de beitel in zijn hand is gevallen.' Ze boog zich voorover en sloeg de deken terug om Katie het verband te laten zien, maar zijn pyjamabroek zat een beetje te ver naar beneden zodat je zijn schaamhaar zag, dus ze sloeg de deken gauw weer terug.

Katie pakte de hand van haar vader en hield die vast. 'Pa?' zei ze. 'Katie.' Hij mompelde iets onverstaanbaars. 'Je bent een grote stommeling. Maar we houden toch van je.'

'Is Jacob er ook?' vroeg Jean.

Maar Katie luisterde niet. Ze ging op de tweede stoel zitten en begon te huilen.

'Katie?'

'Sorry.'

Jean liet haar even huilen en zei toen: 'Ik heb het van Jamie gehoord, over de bruiloft.'

Katie keek op. 'Hè?'

'Dat die niet doorgaat.'

Katie trok een pijnlijk gezicht.

'Het geeft niet,' zei Jean. 'Ik begrijp dat je er niet graag over wil beginnen nu je vader dit ongeluk heeft gehad; en alles al is geregeld. Maar het zou veel erger zijn als je het toch deed, alleen maar om nog meer gedoe te voorkomen.'

'Ah,' zei Katie, en ze knikte bij zichzelf.

'Het belangrijkste is dat je gelukkig bent.' Ze zweeg even. 'Het zal voor jou wel niets uitmaken, maar wij hebben vanaf het begin onze twijfels gehad.'

'Wij?'

'Je vader en ik. Ray is natuurlijk een fatsoenlijke man. En hij ligt goed bij Jacob, dat zie je zo. Maar wij hadden meteen al het gevoel dat hij niet bij je paste.'

Katie zweeg verontrustend lang.

'We houden heel veel van je,' zei Jean.

Katie viel haar in de rede. 'En Jamie heeft je dit verteld.'

'Hij zei dat je hem had gebeld.' Er ging kennelijk iets mis, maar Jean wist niet precies wat.

Katie stond op. Er lag een koude blik in haar ogen. Ze zei: 'Ik ben zo terug,' en verdween door de gordijnen.

Ze leek heel erg boos.

Dit zag er niet goed uit voor Jamie. Zoveel was Jean wel duidelijk. Ze leunde achterover, deed haar ogen dicht en zuchtte. Ze had hier geen energie voor. Nu niet.

Je kinderen werden eigenlijk nooit volwassen. Dertig jaar later gedroegen ze zich nog steeds als kleuters. Zo was alles koek en ei, zo zei je wat verkeerds en ontploften ze.

Ze boog zich voorover en pakte Georges hand. Je kon zeggen wat je wou over haar man, hij was tenminste wel voorspelbaar.

Tot voor kort.

Ze kneep in zijn vingers en besefte dat ze geen flauw idee had wat er in hem omging.

71

Toen Jamie de wachtkamer in liep, zag hij Ray en Jacob aan het eind van de rij-
en oranje plastic stoelen tegenover elkaar zitten. Ray deed de goocheltruc met de
munt. De truc die vaders over de hele wereld al sinds mensenheugenis deden.

Jamie ging in de stoel naast Jacob zitten en zei: 'Dag mannen.'

Jacob zei: 'Ray kan toveren.'

Ray keek Jamie aan en zei: 'En...?'

Een paar tellen lang had Jamie geen idee wat Ray bedoelde. Toen wist hij het
weer. 'O ja. Pa. Sorry. Ik heb in de cafetaria gezeten. Hij mankeert niets. Of nee,
dat is niet waar. Er zijn andere problemen, maar lichamelijk mankeert hij niets.
Ma heeft iedereen gebeld omdat...' Hij kon niet uitleggen waarom ma iedereen
had gebeld zonder Jacob nachtmerries te bezorgen. 'Ik leg het straks wel uit.'

'Is opa dood?' vroeg Jacob.

'Opa is springlevend,' zei Jamie. 'Dus je hoeft je geen zorgen te maken.'

'Gelukkig,' zei Ray. 'Gelukkig.' Hij ademde uit als iemand in een toneelstuk
die opluchting moet spelen.

Toen herinnerde Jamie zich de bruiloft, en hij vond het niet juist om het onderwerp dood te zwijgen. Dus zei hij: 'Hoe voel je je?' op een toon die aangaf dat
dit oprechte belangstelling was, en niet pure beleefdheid.

En Ray zei: 'Het gaat wel', op een toon die aangaf dat hij precies wist wat Jamie bedoelde.

'Doe het toveren,' zei Jacob. 'Tover het. Tover het in mijn oor.'

'Goed.' Ray draaide zich naar Jamie, die een zweempje van een glimlach zag
en zichzelf de gedachte toestond dat Ray misschien wel een redelijk prettig mens
was.

Het was een muntje van twintig cent. Jamie had ook zo'n muntje in de achterzak van zijn ribfluwelen broek. Hij viste het er ongemerkt uit en hield het verborgen in zijn rechterhand. 'Deze keer,' zei Jamie, 'gaat Ray het muntje in mijn
hand toveren.' Hij hield zijn rechtervuist op.

Ray keek Jamie aan, en naar zijn gefronste voorhoofd te oordelen dacht hij blijkbaar dat Jamie eropuit was om hem aan te raken. Maar toen snapte hij het, en met een glimlach, een volle glimlach nu, zei hij: 'We gaan het proberen.'

Ray klemde het muntje met een theatraal gebaar tussen duim en wijsvinger.

'Ik moet strooien,' zei Jacob gauw, zodat niemand anders hem voor zou zijn.

'Toe maar,' zei Ray.

Jacob bestrooide het muntje met onzichtbaar toverpoeder.

Ray maakte een zwierig gebaar met zijn vrije hand, liet die als een zakdoek over de munt zakken, propte hem in zijn vuist en trok hem vliegensvlug weg. De munt was verdwenen.

'De hand,' zei Jacob. 'Ik wil de toverhand zien.'

Langzaam opende Ray zijn vuist.

Geen munt.

Jacobs ogen waren groot van verwondering.

'En nu,' zei Jamie, met zijn vuist weer in de lucht, 'Ka-rrrroem!'

Hij wilde net zijn hand opendoen om de munt te laten zien toen Ray 'Katie...?' zei, en Rays gezicht weinig goeds beloofde. En Jamie draaide zich om en zag Katie met grote stappen op zich af komen, en ook haar gezicht beloofde weinig goeds.

Hij zei: 'Katie. Hallo,' en ze gaf hem een klap tegen de zijkant van zijn hoofd waardoor hij van zijn stoel viel, en Jacobs schoenen ineens van heel dichtbij zag.

Hij hoorde een lichtelijk gestoord persoon aan het andere eind van de wachtkamer juichen, en Ray die zei: 'Katie... ben je nou helemaal...?' en Jacob, die op verblufte toon zei: 'Je sloeg oom Jamie', en het geluid van rennende voetstappen.

Tegen de tijd dat hij zich overeind had gehesen, kwam er een bewaker op hen af die zei: 'Hohoho, kalm aan een beetje, mensen.'

Katie zei tegen Jamie: 'Wat heb je godverdomme tegen ma gezegd?'

Jamie zei tegen de bewaker: 'Het is goed, het is mijn zuster.'

Ray zei tegen Jacob: 'Ik denk dat wij naar opa en oma gaan.'

De bewaker zei: 'Nog één zo'n geintje en jullie kunnen allemaal vertrekken', maar niemand luisterde naar hem.

72

Vijf minuten later hoorde Jean weer voetstappen, zwaarder dan die van Katie. Ze dacht eerst dat het weer een arts was. Ze zette zich schrap.

Maar toen de gordijnen opengingen, bleek het Ray te zijn, met Jacob op zijn schouders.

Ze wist meteen wat er was gebeurd. Katie had het tegen Ray gezegd. Dat George en zij twijfels hadden gehad. Dat Ray niet goed genoeg was voor hun dochter.

Ray zette Jacob neer.

Jacob zei: 'Dag oma. Ik had... ik heb... chocoladeknopen. Voor opa.'

Jean had geen idee wat een man als Ray zou kunnen doen wanneer hij kwaad was.

Ze stond op en zei: 'Ray. Het spijt me heel erg. We vinden je heus wel aardig. Dat is het punt niet. Alleen... het spijt me echt vreselijk.'

Ze had graag door de grond willen zakken, maar die gaf niet mee, dus dook ze tussen de gordijnen door en rende weg.

73

Terwijl Katie keek hoe Jamie opkrabbelde, kwamen er snel achter elkaar drie gedachten bij haar op.

Ten eerste had ze heel wat uit te leggen aan Jacob. Ten tweede was ze haar laatste flintertje moreel overwicht op Ray kwijt. Ten derde was het de eerste keer dat ze iemand een serieuze mep had verkocht sinds de ruzie met Zoë Canter over die rode sandalen op de basisschool, en het was een heerlijk gevoel.

Ze ging naast haar broer zitten. Ze zwegen allebei enige ogenblikken.

'Het spijt me,' zei ze, al was dat niet waar. Eigenlijk niet. 'Ik heb een paar rotweken achter de rug.'

'Dan kun je mij een hand geven.'

'Hoezo?'

'Tony heeft me gedumpt.'

'Wat klote,' zei Katie, en over Jamies schouder zag ze een vrouw die erg op haar moeder leek naar de hoofdgang van het ziekenhuis rennen, alsof een onzichtbare hond haar op de hielen zat.

'En het was geen beitel,' zei Jamie. 'Hij wilde "de kanker wegsnijden". Met een schaar.'

'Dat klinkt iets logischer,' zei Katie.

Jamie keek een beetje teleurgesteld. 'Ik had wel een betere reactie verwacht.'

Dus vertelde Katie over het gesprek met haar vader, over de paniekaanvallen en over *Lethal Weapon*.

'O, dat vergeet ik nog,' zei Jamie. 'Hij was hier.'

'Wie?'

'Dat vriendje van ma.'

'Hoezo was hij hier?' vroeg ze.

'Hij heeft haar hierheen gebracht. Hij hield zich behoorlijk gedeisd. Om begrijpelijke redenen. Ik liep hem tegen het lijf toen ik aankwam.'

'Hoe is hij?'

Jamie haalde zijn schouders op.

'Zou jij hem neuken?'

Jamie trok zijn wenkbrauwen op, en ze besefte dat ze een beetje gek begon te worden door alles wat er gebeurde.

'Een biseksuele minnaar op leeftijd met mijn moeder delen,' zei Jamie. 'Ik denk dat het leven zo al moeilijk genoeg is.' Hij zweeg even. 'Netjes. Gebruind. Coltrui. Een beetje te veel aftershave.'

Ze boog zich naar hem toe en pakte zijn handen. 'Gaat het wel met je?'

Hij lachte. 'Jawel. Vreemd genoeg gaat het eigenlijk wel.'

Ze wist precies wat hij bedoelde. En op dat ogenblik was het wel weer goed. Zij tweeën rustig bij elkaar. Het oog van de storm.

'Ga je nou trouwen of niet?' vroeg Jamie.

'God mag het weten. Ma is dolblij. Uiteraard. Dus aan de ene kant wil ik natuurlijk met Ray trouwen alleen maar om haar te zieken.' Ze viel even stil. 'Het zou zo simpel moeten zijn. Of je houdt van iemand, of niet. Het is toch geen hogere wiskunde. Maar ik weet het gewoon niet, Jamie. Ik weet het echt niet.'

Een jonge Aziaat met een donkerblauw pak aan kwam door de dubbele deur binnen, en liep naar de balie. Hij leek nuchter, maar zijn overhemd zat onder het bloed.

Ze dacht aan al die strips met jongens die bij de Eerste Hulp zaten met een pan op hun hoofd, en vroeg zich af of je daadwerkelijk met je hoofd in een pan klem kon komen te zitten.

De kanker wegknippen met een schaar. Het was volkomen logisch wanneer je er goed over nadacht. Maar wel wat radicaal voor eczeem.

De Aziaat viel om. Niet slap, maar stijf. Als een hark, of de grote wijzer van een hele snelle klok. Hij sloeg met een harde klap tegen de grond. Het was grappig en helemaal niet grappig tegelijk.

Hij werd afgevoerd op een brancard.

Toen verschenen Ray en Jacob.

Jacob zei: 'Hij was... er was... opa snurkte.'

Ray vroeg: 'Hebben jullie je moeder toevallig gezien?'

'Hoezo?' vroeg Jamie.

'Ze deed een beetje raar en nam vervolgens de benen.'

Jacob keek Jamie aan. 'Tover de munt.'

'Nu niet, oké?' Hij stond op en woelde even door Jacobs haar. 'Ik ga haar zoeken.'

Tien minuten later waren ze op de weg terug naar het dorp.

Zij namen ma mee in hun auto. Katie zat met Jacob achterin. Ma was duidelijk niet al te blij dat ze naast Ray voorin moest zitten, maar Katie vond het stiekem wel vermakelijk hoe het tweetal een beleefd gesprek op gang probeerde te houden.

Bovendien vond ze het leuk, achterin met Jacob. De kinderen. Geen verantwoordelijkheden. Alles aan de volwassenen overlaten. Zoals die zomer in Italië toen er even buiten Reggio Emilia een scheur in de motor van de Alfa Romeo kwam, en ze aan de kant van de weg gingen staan, en die man met die wonderbaarlijke snor zei dat hij *completamente morte* was of zoiets, en pa in het gras kotste, al was dat op dat moment niet meer dan een staaltje van merkwaardig ouderlijk gedrag met een vieze lucht; en Jamie en zij speelden in de berm met de verrekijker en het houten puzzeltje met de sneeuwvlokken, hadden een blikje fris, en geen zorgen.

74

Jamie zat geknield op de trap met een afwasbak met zeepsop en boende het bloed van zijn vader uit de loper.

Dat was het probleem met films en boeken: als het erop aankwam, klonk er orkestmuziek, en iedereen wist hoe hij een slagaderlijke bloeding moest stelpen, en er reed buiten nooit een ijscowagentje voorbij. Maar als het er in het echt opaan kwam, deden je knieën zeer en je doekje viel uit elkaar, en het was zo klaar als een klontje dat je de vlekken nooit helemaal weg zou krijgen.

Jamie was als eerste bij het huis aangekomen, en toen Katie en Ray naast hem stopten, vloog ma de auto uit alsof die in brand stond, wat een tikje vreemd was. En er was paniek omdat Jacob het huis natuurlijk niet in mocht vanwege het bloed (zoals Ray het beschreef, klonk het meer alsof het huis werd opgeknapt dan dat er bloed had gevloeid). Maar de paniek werd geheel via handgebaren uitgedrukt om Jacob niet te laten merken wat er aan de hand was.

En Jamie begreep wat Katie bedoelde, dat je wat aan Ray had. Want Ray haalde een tent uit de achterbak en zei tegen Jacob dat zij met z'n tweeën in de tuin gingen slapen omdat er een krokodil in huis was, en als Jacob geluk had, hoefde hij niet naar binnen om zich te wassen en mocht hij in het bloembed plassen.

Maar het was geen baan. Je trouwde niet met iemand omdat je wat aan hem had. Je trouwde met iemand omdat je van hem hield. En al te competent ging ten koste van sexy. Competent was iets voor vaders.

Hoewel Ray natuurlijk gewoon naar de dokter was gegaan als hij hun vader was geweest. Of het juiste gereedschap had gebruikt, zodat er niet iets half was blijven aanhangen.

Jamie was nog steeds met de trap bezig toen Katie ineens voor zijn neus stond.

'Hij zal toch niet van plan geweest zijn om het te bewaren?' Ze zwaaide met een leeg roomijsbakje.

'Wat is "het" trouwens?' vroeg Jamie.

'Linkerheup,' zei Katie, en maakte een knipgebaartje naast de zak van haar spijkerbroek.

'Hoe groot?'

'Grote hamburger,' zei Katie. 'Heb ik begrepen. Ik heb de wond zelf niet gezien. Nou ja... de badkamer is nu gedaan. Ma is klaar met de keuken. Laat mij dit maar doen, dan kun jij even bij Ray en Jacob gaan kijken.'

'Je boent liever bloed uit een traploper dan dat je met je aanstaande gaat praten.'

'Als je zo begint, doe je het zelf maar.'

'Sorry,' zei Jamie. 'Graag dan.'

'Trouwens,' zei Katie, 'met hoeveel tegenzin ik het ook zeg: vrouwen maken gewoon beter schoon.'

Het was bewolkt, en erg donker in de tuin. Jamie moest een halve minuut op de patio blijven staan voor hij iets zag.

Ray had de tent helemaal achter in de tuin opgezet. Zo ver mogelijk bij Katies familie vandaan. Toen Jamie bij de tent kwam, zei een stem zonder lichaam: 'Dag Jamie.'

Ray zat met zijn rug naar het huis. Zijn hoofd was een silhouet, zijn gezichtsuitdrukking niet te zien.

'Ik heb koffie voor je.' Jamie gaf hem de mok.

'Bedankt.'

Ray zat op een kampeermatje. Hij schoof zijwaarts achteruit, zodat er ook plaats voor Jamie kwam.

Jamie ging zitten. De mat was een beetje warm. Vanuit de tent klonk zacht gesnurk.

'Wat heeft hij zichzelf nou aangedaan?' vroeg Ray.

'Shit,' zei Jamie. 'Niemand heeft jou iets verteld, hè? Wat slecht.'

Dus Jamie vertelde het verhaal en Ray liet een lange fluittoon horen. 'Díe is gek.'

Hij leek onder de indruk, en even was Jamie eigenaardig trots op zijn vader.

Ze zaten zwijgend bij elkaar.

Het was net als die tienerfeestjes. Maar dan zonder 'Hi Ho Silver Lining'. En hij was nu niet alleen in de tuin. Maar dat gaf niet: Ray was op de een of andere rare manier verbannen, en daardoor ook een buitenstaander. Plus dat Jamie hem niet kon zien, en hij dus niet zo veel ruimte in beslag nam als normaal.

Ray zei: 'Ik ben weggelopen.'

'Zeg dat nog eens.'

'Katie ging koffiedrinken met Graham. Ik ben ze gevolgd.'

'Oeh, dat is foute boel, hè?'

'Eerlijk gezegd wou ik hem zijn nek omdraaien,' zei Ray. 'Maar ik heb met een vuilnisbak gesmeten. Ik wist dat ik het verknald had. Dus ik ben 'm gesmeerd. Ik heb bij een collega van me gepit.' Hij zweeg even. 'Dat was natuurlijk nog erger dan dat ik haar gevolgd was.'

Jamie wist niet wat hij moest zeggen. Het was bij daglicht al zo moeilijk om met Ray te praten. Zonder lichaamstaal was het vrijwel onmogelijk.

'Eigenlijk gaat het niet om Graham,' zei Ray. 'Graham was gewoon een...'

'Katalysator?' zei Jamie, blij dat hij ook wat kon bijdragen.

'Een symptoom,' zei Ray beleefd. 'Katie houdt niet van me. Heeft nooit van me gehouden, denk ik. Maar ze doet wel heel erg haar best. Omdat ze bang is dat ik haar het huis uitzet.'

'Ja?' zei Jamie.

'Ik zet haar het huis niet uit.'

'Dank je.' Het klonk maf. Maar het zou nog maffer geklonken hebben als hij zichzelf had gecorrigeerd.

'Maar je trouwt toch niet met iemand als je niet van hem houdt?' zei Ray.

'Nee,' zei Jamie, al deden mensen dat natuurlijk wel.

Ze zaten even naar een trein in de verte te luisteren (wat vreemd toch, dat je die alleen 's avonds maar hoorde). Het was merkwaardig aangenaam, doordat Ray een beetje bedrukt was. En Jamie hem niet kon zien. Dus zei Jamie: 'God ja, de befaamde Graham,' op een toon alsof hij met een vriend zat en hardop zei wat hij dacht.

Hij voelde Ray huiveren. Zelfs in het donker.

'Je hebt hem ontmoet,' zei Jamie. 'Je weet wat voor type het is.'

'Ik probeer me gedeisd te houden,' zei Ray.

Jamie nam een slokje koffie. 'Nou, hij ziet er natuurlijk ontzettend goed uit.' Het was waarschijnlijk niet zo handig om dat te zeggen. 'Maar dan heb je het ook wel gehad. Hij is saai. En oppervlakkig. En slap. En eigenlijk niet al te intelligent. Alleen heb je dat eerst niet in de gaten. Omdat hij er leuk uitziet, relaxed is en zelfvertrouwen uitstraalt. Daardoor ga je ervan uit dat hij precies weet wat hij doet.' Zijn blik dwaalde naar het huis en viel op een kapot keukenruitje dat netjes was dichtgetimmerd. 'Hij werkt bij een verzekeringsmaatschappij... Vergeleken daarmee lijkt mijn baan nog boeiend – en dat gebeurt niet vaak.'

Jamie vond het leuk om zo in het donker met Ray te praten. Het had iets vreemds, iets heimelijks. Je kon makkelijker dingen zeggen. Hij vond het zelfs zo leuk dat hij zich even niet beheerste en een korte maar zeer gedetailleerde seksuele fantasie over Ray kreeg, en pas na zo'n drie seconden besefte wat hij deed, wat vergelijkbaar was met in het donker in de keuken op een slak gaan staan, omdat het echt helemaal niet kon.

Ray zei: 'Je moeder is niet zo blij met mij in de familie, hè?'

En Jamie dacht: Kan mij het schelen, en zei: 'Nee, maar ze vond Graham het einde, dus veel mensenkennis heeft ze niet.' Was dit verstandig? Nu had hij Rays gezicht wel willen zien. 'En toen hij Katie en Jacob liet zitten, was hij ineens een dienaar van de duivel.'

Ray hield zijn mond.

Boven ging een licht aan en zijn moeder verscheen in het slaapkamerraam en keek even naar beneden, de donkere tuin in. Ze oogde klein en droevig.

Jamie zei: 'Gewoon volhouden', en besefte dat hij wilde dat Katie en Ray bij elkaar bleven, al wist hij niet precies waarom. Omdat er ook iets goed moest gaan wanneer er zoveel fout ging? Of begon hij hem sympathiek te vinden?

'Bedankt, jongen,' zei Ray.

Na enige ogenblikken zei Jamie: 'Tony heeft me gedumpt.' Hij wist weer niet precies waarom hij dit zei.

'En jij wil hem graag terug...'

Jamie probeerde ja te zeggen, maar omdat hij dreigde vol te schieten bij het idee dat hij ja zou zeggen en dat niet wilde waar Ray bij was, bromde hij bevestigend.

'Jouw schuld of zijn schuld?'

Jamie besloot het te doen. Het was een soort boetedoening. Als een duik in een koud zwembad. Het zou karaktervormend zijn. Als hij ging huilen, jammer dan. Hij had zich deze week al zo vaak belachelijk gemaakt. 'Ik wou iemand hebben. En tegelijkertijd niet iemand hebben.'

'Zodat je andere kerels kan neuken?'

'Nee, dat niet eens.' Vreemd genoeg had hij geen behoefte om te huilen. Integendeel zelfs. Misschien kwam het door de duisternis, maar het was makkelijker om hier met Ray over te praten dan met zijn eigen familie. Katie inbegrepen. 'Ik wou geen water bij de wijn doen. Ik wou geen dingen delen. Ik wou niets hoeven op te offeren. Wat stom is. Dat zie ik nu wel in.' Hij zweeg even. 'Als je van iemand houdt, moet je iets inleveren.'

'Precies,' zei Ray.

'Ik heb het verknald,' zei Jamie. 'En ik weet niet hoe ik het weer goed moet krijgen.'

'Ook gewoon volhouden,' zei Ray.

Jamie veegde een insect van zijn gezicht.

'Het stomme is...' zei Ray.

'Wat is het stomme?'

'Dat ik van haar hou. Ze is verdomd lastig, maar ik hou wel van haar. En ik weet dat ik niet al te slim ben. En ik weet dat ik soms achterlijke dingen doe. Maar ik ben dol op haar. Echt.'

Alsof het zo hoorde ging de keukendeur open en Katie kwam naar buiten met een bord.

'Waar zitten jullie?' Ze liep heel voorzichtig het gras op en ging ergens op staan. 'Shit.' Ze bukte om een vork op te rapen.

'We zitten hier,' zei Jamie.

Ze kwam naar hen toe. 'Er staat eten op tafel. Ga maar naar binnen, dan blijf ik hier wel bij Jacob.'

'Geef mij dat maar,' zei Ray. 'Ik blijf wel hier.'

'Goed,' zei Katie. Zo te horen had ze voor vandaag genoeg onenigheid gehad. Ze gaf Ray het bord. 'Spaghetti bolognese. Wil je echt geen mannenportie?'

'Het is goed zo,' zei Ray.

Katie ging op handen en knieën zitten en stak haar hoofd in de tent. Ze kroop tot vlak bij Jacob en gaf hem een zoen op zijn wang. 'Slaap lekker, banaantje.' Toen kwam ze weer overeind en zei tegen Jamie: 'Kom, dan gaan we ma gezelschap houden.'

Ze zette weer koers naar het huis.

Jamie stond op. Hij legde zijn hand op Rays schouder en gaf hem een paar klopjes. Ray reageerde niet.

Hij liep over het nattige gras naar de verlichte ramen.

75

Katie wist dat het bij het eten op ruzie zou uitdraaien. Ze voelde dat het in de lucht hing. Als het echt fout ging, konden ze tegelijk bekvechten over haar bruiloft, pa's geestelijke gesteldheid en ma's minnaar.

Halverwege de spaghetti bolognese sprak haar moeder de oprechte hoop uit dat pa geen domme ongelukjes meer zou hebben. Ze keek er enigszins gejaagd bij, en het leek Katie vrij duidelijk dat ze wist dat het beitelverhaal flauwekul was, en er zeker van wou zijn dat zij dat niet wisten. Er viel zo'n onbehaaglijke stilte waarin je iedereen hoort kauwen en bestek hoort schrapen, en Jamie redde de situatie door te zeggen: 'En laten we anders hopen dat het in de tuin gebeurt', zodat de spanning met wat geforceerd gelach kon worden weggenomen.

Bij het afruimen van de tafel gooide ma de knuppel in het hoenderhok. 'Komt er nou nog een bruiloft of niet?'

Katie zei knarsetandend: 'Ik weet het gewoon niet, oké?'

'We moeten het anders wel vrij gauw weten. Het is allemaal leuk en aardig dat we begrip hebben, maar ik moet een aantal vervelende telefoontjes plegen, en die wil ik liever niet langer uitstellen dan nodig is.'

Katie legde haar handen plat op tafel om rustig te blijven. 'Wat wil je nou horen? Ik weet het niet. Het is moeilijk momenteel.'

Jamie bleef met de borden in de deuropening staan.

'Hou je van hem of niet?' vroeg haar moeder.

En toen ontplofte Katie. 'Alsof jij godverdomme het verschil weet.'

Haar moeder keek alsof ze een klap in haar gezicht had gehad.

Jamie zei: 'Wacht even. Wacht even. Laten we niet gaan schreeuwen. Alsjeblieft.'

'Bemoei je er niet mee,' zei Katie.

Haar moeder leunde achterover in haar stoel, deed haar ogen dicht en zei: 'Zo te horen kunnen we wel veilig aannemen dat er geen bruiloft komt.'

Jamies handen trilden letterlijk. Hij zette de borden terug op tafel. 'Katie. Ma. Kunnen we hiermee ophouden, ja? Hebben we nog niet genoeg meegemaakt vandaag?'

'Jij hebt hier geen moer mee te maken,' zei Katie, en ze wist dat het kinderachtig was, maar ze had sympathie nodig en geen terechtwijzing.

Toen ontplofte Jamie ook, wat ze heel lang niet had gezien.

'Ik heb hier alles mee te maken. Jij bent mijn zuster. En jij bent mijn moeder. En samen verzieken jullie alles.'

'Jamie...' zei haar moeder alsof hij zes was.

Jamie negeerde haar en zei tegen Katie: 'Ik heb buiten net een halfuur met Ray zitten praten, het is een hele toffe vent en hij slooft zich enorm uit om het jou makkelijk te maken.'

Katie zei: 'O, dat klinkt ineens heel anders.'

'Hou je kop en luister naar me,' zei Jamie. 'Hij krijgt al deze shit over zich heen en je hoort hem niet klagen. En je mag net zo lang bij hem blijven wonen als je wilt ook al hou je niet van hem, want hij is dol op jou en dol op Jacob. Hij rijdt hierheen en gaat in de tuin zitten omdat hij donders goed weet dat pa en ma hem niet mogen...'

'Dat heb ik nooit gezegd,' zei haar moeder zwakjes.

'En ik heb vandaag bij pa gezeten en met hem gepraat en er is echt iets mis met hem en hij heeft helemaal geen ongeluk met een stomme kutbeitel gehad. Hij zat met een schaar in zijn eigen lichaam te hakken en jij hoopt dat het vanzelf wel weer overgaat. Nou, het gaat echt niet vanzelf over. Hij heeft iemand nodig die naar hem luistert, anders steekt hij zijn kop in de oven en dan voelen we ons allemaal belazerd omdat we net hebben gedaan of er niks aan de hand was.'

Katie was zo verbluft door Jamies plotselinge omslag dat ze niet hoorde wat hij zei. Een paar tellen lang zei niemand iets. Toen begon haar moeder heel zacht te huilen.

Jamie zei: 'Ik ga een toetje naar de tuin brengen', en liep weg. De vuile borden liet hij op tafel staan.

76

Jean liep naar boven en ging op bed liggen en huilde tot haar tranen op waren. Ze voelde zich verschrikkelijk eenzaam.

Vooral vanwege Jamie. Katie begreep ze nog wel. Katie had het moeilijk. En Katie ruziede met iedereen, over alles. Maar wat bezielde Jamie? Had hij enig idee wat zij vandaag had doorgemaakt?

Ze begreep de mannen in haar gezin niet meer.

Ze ging rechtop zitten en snoot haar neus met een zakdoekje uit de doos op het nachtkastje.

Al vroeg ze zich eerlijk gezegd af of ze hem ooit had begrepen.

Ze dacht aan Jamie toen hij vijf was. En naar zijn kamer ging 'om privé te zijn'. Nu nog was het soms net of ze met iemand in Spanje praatte als ze hem sprak. De basisdingen kreeg je wel mee. Hoe laat het was. Hoe je bij het strand kwam. Maar je miste een heel niveau omdat je de taal niet goed beheerste.

En het was nog niet zo erg geweest wanneer ze hem af en toe eens kon knuffelen. Maar hij was geen knuffeltype. Net zomin als George.

Ze liep naar het raam en hield het gordijn opzij en keek de donkere tuin in. Ergens achterin stond een tent in de schaduw van de bomen.

Het idee om met Ray van plaats te ruilen leek ineens heel aantrekkelijk, om daar beneden naast Jacob in een slaapzak te liggen.

Weg van het huis. Weg van haar gezin. Weg van alles.

77

Toen George weer bijkwam, waren ze weg. Jean, Katie, Jamie, Jacob, Ray. Eerlijk gezegd was het wel een opluchting. Hij was ontzettend moe, en zijn familie kon erg vermoeiend zijn. Vooral *en masse.*

Hij lag net te denken dat hij wel even wou lezen en zich af te vragen hoe hij aan een fatsoenlijk tijdschrift kon komen, toen de gordijnen opengingen en er een grote man met een afgedragen canvas jasje verscheen. Hij was volledig kaal en had een klembord bij zich.

'Meneer Hall?' Hij schoof een bril met een montuur van ijzerdraad omhoog naar zijn erg glimmende hoofd.

'Ja.'

'Joel Foreman. Psychiater.'

'Ik dacht dat jullie om vijf uur naar huis gingen,' zei George.

'Dat zou fijn zijn, hè?' Hij bladerde door wat papieren op zijn klembord. 'Helaas worden de mensen alleen maar gekker naarmate de dag verstrijkt, is mijn ervaring. Meestal door zelfmedicatie. Al geldt dat vast niet voor u.'

'Zeker niet,' zei George. 'Al slik ik wel een antidepressivum.' Hij besloot de codeïne en de whisky te verzwijgen.

'Welke smaak?'

'Smaak?'

'Hoe heet het?'

'Lustral,' zei George. 'Om u de waarheid te zeggen word ik er vreselijk beroerd van.'

Dokter Foreman was zo iemand die aan humor deed zonder te glimlachen. Hij oogde als een schurk uit een James Bondfilm. George werd een beetje zenuwachtig van hem.

'Huilen, slapeloosheid en nervositeit,' zei dokter Foreman. 'Ik moet altijd lachen als ik dat onder "mogelijke bijwerkingen" lees. Ik zou ze maar weggooien.'

'Goed,' zei George.

'Ik hoor dat u wat amateurchirurgie hebt gepleegd.'

George legde langzaam en zorgvuldig uit, op afgemeten toon en met hier en daar wat humor ten koste van zichzelf, hoe hij in het ziekenhuis was beland.

'Een schaar. De praktische aanpak,' zei dokter Foreman.. 'En hoe voelt u zich nu?'

'Ik voel me eindelijk weer wat beter,' zei George.

'Mooi zo,' zei dokter Foreman. 'Maar u blijft wel naar de psycholoog gaan naar wie de huisarts u heeft doorverwezen.' Dit was geen vraag.

'Dat doe ik.'

'Mooi zo,' zei dokter Foreman weer, en hij tikte met de punt van zijn pen op het papier op zijn klembord, een zwierig gebaartje ter afronding van het gesprek. 'Mooi zo.'

George werd wat rustiger. De keuring was voorbij, en hij had de stellige indruk dat hij erdoor was gekomen. 'Nog maar een week geleden dacht ik dat ik wel in een of andere inrichting zou willen worden opgenomen. Uitrusten van de wereld. Zoiets.'

Dokter Foreman reageerde eerst niet, en George vroeg zich af of hij nu iets had onthuld waardoor de psychiater zijn oordeel zou wijzigen. Alsof je na afloop van het rijexamen over de voet van de examinator achteruittreed.

Dokter Foreman stopte het klembord weer onder zijn arm. 'Als ik u was, zou ik psychiatrische ziekenhuizen mijden.' Hij liet zijn hakken tegen elkaar klikken. Het was deels inspectie van de troepen, deels *Wizard of Oz*. George vroeg zich af of dokter Foreman zelf ook een beetje de kluts kwijt was. 'Naar uw psycholoog gaan. Goed eten. Vroeg naar bed. Regelmatig lichaamsbeweging.'

'Trouwens,' zei George, 'weet u waar ik iets te lezen kan vinden?'

'Ik zal kijken wat ik kan doen,' zei dokter Foreman, en voordat George kon zeggen wat voor iets hij zou willen lezen, had de psychiater hem al een hand gegeven en was door het gordijn verdwenen.

Een halfuur later kwam er iemand om hem van de Eerste Hulp naar een andere zaal te brengen. George was een beetje beledigd door de rolstoel totdat hij probeerde te gaan staan. Het was geen pijn als zodanig, maar een gevoel dat er iets helemaal mis was in zijn onderbuik, en het vermoeden dat zijn ingewanden door het gat dat hij eerder die dag had gemaakt naar buiten zouden komen als hij rechtop ging staan. Toen hij weer ging zitten, liep het zweet van zijn gezicht en armen.

'Gaat u zich nu gedragen? zei de man die hem kwam halen.

Er kwamen twee verpleegsters helpen om George in de rolstoel te hijsen.

Hij werd naar een leeg bed op een open zaal gereden. Een klein oosters mannetje met een leerachtige huid lag in het bed links van hem te slapen in een wirwar van draden en slangetjes. Rechts van hem lag een tiener met een koptelefoon op naar muziek te luisteren. Zijn been hing in een rekverband, en hij had de meeste van zijn bezittingen meegenomen naar het ziekenhuis: een stapel cd's, een fototoestel, een fles HP-saus, een kleine robot, een paar boeken, een grote opblaashamer...

George lag op het bed naar het plafond te staren. Hij snakte naar een kop thee met een koekje.

Hij stond op het punt de aandacht van de tiener te trekken om erachter te komen of het denkbaar was dat hun leessmaak ergens samenviel, toen dokter Foreman ineens aan zijn voeteneind stond. Hij gaf George twee paperbacks en zei: 'Geef ze aan de verpleegsters als u ze uit hebt, goed? Anders open ik een genadeloze klopjacht op u.' Hij glimlachte even en wisselde terwijl hij wegliep enige woorden met een verpleegster in een taal die geen Engels was noch enige andere taal die George herkende.

George bekeek de boeken. *Treason's Harbour* en *The Nutmeg of Consolation* van Patrick O'Brian.

Het was bijna griezelig hoe goed de keuze was. George had vorig jaar *Master and Commander* gelezen, en was nog altijd van plan om er meer uit de reeks te proberen. Zou hij iets gezegd hebben toen hij buiten kennis was?

Hij las een bladzijde of tachtig in *Treason's Harbour*, at een laffe ziekenhuismaaltijd van stoofvlees, gekookte groenten, perziken en vla, en viel toen in een droomloze slaap, die slechts werd onderbroken door een lang en ingewikkeld toiletbezoek om drie uur.

De volgende morgen kreeg hij een bord cornflakes, een mok thee en een korte uiteenzetting over wondverzorging. De dienstdoende verpleegster vroeg of hij een toilet op de begane grond bezat en een vrouw die hem door het huis kon rijden. Hij kreeg een rolstoel die hij diende terug te brengen als hij zonder hulp kon lopen, en zijn ontslagpapieren.

Hij belde Jean en zei dat hij naar huis mocht. Ze reageerde nogal lauw op het nieuws, en hij voelde zich een beetje op zijn teentjes getrapt, totdat hij zich herinnerde hoe hij het tapijt had achtergelaten.

Hij vroeg of ze wat kleren voor hem wou meebrengen.

Ze zei dat ze hem zo snel mogelijk zou komen ophalen.

Hij leunde achterover en las weer zeventig bladzijden in *Treason's Harbour*.

Kapitein Aubrey zat een brief naar huis te schrijven over de geluksssnuifdoos van Byrne toen George opkeek en Ray zag komen aanlopen. Zijn eerste gedachte was dat de rest van zijn gezin iets afschuwelijks was overkomen. En inderdaad was de normaal zo familiaire Ray nu aan de stugge kant.

'Ray.'

'George.'

'Is alles goed?'

Ray gooide een weekendtas op het bed. 'Je kleren.'

'Ik ben alleen verbaasd dat jij komt, meer niet. In plaats van Jean, bedoel ik. Of Jamie. Ik bedoel het niet vervelend. Ik vind het alleen een beetje gek dat ze jou dit laten doen.' Hij probeerde op te zitten. Het deed zeer. Erg zeer.

Ray reikte George de hand en trok hem voorzichtig overeind, zodat hij op de rand van het bed kwam te zitten.

'Alles is toch wel goed?' vroeg George.

Ray slaakte een vermoeide zucht. 'Goed?' zei hij. 'Zo ver zou ik niet willen gaan. Een puinzooi, dat komt waarschijnlijk dichter in de buurt.'

Ray was toch niet dronken? Om tien uur 's ochtends? George rook geen drank, maar Ray maakte toch geen beheerste indruk. En deze man moest hem naar huis brengen.

'Weet je wat?' zei Ray, en hij kwam naast George op de rand van het bed zitten.

'Nou?' zei George zachtjes. Hij wilde het vervolg eigenlijk liever niet horen.

'Volgens mij ben jij nog de normaalste van de familie,' zei Ray. 'Behalve Jamie dan. Dat lijkt me een verstandige jongen. En hij is homo.'

Het oosterse mannetje lag naar hen te staren. George hoopte maar dat zijn Engels niet zo goed was.

'Is er thuis soms iets gebeurd?' vroeg George aarzelend.

'Jean en Katie zaten tegen elkaar te schreeuwen aan het ontbijt. Toen ik vroeg of iedereen een beetje wou kalmeren, werd mij verzocht om, ik citeer, mijn bek te houden.'

'Door Jean?' vroeg George, die dit maar moeilijk kon geloven.

'Door Katie.'

'En waar ging die ruzie over?' vroeg George. Hij begon het jammer te vinden dat hij door de psychiatrische keuring was gekomen. Nog een paar dagen in het ziekenhuis leken ineens erg aanlokkelijk.

'Katie wil niet trouwen,' zei Ray. 'Wat voor jou wel een opluchting zal zijn.'

George had geen idee wat hij hierop moest zeggen. Hij speelde met de gedachte om van het bed te vallen, zodat iemand hem zou komen redden, maar zag er toch maar vanaf.

'Dus toen zei ik dat ik jou wel ging ophalen. Dat leek me een stuk makkelijker dan daar te blijven.' Ray haalde diep adem. 'Sorry. Ik moet het niet op jou afreageren. Beetje te veel stress de laatste tijd.'

Enige ogenblikken lang zaten ze zwijgend naast elkaar, als twee oudere heren op een bankje in het park.

'Maar goed,' zei Ray, 'laten we maar naar huis gaan, anders vragen ze zich nog af waar we blijven.' Hij stond op. 'Heb je hulp nodig bij het aankleden?'

Heel even dacht George dat Ray van plan was om hem zijn ziekenhuispyjama uit te trekken, en dat vooruitzicht was zo onrustbarend dat George zichzelf een gilletje hoorde slaken. Maar Ray trok gewoon de gordijnen rond Georges bed dicht en ging een verpleegster halen.

79

Jean belde naar haar werk dat ze niet kwam.

Ze wist eigenlijk niet wat ze moest verwachten toen George uit het ziekenhuis kwam, maar hij bleek verrassend normaal. Hij verontschuldigde zich voor alle opschudding die hij had teweeggebracht, en zei dat hij zich veel beter voelde dan de afgelopen tijd.

Ze vroeg of hij wou praten over wat er was gebeurd, maar hij zei dat ze zich geen zorgen hoefde te maken. Ze zei dat hij het tegen haar moest zeggen als hij zich ooit weer zo begon te voelen, en hij stelde haar gerust en zei dat dat niet meer zou gebeuren. Al vrij snel bleek dat dokter Parris het te somber had ingezien en dat ze zich ten onrechte allemaal dingen in het hoofd had gehaald.

Hij had duidelijk nog steeds veel pijn. Maar hij was vastbesloten om de rolstoel niet te gebruiken. Dus hielp ze hem die week veelvuldig het bed uit en zijn zoutbad in en uit, en hield zijn hand vast als hij de trap afliep, en bracht hem naar het ziekenhuis en terug voor het vernieuwen van zijn verband.

Na een dag of drie, vier liep hij weer alleen, en aan het begin van de tweede week kon hij weer autorijden, dus ging ze weer aan het werk en zei dat hij haar altijd kon bellen wanneer hij hulp nodig had.

Ze belde de bloemist af en het cateringbedrijf en het autoverhuurbedrijf. Bij de bloemist waren ze ronduit onbeschoft, dus zei ze tegen het cateringbedrijf en het autoverhuurbedrijf dat haar dochter ernstig ziek was geworden, en daar waren ze zo vol begrip dat ze dat erger vond dan het gefoeter van de bloemist.

Ze zag er zo tegen op om de gasten te bellen en te zeggen dat de bruiloft niet doorging dat ze besloot om dat nog een paar dagen uit te stellen.

En het was goed. Natuurlijk was het goed. Een paar dagen geleden nog dacht ze dat hun leven op instorten stond. En nu werd alles langzaamaan weer normaal. Meer had ze zich niet kunnen wensen.

Maar soms zat ze 's avonds aan de keukentafel en dacht aan het wassen en koken en schoonmaken en voelde ze iets zwaars en donkers op zich drukken, en als ze dan opstond om theewater op te zetten, was het alsof ze door diep water moest waden.

Ze was depressief. En aan dat gevoel was ze niet gewend. Ze piekerde. Ze redde zich. Ze werd kwaad. Maar ze was nooit langer dan een paar uur terneergeslagen.

Het was harteloos, maar ze wou eigenlijk dat het wat slechter ging met George. Dat hij haar wat meer nodig had. Maar binnen de kortste keren was hij alweer aan het werk met zijn atelier, zagend en metselend.

Ze voelde zich alsof ze verdwaald was op zee. George zat op zijn eiland daar. David zat op een ander eiland. Katie had het hare, Jamie het zijne. Allemaal hadden ze vaste grond onder de voeten. En zij dreef er stuurloos tussenin, en werd steeds verder weggevoerd op de stroom.

De week daarop reed ze naar David en parkeerde bij hem om de hoek. Ze stond op het punt om uit te stappen toen ze besefte dat ze het niet kon. Aanvankelijk had het als het begin van een nieuw leven gevoeld, iets wat anders was en spannend, een manier om te ontsnappen. Maar nu zag ze wat het feitelijk was: gewoon een verhouding, een goedkoop, ordinair avontuurtje, een egoïstische compensatie voor de mislukking van haar echte leven.

Ze zag zichzelf in de leraarskamer op St. John's thee zitten drinken en Garibaldi-koekjes eten met Sally en Bea en Miss Cottingham, en voelde voor het eerst dat ze een soort schandvlek had, dat de anderen konden zien wat ze had gedaan als ze naar haar keken.

Het was onzin, dat wist zij ook wel. Ze waren niet anders dan andere mensen. Ze wist bijvoorbeeld dat Bea's zoon een of ander drugsprobleem had. Toch leek het verkeerd dat ze de ene middag met David in bed lag en de volgende morgen kinderen leerde lezen. En als ze tussen die twee had moeten kiezen, had ze zonder te aarzelen voor David gekozen, maar dat leek nog erger.

Ze reed weg en belde David 's avonds om zich te verontschuldigen. Hij was charmant en vol begrip, en zei dat hij zich kon voorstellen hoe ze zich voelde. Maar dat kon hij niet. Dat hoorde ze aan zijn stem.

80

George lag op bed zonder broek en kreeg een nieuw verband.

De dienstdoende verpleegster was erg aantrekkelijk, zij het aan de mollige kant. Hij viel wel op vrouwen in uniform. Samantha, zo heette ze. Vrolijk ook, maar toch geen kletskous.

Eerlijk gezegd zou hij deze bezoekjes gaan missen wanneer ze over een paar weken voorbij waren. Het was net of je bij de kapper zat. Alleen werd zijn haar altijd door een vrij oude Cyprioot geknipt, en dat deed niet zo'n pijn.

Samantha verwijderde de grote pleister. 'Zo, meneer Hall, tijd om de tanden even op elkaar te zetten.'

George greep de randen van het bed vast.

Samantha maakte het verbandklemmetje los. Het eerste stuk roze lint liet zich gemakkelijk afwikkelen. Toen bleef het kleven. George maakte in gedachten anagrammen van het woord verband. Samantha gaf een rukje zodat de rest van het verband loskwam van de wond, en George iets zei wat hij anders nooit in het bijzijn van een vrouw zou zeggen. 'Neem me niet kwalijk.'

'Welnee.'

Samantha hield het verband omhoog. Het leek op een grote kastanje die in bloed met citroenvla had liggen weken. Ze liet het in het afvalemmertje naast het bed vallen. 'En nu een schone.'

George ging plat liggen en deed zijn ogen dicht.

Nu hij aan de pijn gewend was, vond hij die eigenlijk wel prettig. Hij wist hoe die ging voelen en hoe lang die ging duren. En als de pijn was weggetrokken, voelde zijn hoofd zo'n vijf à tien minuten ongewoon helder, alsof zijn hersenen waren schoongespoten.

In een naburig vertrek hoorde hij iemand 'scoliose' zeggen.

Hij was opgelucht over de bruiloft. Het was verdrietig voor Katie. Of misschien was het voor haar ook wel een opluchting. Ze hadden elkaar weinig kunnen spreken tijdens haar bezoek. En eerlijk gezegd hadden ze het zelden over dergelijke dingen. Maar Ray had wel een beetje raar gedaan in het ziekenhuis, waardoor

Georges twijfels over de relatie alleen maar waren toegenomen.

Hoe dan ook, George was blij dat het huis niet overspoeld zou worden door een feesttent vol vreemden. Hij voelde zich nog steeds wat broos bij het vooruitzicht dat hij zou moeten opstaan en een speech houden.

Jean leek ook erg opgelucht.

Arme Jean. Hij had haar flink door de mangel gehaald. De laatste paar dagen had ze niet zichzelf geleken. Ze maakte zich duidelijk nog zorgen over hem. En het was waarschijnlijk niet bevorderlijk dat ze dat tapijt elke dag zag.

Maar hij was de slaapkamer uit, ze praatten met elkaar, en hij kon wat huishoudelijke karweitjes doen. Als hij verder was opgeknapt, nam hij haar mee uit eten. Hij had goede berichten gehoord over dat nieuwe restaurant in Oundle. De vis scheen er voortreffelijk te zijn.

'Zo,' zei Samantha. 'U kunt weer even vooruit.'

'Bedankt,' zei George.

'Ik help u even overeind.'

Hij zou een bos bloemen voor Jean kopen, iets wat hij heel lang niet had gedaan. Daar zou ze blij mee zijn.

Dan zou hij de tapijtzaak bellen.

81

Jamie wachtte op een kandidaat-koper in de flat op Princes Avenue waar hij Tony had leren kennen.

De eigenaars gingen verhuizen naar Kuala Lumpur. Ze waren gelukkig netjes
en kinderloos. Geen abstract-expressionistische balpen op de plinten, geen loslo-
pend speelgoed op de grond in de eetkamer (toen Shona een stel het huis met de
vier slaapkamers in Finchley liet zien, struikelde de vrouw over een Power Ranger Dino-Bike en verzwikte haar enkel). Werkten in de City en deden hier zo te
zien amper iets. Vlekkeloos fornuis. Ikea-meubels. Standaardreproducties in lijs-
ten van geborsteld staal. Zielloos maar verkoopbaar.

Hij liep de keuken in, betastte het schilderwerk met zijn vingertoppen en dacht
terug aan Tony met een kwast in zijn hand, nog voordat ze ooit een woord hadden gewisseld, toen hij nog een fraaie vreemdeling was.

Jamie zag nu glashelder wat hij had gedaan.

Hij had zijn tijd afgewacht. Hij was gevlucht. Hij had een wereldje gebouwd
waarin hij zich veilig voelde. En dat draaide ergens ver weg rond, zonder met iemand verbonden te zijn. Het was er koud en donker en hij had geen idee hoe hij
het weer op koers kreeg naar de zon.

Er was een ogenblik in Peterborough geweest, vlak nadat Katie hem had ge-
vloerd, dat hij besefte dat hij deze mensen nodig had. Katie, ma, pa, Jacob. Hij
werd soms knettergek van ze. Maar ze hadden wel de hele rit met hem meegemaakt. Ze hoorden bij hem.

Nu was hij Tony kwijt, en de weg kwijt. Hij had een plek nodig waar hij heen
kon als hij het moeilijk had. Hij had iemand nodig die hij in de kleine uurtjes
kon bellen.

Hij had het verpest. Die afschuwelijke scènes in de eetkamer. Zijn moeder die
zei: 'Jij weet niets.' Ze had gelijk. Ze waren vreemden voor elkaar. Dankzij hem.
Omdat hij dat zo wilde. Welk recht had hij om ze te vertellen hoe zij moesten leven? Hij had er wel voor gezorgd dat zij geen recht hadden om hem te vertellen
hoe hij moest leven.

De bel ging.

Shit.

Hij haalde diep adem, telde tot tien, zette zijn hersenen op 'verkoop', en deed open voor een man die duidelijk een toupetje droeg.

82

Katie was net klaar met de afwas.

Jacob lag in bed. En Ray zat aan de keukentafel de batterijen van de draadloze telefoon te verwisselen. Ze draaide zich om en leunde tegen het aanrecht terwijl ze haar handen aan de theedoek afdroogde.

Ray klikte de telefoon weer dicht. 'We moeten iets doen.'

Ze zei: 'Ik weet het', en het voelde goed om de zaak eindelijk eens aan te pakken in plaats van te bitsen over ritjes naar de crèche en het gebrek aan theezakjes.

Ray zei: 'Het kan me niet schelen hoe we dit oplossen.' Hij leunde met zijn stoel achterover en zette de telefoon in de houder. 'Zolang we maar niet in de buurt van je familie komen.'

Heel even vroeg ze zich af of ze beledigd moest zijn. Maar dat kon niet, want Ray had gelijk, ze hadden zich verschrikkelijk gedragen. Daarna vond ze het eigenlijk wel grappig en besefte ze dat ze lachte. 'Sorry dat je dat allemaal hebt moeten meemaken.'

'Het was... leerzaam,' zei Ray.

Aan zijn gezicht kon ze niet zien of hij een grapje maakte of niet, dus hield ze op met lachen.

'Ik zei tegen je vader dat hij me nog de normaalste leek van de hele familie.' Ray zette een van de oude batterijen rechtop. 'Daar keek hij wel even van op.' Hij zette de andere batterij ook rechtop, naast de eerste. 'Ik hoop dat het goed met hem gaat.'

'Laten we maar duimen.'

'Jamie is een toffe kerel,' zei Ray.

'Ja.'

'We hebben goed gepraat. In de tuin.'

'Over?'

'Jou en mij. Hem en Tony.'

Het leek een beetje riskant om naar details te vragen, dus bromde ze wat.

'Ik dacht altijd, ja, omdat hij homo is, dat hij maffer zou zijn.'

'Dat kun je waarschijnlijk beter niet tegen hem zeggen.'

Ray keek op. 'Zo dom ben ik nou ook weer niet.'

'Sorry. Ik bedoelde niet...'

'Kom eens even hier jij,' zei Ray. Hij duwde zijn stoel achteruit.

Ze liep naar hem toe en ging bij hem op schoot zitten en hij sloeg zijn armen om haar heen en het was gebeurd. Alsof de wereld in een keer binnenstebuiten werd gekeerd.

Hier zat ze op haar plaats.

Ze voelde hoe elke spier in haar lichaam zich ontspande. Ze raakte zijn gezicht aan. 'Ik ben walgelijk tegen je geweest.'

'Je bent afschuwelijk geweest,' zei Ray. 'Maar ik hou toch nog van je.'

'Hou me vast.'

Hij trok haar naar zich toe, en ze duwde haar gezicht in zijn schouder en huil-de.

'Het is goed,' zei Ray, en hij wreef zachtjes over haar rug. 'Het is goed.'

Hoe had ze zo blind kunnen zijn? Hij had haar familie op z'n slechtst gezien en was de vriendelijkheid zelve gebleven. Ook al was de bruiloft van de baan.

Maar hij was niet veranderd. Hij was steeds zo geweest. De aardigste, betrouw-baarste, integerste persoon in haar leven.

Dit was haar familie: Ray en Jacob.

Ze voelde zich dom en opgelucht en schuldig en gelukkig en verdrietig, en een beetje beverig omdat ze zo veel dingen tegelijk voelde. 'Ik hou van je.'

'Het is goed,' zei Ray. 'Je hoeft het niet te zeggen.'

'Nee, ik meen het. Ik meen het echt.'

'Laten we maar even helemaal niets zeggen, oké? Het wordt te ingewikkeld als we ruziemaken.'

'Ik maak geen ruzie,' zei Katie.

Hij duwde haar hoofd zachtjes omhoog en legde een vinger op haar lippen en kuste haar. Het was de eerste echte kus in weken.

Hij nam haar mee naar boven en ze gingen met elkaar naar bed totdat Jacob een nachtmerrie over een boze blauwe hond kreeg, en ze snel moesten stoppen.

83

Toen Jamie van zijn werk thuiskwam, belde hij Tony. Die nam niet op. Hij belde Tony's mobiele nummer en sprak op de voicemail het verzoek in om hem terug te bellen.

Hij ruimde de keuken op en at, terwijl hij naar een film keek over een reuzenalligator in een meer in Maine. Tony belde niet terug.

De volgende morgen vroeg belde hij Tony weer thuis. Die nam niet op. Tussen de middag belde hij Tony's mobiel en sprak weer iets in. Hij hield de boodschap zo eenvoudig en direct mogelijk.

Na het werk ging hij zwemmen omdat hij niet op Tony's telefoontje wou gaan zitten wachten. Hij trok zestig baantjes en voelde zich na afloop wel vijf minuten lang uitgeput en ontspannen.

Toen hij thuiskwam, probeerde hij de flat weer te bellen, maar tevergeefs.

Hij kwam in de verleiding om erheen te gaan en aan te kloppen, maar hij begon het idee te krijgen dat Tony hem ontweek en wilde niet nog een scène.

Het was geen verdriet. In elk geval geen verdriet dat hij kende. Het was alsof er iemand was gestorven. Het was iets waarmee hij moest leven, in de hoop dat de pijn mettertijd minder zou worden.

Hij bleef bellen, elke ochtend en elke avond. Maar hij verwachtte niet meer dat er zou worden opgenomen. Het was een ritueel. Iets wat vorm aan de dag gaf.

Hij had zich teruggetrokken in een kamertje ergens diep in zijn hoofd en leefde op de automatische piloot. Opstaan. Naar zijn werk gaan. Thuiskomen.

Hij stelde zich voor dat hij zonder te kijken de weg op stapte en door een auto werd aangereden en geen pijn voelde, geen verbazing, helemaal niets eigenlijk, alleen maar een soort afstandelijke belangstelling voor wat er gebeurde met deze man die hij niet meer was.

Toen kreeg hij een verrassend telefoontje van Ian, en hij sprak met hem af om wat te gaan drinken. Ze hadden elkaar tien jaar terug leren kennen op een strand in Cornwall en bleken in Londen vier straten van elkaar te wonen. Hij studeerde toen voor dierenarts. Die arme jongen kwam op zijn vijfentwintigste uit de kast, bleek seropositief te zijn na vier jaar monogamie, kwam in een neerwaartse spiraal terecht en begon aan een langzame, dure zelfmoord met sigaretten, alcohol, cocaïne en ongeregelde seks, tot hij een voet verloor bij een motorongeluk, een maand in het ziekenhuis lag, en naar Australië verdween.

Jamie had een paar maanden later een ansichtkaart met een wombat gekregen en het nieuws dat het de goede kant uitging, en vervolgens twee jaar niets vernomen. En nu was hij terug.

Hij zou er beroerder aan toe zijn dan Jamie. Of hij had de moed erin weten te houden. Hoe dan ook zouden Jamies problemen na een paar uur in Ians gezelschap hanteerbaar lijken.

Jamie kwam te laat en was opgelucht dat hij er niettemin als eerste was. Maar toen hij een pilsje stond te bestellen, zei iemand 'Jamie', en nam een slanke, gebruinde man die niet zichtbaar hinkte en een strak zwart T-shirt droeg hem bij wijze van omhelzing in de houdgreep.

En een minuut of vijftien, twintig lang liep het allemaal gesmeerd. Het was goed om te horen hoe Ian er weer bovenop was gekomen. En zijn verhalen over bizarre paardeziektes en reuzenspinnen waren echt geestig. Toen vertelde Jamie over Tony, en bracht Ian het onderwerp Jezus ter sprake, wat niet zo vaak gebeurde in de kroeg. Hij deed er niet volkomen bezeten over. Het klonk meer als een geweldig nieuw dieet. Maar samen met het nieuwe lichaam schrok het toch af. En toen Ian ging plassen, kwam Jamies blik te rusten op twee mannen aan het andere eind van de bar, de een verkleed als duivel (jumpsuit van rood velours, hoorntjes, drietand), de ander als engel (vleugels, wit hemdje, petticoat), die ongetwijfeld samen met de cowboy verderop (leren beenstukken, sporen) onderweg waren naar een gekostumeerd bal, maar Jamie kreeg een gevoel alsof hij een verkeerde drug had gebruikt, of dat als enige juist niet had gedaan. En hij besefte dat hij zich hier thuis zou moeten voelen, maar dat dat niet zo was.

Toen kwam Ian terug naar hun tafeltje en die merkte dat Jamie zich niet op zijn gemak voelde, dus begon hij over iets anders, namelijk zijn erg actieve liefdesleven, dat voor zover Jamie kon beoordelen niet erg in overeenstemming leek met de christelijke beginselen. Jamie voelde iets van het wazige onbegrip dat oude mensen tentoonspreidden wanneer je ze over internet vertelde en vroeg zich af of hij gewoon de nieuwste ontwikkelingen in de Kerk niet had bijgehouden.

Hij ging naar huis na een wat ongemakkelijk afscheid van Ian, waarbij hij beloofde om serieus na te denken over het bijwonen van een evangelische bijeenkomst in King's Cross en Ian hem weer in zo'n houdgreep nam, en Jamie besefte dat dit een christelijke omhelzing was en geen echte.

Een paar uur later droomde hij dat hij Tony achternazat door een eindeloze reeks onderling verbonden vertrekken, sommige op zijn oude school, andere in woningen die hij de afgelopen jaren had verkocht, en hij schreeuwde, maar Tony hoorde hem niet, en Jamie kon niet rennen vanwege de kleine beestjes op de grond, net jonge vogeltjes met een mensengezicht, die piepten en krijsten wanneer hij op ze ging staan.

Toen hij om zeven uur eindelijk wakker werd, liep hij meteen naar de telefoon om Tony te bellen. Net op tijd beheerste hij zich.

Hij ging spijkers met koppen slaan. Hij ging na zijn werk naar Tony's flat. Zeggen wat hij te zeggen had. Tony op zijn donder geven omdat hij de telefoon niet opnam. Erachter komen of hij verhuisd was. Wat dan ook. Als het maar gedaan was met dat wachten.

84

Bij David werd de verwarmingsketel vervangen, dus zat Jean met hem in de tuin van de Fox and Hounds. Ze was eerst nerveus geworden bij het idee, maar David had gelijk: er was bijna niemand, en als ze ertussenuit moesten knijpen was het maar een paar meter naar de auto.

Ze dronk gin-tonic, wat ze normaal niet deed als ze van school naar huis ging. Mocht George erover beginnen, dan kon ze altijd Ursula de schuld geven. Ze moest zich een beetje moed indrinken. Haar leven was momenteel een zootje; het moest eenvoudiger worden.

Ze zei: 'Ik weet niet hoelang we nog door kunnen gaan.'

'Bedoel je dat je wilt stoppen?' vroeg David.

'Misschien, ja.' Het klonk heel hard nu ze het uitsprak. 'O, ik weet het niet. Ik weet het gewoon niet.'

'Wat is er dan veranderd?'

'George,' zei ze. 'George die ziek is.' Was dat niet duidelijk?

'Meer niet?'

Hij leek er niet mee te zitten, en ze vond zijn zelfvertrouwen een beetje irritant. Hoe kon hij zo onverstoorbaar blijven? 'Dat is niet niks, David.'

Hij pakte haar hand.

Ze zei: 'Het voelt nu anders. Het voelt verkeerd.'

Hij zei: 'Jij bent niet veranderd. Ik ben niet veranderd.'

Mannen konden zo zelfverzekerd zijn, daar ergerde ze zich soms rot aan. Ze maakten een bouwsel van woorden dat stond als een huis. En die gevoelens die je in de kleine uurtjes overweldigden, gingen in rook op.

Hij zei: 'Ik wil je niet overrompelen.'

'Dat weet ik wel.' Maar zo zeker was ze daar niet van.

'Als jij ziek was, als je ernstig ziek was, zou ik nog steeds van je houden. Ik hoop dat dat omgekeerd ook zo zou zijn.' Hij keek haar aan. Voor het eerst leek hij verdrietig, en dat stelde haar gerust. 'Ik hou van je, Jean. Dat zijn geen loze woorden. Ik meen het. Als het moet, wacht ik. Neem ik dingen voor lief. Want dat betekent houden van. En ik weet dat George ziek is. En ik weet dat dat jouw leven moeilijk maakt. Maar het is iets waarmee we moeten leven, en waarvoor we iets moeten bedenken. En ik weet niet hoe we dat gaan doen, maar we gaan het doen.'

Ze moest lachen.

'Waar lach je om?'

'Om mezelf,' zei ze. 'Je hebt helemaal gelijk. En dat is om razend van te worden. Maar toch heb je gelijk.'

Hij kneep in haar hand.

Ze zwegen enige ogenblikken. David viste iets uit zijn shandy, en aan de andere kant van de heg kwam een groot landbouwvoertuig langsgerateld.

'Ik voel me vreselijk,' zei ze.

'Waarom?'

'De bruiloft.'

Hij keek opgelucht.

'Ik was zo van de wijs door wat er met George gebeurde dat ik... Katie moet het heel moeilijk hebben. Trouwplannen. En dan gaat de bruiloft niet door. Terwijl ze samenwonen. Ik had haar steun moeten geven, maar we hebben alleen maar ruziegemaakt.'

'Je had genoeg aan je hoofd.'

'Dat weet ik, maar...'

'De bruiloft gaat tenminste niet door,' zei David.

Het klonk hardvochtig. 'Maar het is zo treurig.'

'Het is pas treurig om met iemand te trouwen van wie je niet houdt.'

85

Ze gingen trouwen.

Katie was enthousiast, maar nu op een andere manier. Deze keer wist ze dat het de juiste beslissing was. Ze gingen het zelf allemaal regelen. Het ging echt hun bruiloft worden. En ergens was ze stiekem blij dat mensen ervan zouden balen.

Ze dorst het Ray eerst niet te vragen. Zou hij haar wel geloven? Zou hij het risico willen lopen dat ze weer ging twijfelen?

Toen dacht ze: Kom op, geen gelul. Wat moest je anders doen als je van iemand hield en je wilde trouwen? En als de uitnodigingen al waren verstuurd, nou, dan leek het des te zinniger om het maar snel te vragen.

Dus trok ze de stoute schoenen aan en vroeg hem ten huwelijk. Op haar knieën. Zodat ze er nog een geintje van kon maken wanneer het helemaal misging.

Hij begon te stralen. 'Natuurlijk wil ik met je trouwen.'

Zo verrast was ze dat ze zichzelf hoorde vragen: 'Weet je het wel zeker?'

'Hé.' Hij pakte haar schouders vast.

'Wat?'

'Ik heb ja gezegd. Ik heb gezegd dat ik met je wil trouwen.'

'Dat weet ik, maar...'

'Zal ik je eens wat zeggen?' vroeg Ray.

'Nou?'

'Je bent er weer.'

'Hoe bedoel je?'

'Je bent weer de oude,' zei hij.

'Dus je wilt echt trouwen? Over twee weken?'

'Alleen als je belooft dat je het nu niet meer gaat vragen.'

'Dat beloof ik.'

Ze staarden elkaar een seconde of vijf aan en lieten het tot zich doordringen. Toen sprongen ze als kinderen op en neer.

Ze had gedacht dat ma boos zou zijn, na alle herrie. Maar die reageerde merkwaardig gelaten. Ze bleek de gasten nog niet eens te hebben gebeld dat de bruiloft niet doorging. Misschien had ze de hele tijd al vermoed dat het zo zou gaan.

Katie zei dat zij alles zouden regelen. Ma hoefde haar alleen de telefoonnummers maar te geven, verder niets. 'En Ray en ik gaan het ook betalen. Dat lijkt ons wel zo eerlijk na al dit gedoe.'

'Als jullie dat graag willen,' zei ma. 'Al weet ik niet wat je vader zal vinden.'

'Meer geld in zijn portemonnee,' zei Katie, maar ma lachte niet. 'Hoe is het eigenlijk met hem?'

'Hij lijkt helemaal in orde.' Ze leek er niet erg blij mee.

'Mooi,' zei Katie. Misschien had ma gewoon een slechte dag. 'Dat is heel goed nieuws.'

Bij de bloemist waren ze ronduit onbeschoft. Ze konden nog wel een gaatje vinden, maar dat ging wel meer kosten. Katie zei dat ze de bloemen ging bestellen bij een winkel waar ze aardiger waren. Ze hing op met een verkwikkende gerechtvaardigde verontwaardiging die ze lang niet had gevoeld en dacht: Dan maar geen bloemen. Ray stelde voor om 's ochtends voor de bruiloft ergens een boeketje te kopen en dat vonden ze allebei erg leuk.

Het cateringbedrijf toonde meer begrip. Daar dachten ze kennelijk dat Katie net uit het ziekenhuis kwam, wat enig snel voetenwerk van Katie vereiste, en toen ze iets mompelde over tests die negatief bleken te zijn, werd er zelfs gejuicht aan de andere kant van de lijn. 'We vinden het een eer om het eten te mogen verzorgen.'

Bij de taartenwinkel wisten ze niet eens dat de bruiloft niet had zullen doorgaan en dachten ze duidelijk dat Katie niet goed snik was.

86

Toen George Jean de bloemen gaf, huilde ze. Het was niet de reactie die hij had verwacht. En ze huilde niet omdat de bloemen nou zo mooi waren, want dat waren ze niet (hij had ze in het kleine supermarktje bij de bushalte moeten kopen, en zelfs hij zag wel dat het geen topkwaliteit was).

Ze was misschien nog steeds van slag over zijn onfortuinlijke avontuur in het bad. Of over het tapijt (ze kwamen volgende week pas nieuw tapijt leggen). Of over de ruzie die ze met Katie en Jamie had gehad. Of over de bruiloft die niet doorging. Of over de bruiloft die nu weer wel doorging. Of over het feit dat Katie en Ray die nu zelf organiseerden en zij de regie niet meer in handen had. Er waren talloze mogelijkheden. En in zijn ervaring maakten vrouwen zich druk om dingen waaraan de meeste mannen niet eens zouden denken.

Hij besloot geen vragen te stellen.

Zelf ging hij zich niet druk maken over de bruiloft. Hij zou wel zien wat er gebeurde. Als Katie en Ray de zaak verknoeiden, betaalden ze het in elk geval zelf.

Het idee van een speech baarde hem inmiddels minder zorgen. Hij voelde zich sterker, en het probleem leek niet meer zo onoverkomelijk.

Had hij maar geweten dat het huwelijk met Graham geen stand zou houden, dan had hij de speech bewaard die hij bij die bruiloft had afgestoken.

Hij kon misschien een kort biografietje doen. Laten zien hoe de kleine wildebras van dertig jaar geleden was uitgegroeid tot... tot wat? Een bekwame jonge vrouw? Een bekwame jonge vrouw en een geweldige moeder? De vrouw die u hier voor u ziet? Het was het niet helemaal.

De beste dochter ter wereld? Dat was wellicht wat overdreven.

Tot mijn absolute lievelingsdochter. Dat was het. Een vleugje humor. Complimenteus maar niet sentimenteel.

Misschien moest hij het even aan Jean voorleggen. De juiste toon was eerlijk gezegd nooit zijn sterke punt geweest. Een serieus geluid laten horen. Een ironisch geluid. Daarom had hij zich ook altijd onttrokken aan het houden van speeches op afscheidsfeesten en kerstborrels. Er waren altijd handigere mannen die de taak graag op zich namen.

Hij zou het eerste huwelijk en een aantal ernstige misdragingen uit haar tienertijd weglaten. Niemand zat te wachten op een anekdote over Katie die koffie in een straalkachel goot, met als gevolg een ontploffing waarbij het behang van de muur vloog. Of wel? Zulke dingen waren zo moeilijk in te schatten.

Hij zou wel vertellen over haar plannen om autocoureur te worden, en die keer dat ze zijn sleuteltjes leende en de Vauxhall Chevette van de handrem haalde, zodat die tegen de garagedeur rolde en Jamie bijna doormidden werd gekliefd.

In elk geval ging hij de speech pas een paar dagen van tevoren schrijven. Hij wou de goden niet verzoeken, en zijn dochter zou er geen been in zien om de bruiloft nog een keer te annuleren.

Ook een onderwerp waarover hij moest zwijgen.

Hij belde het restaurant in Oundle en reserveerde een tafel. Jean was nog steeds wat minnetjes, en er moest een sterker medicijn dan bloemen aan te pas komen. En de berichten klopten: de vis was erg lekker. George nam zeebrasem met spinazie en pijnboompitten en zo'n plasje nouvelle cuisine-saus. Jean nam de forel.

Er hing bij het hoofdgerecht een zwart wolkje boven haar. Dus bij het dessert liet hij alle voorzichtigheid varen en vroeg wat er aan de hand was.

Het duurde erg lang voor ze antwoord gaf. Wat George wel begreep. Hij had zelf ook een paar mentale hobbels moeten nemen die niet zo eenvoudig te verwoorden waren.

Uiteindelijk zei Jean: 'In het ziekenhuis.'

'Ja?'

'Heb ik iets tegen Katie gezegd.'

'Ja?' George haalde wat vrijer adem. Het was een moeder-dochterprobleem. Verhitte gemoederen, korte duur.

'Iets heel doms.'

'Vast niet.'

'Ik zei dat ik opgelucht was,' zei Jean, 'dat de bruiloft niet doorging.'

'Oké...'

'Ik zei dat we van het begin af aan onze twijfels over Ray hadden.'

'En dat is ook zo.'

'Dat heeft ze tegen Ray gezegd. Dat weet ik absoluut zeker. Ik zag het aan zijn ogen.'

George dacht hier een minuut of wat over na. Wanneer mannen problemen hadden, wilden ze een oplossing horen, maar wanneer vrouwen problemen hadden, wilden ze horen dat je het begreep. Dat had David destijds bij Shepherds tegen hem gezegd, die zomer dat de zoon van Pam bij een sekte was gegaan.

Hij zei: 'Je bent bang dat Ray een hekel aan je heeft.'

'Aan ons.' Jean fleurde zichtbaar op.

'Nou, vermoedelijk heeft hij altijd wel geweten dat we onze bedenkingen hebben.'

'Het is toch wat anders wanneer het met zoveel woorden wordt gezegd.'

'Dat is zo. En nu je het zegt, toen hij me in het ziekenhuis kwam ophalen, deed hij ook een beetje vreemd.'

'Hoe dan?' Jean leek nu weer zenuwachtig.

'Nou...' George ging snel door zijn herinnering aan de ontmoeting na om ervoor te zorgen dat er niets onaangenaams voor Jean in zat. 'Hij zei dat het een puinzooi was in huis.'

'Daar had hij groot gelijk in.'

'Hij zei dat ik nog de normaalste van de familie was. Ik geloof dat het een grapje was.' Het was blijkbaar grappiger dan George besefte, want Jean begon zachtjes te lachen. 'Ik vond het niet zo aardig tegenover jou, moet ik zeggen.' Hij pakte Jeans hand. 'Het is goed om je te zien lachen. Dat heb ik lang niet gezien.'

Ze begon weer te huilen.

'Weet je wat?' Hij liet haar hand los. 'Ik bel Ray wel even op. Kijken of ik de zaak kan rechtzetten.'

'Is dat wel verstandig?'

'Laat het maar aan mij over,' zei hij.

Hij wist niet of het verstandig was. En of het aan hem kon worden overgelaten. Om eerlijk te zijn had hij weinig tot geen idee waarom hij zoiets overmoedigs had voorgesteld. Maar hij kon nu niet meer terug. En als hij Jean gelukkiger kon maken door iets kleins te doen, was dat wel het minste wat hij kon doen.

87

Toen Jamie thuiskwam van zijn werk stond er een boodschap van Katie op het antwoordapparaat dat de bruiloft toch doorging. Ze klonk in één woord jubelend. En door haar blijdschap werd hij eindelijk ook weer wat optimistischer. Misschien waren ze met z'n allen nu over het ergste heen.

Hij kwam in de verleiding om meteen terug te bellen, maar hij moest eerst iets anders aanpakken.

Hij parkeerde bij Tony om de hoek en concentreerde zich op wat hem te doen stond – hij wou het niet nog een keer verknallen.

Maandagavond, zeven uur. Als Tony nu niet thuis was, wist Jamie het ook niet meer.

Wat ging hij zeggen? Het leek zo duidelijk, wat hij voelde. Maar wanneer hij het probeerde te verwoorden, klonk het klungelig en niet overtuigend en sentimenteel. Had je maar een deksel op je hoofd dat je kon optillen en zeggen: 'Kijk.'

Dit was zinloos.

Hij klopte aan, en vroeg zich af of Tony inderdaad was verhuisd, want er werd opengedaan door een jonge vrouw die hij nog nooit had gezien. Ze had lang donker haar en droeg een mannenpyjamabroek en kistjes met losse veters. In de ene hand had ze een sigaret en in de andere een voddige paperback.

'Ik ben op zoek naar Tony.'

'Aha,' zei ze. 'Jij bent zeker de beruchte Jamie.'

'Nou, berucht, dat weet ik niet.'

'Ik vroeg me al af wanneer je langs zou komen.'

'Kennen wij elkaar?' vroeg Jamie, en hij probeerde het feitelijk te laten klinken, en niet hautain. Hij kreeg hetzelfde gevoel als onlangs bij Ian: geen idee wat hier aan de hand was.

De vrouw bracht de paperback met enig gegoochel over naar de hand met de sigaret en stak Jamie de andere toe. 'Becky. Tony's zus.'

'Hoi,' zei Jamie, en hij schudde de hand. En bij nader inzien herkende hij haar gezicht inderdaad van foto's en voelde zich schuldig dat hij toen niet meer belangstelling had getoond.

'Die je hebt gemeden,' zei Becky.

'Is dat zo?' vroeg Jamie. Al was het meer een geval van niet echt moeite doen dan daadwerkelijk mijden. 'Maar jij woonde toch in...' Shit. Die zin had hij niet moeten beginnen. Ze bood hem ook geen hulp. 'Een heel eind weg.'

'Glasgow. Daarna Sheffield. Kom je binnen of blijven we hier staan praten?'

'Is Tony er?'

'Kom je alleen binnen als hij er is?'

Jamie kreeg sterk de indruk dat Tony niet thuis was en dat Becky hem aan een kruisverhoor ging onderwerpen, maar dit leek hem geen goed moment om een familielid van Tony voor het hoofd te stoten. 'Ik kom binnen.'

'Mooi,' zei Becky, en ze deed de deur achter hem dicht.

'Is hij er nou?'

Ze liepen de trap op naar de flat.

'Hij zit op Kreta,' zei Becky. 'Ik pas op zijn huis. Ik werk bij het Battersea Arts Centre.'

'Oef,' zei Jamie.

'En dat betekent?'

'Dat betekent dat ik steeds heb geprobeerd om hem te bellen. Ik dacht dat hij me niet wou spreken.'

'Dat is ook zo.'

'O.'

Jamie ging aan de keukentafel zitten, bedacht toen dat het Becky's flat was, in elk geval tijdelijk, en dat hij niet meer met Tony ging en dus niet meteen moest doen of hij thuis was. Hij stond weer op, Becky keek hem bevreemd aan en hij ging weer zitten.

'Glaasje wijn?' Becky zwaaide met een fles.

'Goed,' zei Jamie, die niet onbeleefd wou zijn.

Ze schonk een glas in. 'Ik neem de telefoon niet op. Maakt het leven een stuk eenvoudiger.'

'Juist.' Jamies hoofd zat nog vol met alle dingen die hij tegen Tony had willen zeggen, en geen van alle waren nu erg van toepassing. 'Het Battersea Arts Centre. Zijn dat schilderijen, tentoonstellingen en zo...?'

Becky keek Jamie vernietigend aan en schonk nog een wijntje voor zichzelf in. 'Het is een theater. Ik werk bij het theater.' Ze sprak het woord theater heel langzaam uit, alsof ze het tegen een klein kind had. 'Ik ben zaalmanager.'

'Juist,' zei Jamie. Zijn ervaring met het theater beperkte zich tot een gedwongen bezoek aan *Miss Saigon*, dat hij niet leuk vond. Het leek hem beter om dat niet tegen Becky te zeggen.

'Je hebt niet erg goed opgelet toen Tony over zijn familie vertelde, hè?'

Jamie kon zich niet zo gauw een gesprek herinneren waarin Tony hem verteld had wat zijn zuster deed. Het kon zijn dat Tony het hem nooit had verteld. Het leek hem beter om dat ook maar voor zich te houden. 'En, wanneer komt Tony terug?'

'Ik weet het niet zeker. Over een week of twee, geloof ik. Het ging allemaal vrij impulsief.'

Jamie maakte een snelle berekening. Twee weken. 'Shit.'

'Want?'

Jamie wist niet of Becky kregel van zichzelf was of vooral kregel deed tegen hem. Hij was voorzichtig. 'Ik wou hem graag meenemen naar iets. Een bruiloft. De bruiloft van mijn zuster. Die gaat trouwen.'

'Niet ongebruikelijk bij een bruiloft.'

Jamie begon te begrijpen waarom Tony niet meer moeite had gedaan om hem te laten kennismaken met zijn zuster. Deze vrouw deed niet onder voor Katie. 'We hebben ruzie gehad.'

'Dat weet ik.'

'En dat kwam door mij.'

'Dat heb ik begrepen,' zei Becky.

'Nou ja, ik dacht, als ik hem zo ver kan krijgen dat hij meegaat naar de bruiloft...'

'Volgens mij is hij juist naar Kreta gegaan om die te ontlopen.'

'Ah.'

Becky drukte haar sigaret uit in het glazen asbakje dat midden op tafel stond, en om niet aan de ongemakkelijke stilte te denken, keek Jamie aandachtig naar de rook die omhoogzweefde en uiteenkronkelde.

'Hij hield van je,' zei Becky. 'Dat weet je toch wel?'

'Is dat zo?' Het klonk als een domme vraag. Maar wat ze net had gezegd, was zo'n schok dat het hem niet kon schelen.

Tony hield van hem. Had hij dat verdomme niet een keer kunnen zeggen? Jamie had altijd aangenomen dat Tony er net zo over dacht als hij: dat hij zich niet meteen wilde binden.

Tony hield van hem. Hij hield van Tony. Hoe had hij het in godsnaam voor elkaar gekregen om de zaak zo volledig in de soep te laten draaien?

'Je wist het niet, hè?' zei Becky.

Jamie kon niets, maar dan ook helemaal niets zeggen.

'Jezus,' zei Becky. 'Mannen zijn soms zulke druiloren.'

Jamie wilde gaan zeggen dat dit allemaal niet gebeurd was als Tony het gewoon tegen hem had gezegd. Maar het klonk niet als een erg volwassen reactie. Bovendien wist hij precies waarom Tony het nooit had gezegd: hij had Tony nooit de kans gegeven, hij wilde niet dat Tony het zou zeggen, hij was doodsbang dat Tony het zou zeggen. 'Hoe kan ik hem bereiken?'

'Geen flauw idee,' zei Becky. 'Hij logeert bij een vriend die daar zo'n time-share-gevalletje heeft. '

'Gordon.'

'Kan kloppen. Hij dacht dat zijn mobiel het daar wel zou doen.'

'Die doet het niet. Ik heb het geprobeerd.'

'Jij niet alleen.'

'Ik moet een sigaret hebben,' zei Jamie.

Becky glimlachte voor het eerst. Ze stak een sigaret op en gaf die aan hem. 'Je bent echt van de kaart.'

'Mocht hij bellen,' zei Jamie, 'dan...'

'Hij belt niet.'

'Maar als hij toch belt...'

'Het is menens, hè,' zei Becky.

Jamie zette zich schrap. 'Ik hou van hem. Ik besefte het alleen pas toen... Jezus, eerst dumpt Tony me. Dan zet mijn zuster een streep door de bruiloft. Dan stort mijn vader in en belandt in het ziekenhuis. En rijden we allemaal naar Peterborough waar we elkaar zo'n beetje de ogen uitkrabben. Het was afschuwelijk. Echt afschuwelijk. En nu gaat de bruiloft ineens weer wel door.'

'Dat wordt een gezellige boel, zo te horen.'

'En ik besefte dat Tony de enige is die...'

'O, help. Niet gaan huilen. Alsjeblieft. Ik kan er niet tegen als mannen gaan huilen. Neem nog een glas.' Ze schonk het restant van de wijn in zijn glas.

'Sorry.' Jamie droogde zijn enigszins vochtige ogen en slikte de brok in zijn keel door.

'Stop een uitnodiging in de bus,' zei Becky. 'Schrijf er wat sentimenteels op. Dan leg ik die boven op zijn stapel post. Of op zijn kussen. Of zoiets. Als hij op tijd terug is, zorg ik wel dat hij gaat.'

'Serieus?

'Serieus.' Ze stak een nieuwe sigaret op. 'Ik heb zijn vorige vriendjes ook ontmoet. Eikels. Naar mijn bescheiden mening. Jou zie ik voor het eerst, maar geloof me, je lijkt nu al een hele verbetering.'

'Ryan leek anders aardig.' In gedachten stelde hij Becky en Katie aan elkaar voor, en hij vroeg zich af of ze boezemvriendinnen zouden worden, of dat het mengsel direct zou ontploffen.

'Ryan. Mijn god, wat een zakkenwasser. Een vrouwenhater. Je weet wel: er valt niet mee te werken omdat ze niet hard genoeg zijn, en dan moeten ze ook nog zo nodig kinderen krijgen. Waarschijnlijk niet eens een homo. Niet echt. Je kent

ze wel: ze kunnen het idee van seks met een vrouw gewoon niet aan. Een kinder-
hater ook. Waar ik absoluut niet tegen kan. Ik bedoel, jezus, waar denk je dat volwassenen vandaan komen? Wil je buschauffeurs en artsen? Dan zul je kinderen
moeten hebben. Ik ben blij dat ik die arme vrouw niet ben die honderden keren
zijn reet heeft afgeveegd. Hield ook niet van honden. Of katten. Een man die niet
van dieren houdt, moet je nooit vertrouwen. Dat is mijn stelregel. Heb je toevallig zin om zo'n curry van Tesco met mij te delen?'

88

Jean belde David. De ketel was geïnstalleerd en hij was weer alleen in huis, dus ging ze na de boekwinkel bij hem langs.

Ze vertelde het nieuws van de bruiloft en hij lachte. Op een aardige manier. 'Oei-oei-oei, laten we maar hopen dat de dag zelf minder veelbewogen wordt dan de voorbereiding.'

'Kom je nog steeds?'

'Zou je dat willen?'

'Ja,' zei ze. 'Ja, dat zou ik willen.' Ze zou hem niet kunnen vasthouden. Maar als Jamie en Ray ruzie kregen, of Katie zich halverwege de ceremonie bedacht, wilde ze ergens het gezicht kunnen zien van iemand zien die begreep wat ze doormaakte.

Hij gaf haar een knuffel en zette thee en ging met haar in de serre zitten en vertelde over de zonderlinge monteur die de ketel had vervangen. ('Een Pool, zei hij. Afgestudeerd econoom. Is naar Engeland komen lopen, zei hij. Klooster in Duitsland. Fruit geplukt in Frankrijk. Maar wel een beetje een boef. Ik wist niet of ik alles wel moest geloven.')

En hoe fijn het ook was om te praten, ze besefte dat ze naar de enige plek gebracht wilde worden waar ze kon vergeten, hoe kortstondig ook, wie ze was en wat er in de rest van haar leven gebeurde. En het was een beetje eng om zo'n sterke behoefte aan iets te voelen. Maar dat maakte de behoefte er niet minder op.

Ze pakte zijn hand en keek hem aan en wachtte tot hij begreep wat ze dacht zonder dat ze het hoefde te zeggen.

Hij glimlachte terug en trok een wenkbrauw op en zei: 'We gaan naar boven.'

89

George had zijn tweede afspraak bij de psycholoog gemist omdat hij in het ziekenhuis lag. Vandaar dat hij nogal opzag tegen zijn volgende ontmoeting met mevrouw Endicott, net zoals hij ooit had opgezien tegen de confrontatie met meneer Love, die hij moest gaan uitleggen waarom hij de schooltas van Jeffrey Brown op het dak had gegooid.

Maar ze luisterde met aandacht naar zijn verhaal en stelde een aantal zeer gerichte vragen over wat hij had willen bereiken en hoe hij zich in verschillende fasen van het proces had gevoeld, en George kreeg sterk de indruk dat mevrouw Endicott, als hij had meegedeeld dat hij zijn vrouw met huid en haar had opgegeten, had gevraagd wat voor jus erbij zat, en hij vroeg zich af of dat wel zo goed was.

Het begon hem te ergeren. Hij legde uit dat hij zich nu veel beter voelde, en zij vroeg in welk opzicht hij zich beter voelde. Hij beschreef hoe hij over Katies bruiloft dacht, en mevrouw Endicott vroeg wat hij precies bedoelde met 'boeddhistische onthechting'.

Toen mevrouw Endicott aan het eind zei dat ze zich verheugde op hun volgende gesprek, bromde George iets vaags, omdat hij niet wist of hij de volgende week wel zou gaan. Hij verwachtte half en half dat mevrouw Endicott deze opzettelijke vaagheid zou aangrijpen, maar de drie kwartier waren om en ze mochten zich blijkbaar weer als normale mensen gedragen.

90

Jamie kwam pas laat terug van zijn bezoek aan Tony's flat. In elk geval te laat om mensen met kinderen te bellen. Dus besloot hij de volgende dag naar Katie en Ray te rijden om een uitnodiging te halen en ze persoonlijk geluk te wensen.

Hij mocht Becky. Bij de curry uit de magnetron was ze wat milder geworden, al moest ze nog steeds niets van makelaars hebben. Hij hield wel van recalcitrante vrouwen. Ongetwijfeld omdat hij met Katie was opgegroeid. Hij kon juist niet tegen bevallig scheef gehouden hoofdjes en haarzwaaitjes en roze angora (waarom dit rugbyspelers en bouwvakkers aantrok, zou wel eeuwig een raadsel voor hem blijven). Hij had zich even afgevraagd of ze soms lesbisch was. Toen herinnerde hij zich een verhaal van Tony over de wc-bril in hun ouderlijk huis, die bij een feestje onder het gewicht van haar en haar vriendje was bezweken. Al veranderden mensen natuurlijk.

Hij had het over de stormachtige relatie van Katie en Ray gehad en Becky ervan weten te overtuigen dat Ray een geschikte kandidaat voor castratie was, om haar vervolgens te doen inzien dat het een fatsoenlijke vent was, wat een stuk moeilijker was, want als hij er goed over nadacht, viel het niet mee om aan te geven wat er nou precies was veranderd.

Zij had het over haar jeugd in Norwich gehad. De vijf honden. Hun moeder die allergisch was voor huishoudelijk werk. Hun vaders ziekelijke verknochtheid aan stoomtreinen. Het auto-ongeluk in Schotland ('We kropen er zonder een schrammetje uit, en we liepen weg, en toen we ons omdraaiden was de achterkant van de auto eraf gerukt en lag er letterlijk een halve hond op de weg. Daar heb ik wel een paar nachtmerries over gehad. Zelfs nu nog.'). De pleegzoon die ze in huis namen en die geobsedeerd was door messen. Die keer dat Tony en een vriendje een gemotoriseerd modelvliegtuigje in brand staken, dat vervolgens uit het slaapkamerraam lanceerden en zagen hoe het aan het eind van de tuin helde, een bocht beschreef, en spectaculair vlammend het huis in aanbouw naast hen in vloog...

De meeste verhalen had Jamie in een of andere vorm wel gehoord. Maar deze keer luisterde hij ook echt.

'Dat klinkt niet zo best.'

'Het viel wel mee,' zei Becky. 'Tony vertelt het alleen heel dramatisch.'

'Ik dacht dat je ouders hem uit huis gezet hadden. Na dat geval met hem en...'

'Carl. Carl Waller. Dat is zo, maar Tony wou er graag uitgezet worden.'

'O ja?'

'Het was een geschenk uit de hemel voor hem dat hij homo was.' Becky stak een sigaret op. 'Daardoor kon hij vogelvrij zijn zonder dat hij heroïne hoefde te spuiten of auto's te stelen.'

Jamie nam dit langzaam in zich op. Vijftienhonderd kilometer bij Tony vandaan voelde bij zich dichter bij hem dan ooit. 'Maar Tony en jij dan. Jullie waren toch ook min of meer van elkaar vervreemd? En nu pas je op zijn woning.'

'Toen ik naar Londen verhuisde, zagen we elkaar weer. Een paar weken terug was dat. En ineens beseften we dat we elkaar mochten.'

Jamie hoorde zichzelf lachen. Van opluchting eigenlijk. Dat Tony net zulke fouten kon maken als hij had gemaakt.

'Wat is er zo leuk?' vroeg Becky.

'Niets,' zei Jamie. 'Het is gewoon... het is goed. Het is hartstikke goed.'

Het leek inderdaad wel of ze allemaal over het ergste heen waren. Misschien hing er echt iets in de lucht.

Toen hij de volgende avond bij Katie en Ray aanbelde, deden die samen open, wat symbolisch leek, en hij zei 'gefeliciteerd' met een oprechtheid, merkte hij, die hij de eerste keer niet had kunnen opbrengen.

Hij liep mee naar de keuken en kreeg een piepklein begroetingsgrommetje van Jacob, die in de huiskamer verdiept zat in een filmpje over Brandweerman Sam.

Katie leek een beetje licht in het hoofd. Zoals die mensen die op het nieuws werden geïnterviewd nadat ze door een helikopter uit iets afgrijselijks waren gered.

Ray leek ook anders, al was het moeilijk te zeggen of dat niet kwam doordat Jamie nu anders over hem dacht. Tussen Katie en hem ging het in elk geval duidelijk beter. Om te beginnen raakten ze elkaar aan, wat hij niet eerder had gezien. Toen *Brandweerman Sam* was afgelopen en Jacob de keuken in gedrenteld kwam voor een pakje appelsap, was er zelfs een merkbare oedipale spanning ('Niet mama knuffelen...', 'Ik wil mama knuffelen...'). En Jamie bedacht dat Katie en Ray verliefd waren geworden nadat ze alle ellende hadden doorstaan die de meeste mensen tot het einde van hun relatie bewaarden. Wat ook een manier was.

Jamie vroeg een uitnodiging voor Tony, en Ray leek het overdreven leuk te vinden dat Tony misschien zou komen.

'De kans is niet zo groot,' zei Jamie. 'Hij zit in Griekenland en is onbereikbaar. Ik kan alleen maar hopen dat hij op tijd terugkomt.'

'We kunnen proberen hem op te snorren,' zei Ray met een opgewekte voortvarendheid die niet helemaal gepast leek.

'Ik denk dat we het in de schoot der goden moeten laten,' zei Jamie.

'Jij mag het zeggen,' zei Ray.

Waarop Katie 'Jacob!' gilde, en iedereen omkeek en zag dat hij zijn pakje appelsap expres op de keukenvloer stond leeg te gieten.

Ray liet hem sorry zeggen en sleepte hem daarna mee de tuin in om te laten zien dat stiefvaders nog wel wat meer konden dan moeders voor zich opeisen.

Jamie en Katie hadden zo'n tien minuten over de bruiloft gepraat toen Katie een telefoontje uit Peterborough kreeg. Enige ogenblikken later kwam ze terug met een wat bezorgde blik.

'Dat was pa.'

'Hoe is het met hem?'

'Goed, zo te horen. Maar hij wou Ray spreken. Wou niet zeggen waarover het ging.'

'Misschien wil hij als een echte man alles betalen.'

'Dat zal het zijn. Nou ja, we horen het wel als Ray terugbelt.'

'Niet dat ik pa veel kans geef,' zei Jamie.

'Maar goed,' zei Katie, 'wat schrijven we aan Tony?'

91

George had niet naakt voor de spiegel moeten gaan staan.

Hij was voor de laatste keer in het ziekenhuis geweest. De wond was gegranuleerd en er hoefde niet meer elke dag een kompres op. Nu haalde hij gewoon na het ontbijt het verband van de vorige dag los, ging tien minuten in een warm zoutbad liggen, droogde zich voorzichtig af en deed er een nieuw verband om.

Hij slikte de tabletten en verheugde zich op de bruiloft. Nu Katie en Ray de touwtjes zelf in handen hadden, hoefde hij maar heel weinig te doen. Een korte speech leek een heel eenvoudige bijdrage aan het geheel.

De spiegel was deels dwaze overmoed, om te vieren dat hij zijn problemen achter zich had gelaten en zich er niet langer door ging laten beperken.

Niet dat de reden er nog veel toe deed.

Hij stapte uit het bad, droogde zich af, trok zijn buik in en zijn schouders naar achteren en ging voor de wastafel in de houding staan.

Eerst viel hem de wolk van rode puntjes op zijn biceps op, die hij ook al op de hotelkamer had gezien, maar op de een of andere manier was vergeten. Ze leken groter en talrijker dan hij zich herinnerde.

Hij werd misselijk.

Hij had natuurlijk gauw opzij moeten stappen, zich aankleden, een paar codeïnetabletten innemen en een fles wijn opentrekken. Maar hij kon zich niet bedwingen.

Hij begon zijn huid nauwkeurig te bekijken. Op zijn armen. Op zijn borst. Op zijn buik. Hij draaide zich om en keek over zijn schouder om zijn rug te kunnen zien.

Het was niet verstandig. Het was of je op een laboratorium in een petrischaal keek. Elke vierkante centimeter bracht een nieuwe verschrikking. Donkerbruine moedervlekken, verschrompeld als rozijnen, sproeten die tot archipels van chocoladekleurige eilanden waren geklonterd, onopvallende vleeskleurige knobbels, sommige slap, andere bol van het vocht.

Zijn huid was een dierentuin voor vreemde levensvormen geworden. Als hij goed genoeg keek, zou hij ze kunnen zien bewegen en groeien. Hij probeerde niet goed te kijken.

Hij had terug moeten gaan naar dokter Barghoutian. Of, nog beter, naar een andere dokter.

Hij had in zijn arrogantie gedacht dat hij zijn problemen met lange wandelingen en cryptogrammen kon oplossen. En al die tijd had de ziekte gelachen en zich verspreid en zijn greep verstevigd en nieuwe ziektes gebaard.

Pas toen het hem wazig voor de ogen werd en zijn knieën knikten en hij op de vloer van de badkamer viel, keek hij niet meer in de spiegel.

Toen veranderde het beeld van zijn eigen blote huid, dat hij nog steeds duidelijk voor zich zag, in de huid van de billen van die man die in de slaapkamer tussen de benen van Jean op en neer gingen.

Hij hoorde ze weer, de dierlijke geluiden. Het gerimpelde vlees dat lilde en trilde. De dingen die hij niet had gezien, maar zich maar al te duidelijk kon voorstellen. Het orgaan van die man dat Jean in en uit ging. Het zuigen en het glijden. De roze plooien.

In dit huis. In zijn eigen bed.

Hij rook het zelfs. Die toiletgeur. Intiem en ongewassen.

Hij ging dood. En niemand die het wist.

Zijn vrouw ging naar bed met een ander.

En hij moest een speech houden op de bruiloft van zijn dochter.

Hij klampte zich vast aan de onderste stang van het verwarmde handdoekenrek, als iemand die niet door de stroom meegesleurd wil worden.

Het was weer hetzelfde. Maar dan erger. Er was geen grond onder hem. De badkamer, het huis, het dorp, Peterborough... het was allemaal losgetrokken en versnipperd en weggeblazen, en er was alleen nog maar de oneindige ruimte, hijzelf en een handdoekenrek. Alsof hij uit een ruimteschip was gestapt en zag dat de aarde weg was.

Hij was weer gek. En deze keer was er geen hoop. Hij dacht dat hij zichzelf had genezen. Maar dat was mislukt. En er was verder niemand op wie hij kon rekenen. Hij zou zo blijven tot hij stierf.

Codeïne. Hij moest de codeïne hebben. Aan de kanker kon hij niets doen. Of aan Jean. Of aan de bruiloft. Hij kon het alleen allemaal een beetje verdoven.

Hij bleef het handdoekenrek vasthouden en begon overeind te komen. Maar toen hij dat deed, werd het zachte vlees van zijn buik zichtbaar en voelde hij het jeuken en wriemelen. Hij greep een handdoek en sloeg die om zijn onderbuik. Hij verplaatste zijn handen naar de rand van het bad en stond op.

Hij kon het. Het was simpel. De tabletten innemen en wachten. Meer hoefde hij niet te doen.

Hij deed het kastje open en pakte het doosje. Hij slikte vier tabletten door met water uit de kraan van het bad, zodat hij niet in de spiegel boven de wastafel kon kijken. Was vier gevaarlijk? Hij had geen idee en het kon hem ook niet schelen.

Hij strompelde de slaapkamer in. Hij liet de handdoek vallen en wist op de een of andere manier zijn kleren aan te krijgen, ondanks zijn bevende handen. Hij klauterde op het bed en trok het dekbed over zijn hoofd en begon kinderversjes op te zeggen tot hij bedacht dat het hier gebeurd was, hier waar zijn hoofd nu lag, en hij moest kokhalzen en wist dat hij iets moest doen, wat dan ook, om hem op gang te houden en af te leiden tot de medicijnen gingen werken.

Hij wierp het dekbed van zich af en stond op en haalde een flink aantal keren diep adem om te kalmeren voordat hij naar beneden ging.

Hij nam aan dat Jean elders bezig was, en wilde een fles wijn pakken en meteen naar het atelier gaan. Als de codeïne niet werkte, werd hij wel dronken. Het interesseerde hem niet meer wat Jean vond.

Maar Jean was niet elders bezig. Toen hij halverwege de trap was, verscheen ze onderaan. Ze zwaaide met de telefoonhoorn en zei geërgerd: 'Hè, eindelijk. Ik roep je de hele tijd al. Ray wil je spreken.'

George verstijfde, als een dier dat door een roofvogel is gezien, in de hoop dat zijn schutkleur hem zou behoeden als hij zich niet verroerde.

'Pak je hem nou nog aan of hoe zit dat?' zei Jean, wapperend met de telefoon.

Hij keek hoe zijn hand omhoogkwam om de telefoon aan te pakken terwijl hij de laatste paar treden afliep. Jean had een rubberhandschoen aan en een theedoek in haar hand. Ze gaf hem de telefoon, schudde haar hoofd en verdween de keuken weer in.

George hield de telefoon tegen zijn oor.

In zijn hoofd versprongen de beelden voortdurend, het ene groteske beeld na het andere. Het gezicht van de clochard op het perron. Jeans blote dijen. Zijn eigen zieke huid. Hij werd er duizelig van.

Ray zei: 'George, met Ray. Katie zei dat je me wou spreken.'

Het was net als bij zo'n telefoontje midden in de nacht: wat moest je ook alweer doen?

Hij had geen flauw idee wat hij met Ray had willen bespreken.

Gebeurde dit werkelijk, of was hij in een waantoestand beland? Lag hij nog boven, op bed?

'George?' zei Ray. 'Ben je daar?'

Hij probeerde iets te zeggen. Er kwam een miauwtje uit zijn mond. Hij hield de hoorn van zich af en keek ernaar. De stem van Ray kwam nog steeds uit die kleine gaatjes. George wilde dat niet meer.

Voorzichtig legde hij de hoorn op de haak. Hij draaide zich om en liep de keu-

ken in. Jean stond de wasmachine te vullen, en hij had geen behoefte aan de ruzie die zou ontstaan wanneer hij met een fles wijn de deur uit zou lopen.

'Dat was vlug,' zei Jean.

'Verkeerd verbonden,' zei George.

Pas halverwege de tuin, op zijn sokken, besefte hij waarom Jean misschien niet
in deze geniale smoes was getrapt.

92

Jamie ging ervoor zitten met een beker thee en zijn mooiste pen en schrijfpapier dat hij in de onderste la van het bureau had gevonden. Echt schrijfpapier, van het soort waarop hij als kind zijn bedankbriefjes moest schrijven.

Hij begon.

Lieve Tony,

Ik hou van je en ik wil dat je op de bruiloft komt.
Ik was vorige week in Peterborough. Pa was ingestort en lag in het ziekenhuis omdat hij met een schaar stukken van zichzelf had afgeknipt (dat leg ik nog wel uit). In het ziekenhuis kwam ik de man tegen met wie ma een verhouding heeft (dat leg ik ook nog wel uit). Katie en ma kregen slaande ruzie over de bruiloft. Die ging niet door. Maar nu weer wel (dat leg ik...

Hij scheurde het vel los, verkreukelde het en begon overnieuw. Tony had een hoop moeite gedaan om zijn eigen familie te ontvluchten. Dit was niet het moment om over de tekortkomingen van zijn familie op te scheppen.

Lieve Tony.

Ik hou van je en ik wil dat je op de bruiloft komt.
Ik was vorige week in Peterborough en besefte dat jij mijn familie bent...

Te sentimenteel.

Lieve Tony,

Ik hou van je.
De bruiloft ging niet door. Maar nu weer wel.
God weet wat er die dag gaat gebeuren, maar ik wil dat je bij me bent...

Jezus. Nu ging hij hem spektakel in het vooruitzicht stellen.

Waarom was dit zo verdomde moeilijk?

Hij nam zijn thee mee naar buiten en ging op het bankje zitten en stak een sigaret op. In een nabijgelegen tuin speelden kinderen. Zeven, acht jaar. Het deed hem aan zijn eigen jeugd denken. Pierenbadjes en olympische hordelopen over bamboestokken. Fietswedstrijdjes en uit bomen springen. Een paar jaar verder en ze zouden sigaretten roken en een blik benzine zoeken. Maar nu was het een prettig geluid. Zoals een gonzende grasmaaier, of tennissende mensen.

Het was zo verdomde moeilijk omdat hij het niet persoonlijk tegen Tony kon zeggen. Als je het tegen iemand zei die tegenover je stond, zag je de reactie en kon je een beetje bijsturen. Zoals bij het verkopen van een huis ('Het is een heel kleurrijke buurt.' 'Dat hebben we gezien, ja.' 'Sorry, makelaarsjargon. Dat gaat vaak vanzelf, helaas.').

En Tony was in zijn afwezigheid ook veranderd, door alles wat Becky had gezegd. Hij zag Tony nu minder als iemand die het allemaal op een rijtje had, kwetsbaarder, meer zoals hijzelf.

Jamie was ook veranderd.

Jezus, het leek wel schaken.

Nee. Hij moest niet zo dom doen.

Hij probeerde Tony terug te krijgen. Het zou mooi zijn als hij meeging naar de bruiloft, maar anders was er nog geen man overboord. Vroeg of laat kwam hij terug uit Griekenland.

En als de bruiloft een ramp werd, was het misschien maar goed ook als Tony er niet bij was.

Hij was eruit.

Hij drukte zijn sigaret uit en liep naar binnen.

Lieve Tony,

Kom alsjeblieft op de bruiloft. Ga met Becky praten. Zij weet alles.
Ik hou van je.

Jamie
xxx

Hij deed het briefje in een envelop, stopte er een fotokopie van de route bij, likte de envelop dicht, adresseerde hem aan Tony, per adres Becky, plakte er een postzegel op en bracht hem naar de brievenbus voordat hij zich kon bedenken.

93

Onder andere omstandigheden had George misschien wel zelfmoord gepleegd. Twee nachten achter elkaar had hij over die verdrinking in Peterborough gedroomd en in zijn droom riep de rivier hem zoals een groot veren bed hem zou kunnen roepen, en zelfs in de droom was het beangstigend hoe graag hij zich wilde overgeven en voorgoed in de koude duisternis wegzakken, zodat hij overal vanaf was. Maar de bruiloft was over zes dagen en het zou onsportief zijn om zijn dochter zoiets aan te doen.

Dus voorlopig moest hij elke dag zien door te komen tot er een moment aanbrak dat het aanvaardbaar zou zijn om iets drastisch te doen zonder de feestelijke sfeer te bederven. Dat zou ongetwijfeld pas zijn als Katie en Ray terug waren van hun huwelijksreis.

Hij nam aan, nadat hij zichzelf in de spiegel had bekeken, dat een of ander orgaan het zou begeven. Het leek ondenkbaar dat het menselijk lichaam de druk die door een dergelijke aanhoudende paniek werd veroorzaakt aankon zonder dat er iets scheurde of het begaf. En aanvankelijk was dat een nieuwe angst bij zijn andere angsten, om aan de kanker dood te gaan, om onherstelbaar krankzinnig te worden, om ten overstaan van alle bruiloftsgasten in elkaar te zakken. Maar vierentwintig uur later hoopte hij inmiddels dat het zou gebeuren. Beroerte. Hartaanval. Wat dan ook. Het kon hem weinig schelen of hij het overleefde of niet, als hij maar bewusteloos werd en geen verantwoordelijkheid meer had.

Hij kon niet slapen. Zodra hij ging liggen voelde hij zijn huid onder zijn kleren muteren. Hij lag roerloos te wachten tot Jean sliep, stond op, nam nog wat codeïne en schonk een glas whisky in. Hij keek naar de vreemde programma's die de televisie in de nachtelijke uren in pompte. Documentaires van de open universiteit over gletsjers. Zwartwitfilms uit de jaren veertig. Agrarisch nieuws. Hij huilde en liep rondjes over het tapijt in de huiskamer.

De volgende dag ging hij naar het atelier en bedacht zinloze klusjes om moe te worden en zijn gedachten bezig te houden (in huis legden twee mannen het nieuwe tapijt). Raamkozijnen schuren. De betonnen vloer vegen. Alle resterende bakstenen een voor een naar het andere eind van het atelier verplaatsen. Allerlei bouwseltjes maken in de stijl van Stonehenge.

Hij had veel moeite met eten. Een paar happen en hij was misselijk, als op een veerboot in zwaar weer. Hij werkte wat toast met boter weg om Jean gerust te stellen en moest een aantal keren naar boven om op de wc over te geven.

Halverwege de tweede dag begon hij zijn verstand te verliezen. Aan het eind van het middagmaal, zijn toetje had hij niet aangeraakt, stond hij op van tafel en zei dat hij ergens heen moest. Waar hij precies heen moest, wist hij niet. Hij herinnerde zich dat hij door de voordeur naar buiten was gegaan. Daarna was er een aanzienlijke periode waar hij niets meer van wist. Zijn hoofd zat vol witte ruis, ongeveer zoals de witte ruis op een televisie die niet op enige zender staat afgestemd, maar dan harder en een stuk hardnekkiger. Het was niet aangenaam, maar nog altijd beter dan boven de toiletpot hangen en de toast zien terugkomen, of in bed liggen en voelen hoe de plekjes zich vermenigvuldigden en samengroeiden.

Mogelijk had hij een bus genomen. Al kon hij zich eigenlijk niet herinneren dat hij in een bus had gezeten.

Toen hij weer wat helderder werd, stond hij aan de balie van een dokterspraktijk. Een vrouw achter een computerscherm zei tegen hem: 'Zegt u het maar.' Haar toon deed vermoeden dat ze dit al een paar keer had gezegd.

Ze boog zich naar voren en herhaalde de vraag, maar nu langzamer en vriendelijker, zoals je deed wanneer je begreep dat degene die voor je stond geen lastpost was, maar echt geestelijke problemen had.

'Ik wil dokter Barghoutian spreken,' zei George.

Ja, nu hij hier toch was, leek dat wel een goed idee. Misschien was hij hier daarom wel heen gegaan.

'Hebt u een afspraak?'

'Ik geloof het niet,' zei George.

'Dokter Barghoutian zit helaas helemaal vol vandaag. Als het dringend is, kunt u een andere arts spreken.'

'Ik wil dokter Barghoutian spreken.'

'Het spijt me. Dokter Barghoutian heeft afspraken met andere patiënten.'

George wist niet meer hoe je iemand in beleefde bewoordingen moest proberen te overtuigen. 'Ik wil dokter Barghoutian spreken.'

'Het spijt me heel erg, maar...'

George had duidelijk al zijn energie verbruikt om hier te komen. (misschien had hij wel gelopen). Hij had geen idee wat hij tegen dokter Barghoutian wilde zeggen, maar zijn hele wezen scheen erop gericht geweest te zijn om in dat kamertje te komen. Nu dat onmogelijk bleek, kon hij domweg niet bedenken wat hij dan moest doen. Hij voelde zich heel eenzaam en had het merkwaardig koud (zijn kleren waren nat; misschien regende het buiten). Hij liet zich op de grond zakken en kroop in het hoekje tussen het vloerkleed en de houten balie en huilde een beetje.

Hij sloeg zijn armen om zijn knieën. Hij ging hier niet meer weg. Hij bleef hier voor altijd liggen.

Iemand legde een deken over hem heen. Of misschien droomde hij dat iemand een deken over hem heen legde.

Hij had ergens gelezen, herinnerde hij zich, dat je het lekker warm kreeg vlak voor je van de kou stierf en dat dit betekende dat het einde nabij was.

Alleen was het einde niet nabij. En bleef hij niet voor altijd in deze houding liggen, want iemand zei: 'Meneer Hall...? Meneer Hall...?' en toen hij zijn ogen opendeed keek hij naar dokter Barghoutian die op zijn hurken voor hem zat, en George was zo ver heen geweest dat het een paar tellen duurde alvorens hij begreep waar hij was, en wat dokter Barghoutian daar deed.

Hij werd overeind geholpen en de gang door en het kamertje van dokter Barghoutian in, waar men hem voorzichtig op een stoel liet plaatsnemen.

Een paar minuten lang kon hij niet praten. Dokter Barghoutian scheen niet overdreven bezorgd. Hij leunde slechts achterover en zei: 'Ik hoor het wel als je zover bent.'

George vatte moed en begon te praten. Elke andere dag zou het hem hebben verontrust dat hij geen zinnen kon maken, maar het maakte hem nu allemaal niet meer uit. Hij klonk als een man in een stripverhaal die een oase in komt kruipen. 'Ik heb kanker... ga dood... zo bang... bruiloft... dochter...'

De dokter liet hem een tijdje begaan. De druk in het hoofd van George werd iets minder en hij kreeg weer wat greep op de syntaxis. 'Ik wil worden opgenomen...in een psychiatrische inrichting... alstublieft... ik heb verzorging nodig... ergens waar ik veilig ben...'

De dokter wachtte tot hij niets meer zei. 'Die bruiloft is zaterdag, neem ik aan.'

George knikte.

De dokter tikte een paar keer met zijn potlood op zijn tanden. 'Goed, we gaan het volgende doen.'

George voelde zich beter bij het horen van deze woorden.

'Maandagochtend verwacht ik je hier weer.'

George voelde zich een stuk slechter. 'Maar...'

Dokter Barghoutian stak zijn potlood op. George zweeg.

'Ik zal een afspraak bij een huidarts voor je maken. En als dat niet helpt, zullen we zien of we wat substantiëlere psychiatrische hulp kunnen regelen.'

George voelde zich weer wat beter.

'Tot die tijd krijg je een recept voor valium, goed? Neem zoveel als je nodig hebt, al lijkt het me raadzaam om tijdens de bruiloft zelf van de champagne af te blijven. Tenzij je onder de tafel terecht wil komen.'

Dokter Barghoutian schreef het recept. 'Zo, het zou me erg verbazen als je de volgende keer niet een stuk rustiger bent. Zo niet, dan kunnen we er iets aan doen.'

Het was niet de oplossing waarop George had gehoopt. Maar de gedachte aan een nieuwe afspraak op maandag en de belofte van substantiëlere psychiatrische hulp was een geruststelling.

Hij bedacht wel iets om niet naar de huidarts te hoeven.

'Goed, wat dacht je ervan om naar huis te gaan? Zal ik de assistente vragen om je vrouw te bellen, zodat die je kan komen ophalen?'

Het idee dat Jean gebeld zou worden met de mededeling dat hij bij de dokter in elkaar was gezakt bracht hem sneller bij zijn positieven dan wat dan ook. 'Nee, dat hoeft echt niet. Het lukt wel.'

Hij bedankte de dokter en stond op en besefte dat hij inderdaad een dunne groene deken om zich heen had.

'Maandagochtend om tien uur,' zei de dokter, en hij gaf George het recept. 'Ik zal zorgen dat de assistente de afspraak inschrijft. En vergeet niet om zo meteen eerst naar de apotheek te gaan.'

Hij liep de praktijk uit, stak de weg over en ging Boots in. Om daar geen oogcontact met brochures te krijgen keek hij naar het patroon van de tegelvloer. Hij wandelde drie rondjes door het park, haalde zijn recept op, nam twee valiumpjes en ging met een taxi naar huis.

Hij had zich afgevraagd hoe hij zijn spontane uitje aan Jean moest uitleggen, maar toen hij binnenkwam zag hij een Batman-rugzakje in de gang liggen als teken dat Katie met Jacob was gekomen om de laatste dingen te regelen, en toen ze met z'n drieën uit de tuin kwamen keek Jean amper op van het nieuws dat hij een lange wandeling was gaan maken en niet op de tijd had gelet.

Jacob zei: 'Opa, opa, pak me dan.'

Maar George was niet in de stemming om achter kinderen aan te gaan. Hij zei: 'Misschien kunnen we straks een wat rustiger spelletje doen', en besefte dat hij het meende. De valium deed blijkbaar zijn werk. Dat werd bevestigd toen hij naar boven ging en diep in slaap viel.

94

Katie had een afspraak bij de kapper.

Het was haar niet duidelijk wanneer die precies was gemaakt. Als er al iets aan haar haar mankeerde, kon ze dat zelf wel met een goede schaar en een behoorlijke crèmespoeling verhelpen. Ze had kennelijk de automatische piloot aan gehad toen ze alles plande.

Goddank had ze geen bruidsmeisjes geregeld.

Ze zei tegen Ray dat ze de afspraak ging afzeggen, hij vroeg waarom en ze zei dat ze geen zin had om eruit te zien alsof ze zo uit een bruidscatalogus was weggelopen. Ray zei: 'Kom op, verwen jezelf ook een keer.' En ze dacht: Waarom ook niet? Nieuw leven. Nieuw kapsel. En ging en liet het meeste haar afknippen. Jongensachtig. Oren voor het eerst in zeven jaar te bezichtigen.

En Ray had gelijk. Het was zelfs meer dan een kwestie van verwennen. De vrouw in de spiegel was niet meer alleen de moeder van een klein kind. De vrouw in de spiegel was iemand die haar lot in eigen hand nam.

Haar moeder schrok zich rot.

Niet alleen door het haar. Het was de combinatie van het haar en de afbestelde bloemen en het besluit om niet in een limousine naar het stadhuis te rijden.

'Ik hoop alleen maar dat het...'

'Dat het wat?' vroeg Katie.

'Ik hoop alleen maar dat het niet... dat het wel een fatsoenlijke bruiloft wordt.'

'Omdat ik te weinig haar heb?'

'Wel serieus blijven.'

Daar zat wat in, maar haar moeder was zelf... raar dat er geen woord voor was, als je bedacht hoe vaak ouders dat deden: hun bezorgdheid omzetten in bezorgdheid dat iets niet gebeurde zoals het hoorde. Niet fatsoenlijk eten. Geen fatsoenlijke kleren. Geen fatsoenlijk gedrag. Alsof het wel weer goed zou komen met de wereld als het decorum maar in acht werd genomen. 'Nou, vergeleken met de vorige bruiloft wordt dit een echte.'

'Dus Ray en jij...'

'Het gaat beter dan ooit tussen ons.'

'Meer kun je er niet van maken?'

'We houden van elkaar.'

Haar moeder huiverde heel even en begon vlug over iets anders, net als Jacob deed als hij deze woorden hoorde. 'Trouwens, je vader en Ray...'

'Trouwens mijn vader en Ray wat?'

'Die hebben toch geen woorden gehad, hè?'

'Wanneer?' vroeg Katie.

'Van de week. Door de telefoon.' Haar moeder leek erg bezorgd over deze mogelijkheid.

Katie pijnigde haar hersens, maar zonder resultaat.

'Ray belde om met je vader te praten. Maar daarna zei je vader dat het verkeerd verbonden was. En ik vroeg me af of er misschien een misverstand was geweest.'

Er verscheen een man met een baard die vroeg waar de stormlijnen moesten komen.

Katie stond op. 'Weet je wat, ma, bel anders een bloemist en kijk of er op korte termijn nog iets te regelen valt.'

'Goed.'

'Maar niet Buller.'

'Goed.'

'Daar heb ik een aanvaring mee gehad,' zei Katie.

'Goed.'

Katie liep met de man met de baard mee de tuin in. De middenpaal was achter in de tuin overeind gezet en er werden lappen beige zeildoek omhooggehesen door vijf mannen in donkergroene sweatshirts. Jacob holde als een dolle jonge hond tussen de rollen touw en stapels stoelen door, helemaal opgaand in een of andere ingewikkelde superheldenfantasie, en Katie dacht terug aan hoe betoverend het als kind was om een gewone ruimte zo anders te zien. De bank ondersteboven. De kamer vol ballonnen.

Toen gleed Jacob uit en stootte een schragentafel om en kwam met zijn vinger tussen de scharnierende poten en gilde heel hard en ze tilde hem op en knuffelde hem en nam hem mee naar de badkamer en pakte de Savlon en de Muispleisters en Jacob was flink en hield op met huilen en haar moeder kwam zeggen dat de bloemen geregeld waren.

Ze gingen naast elkaar op het bed zitten, terwijl Jacob van zijn rode robot een dinosaurus maakte en van de dinosaurus weer een robot.

'Dus we krijgen eindelijk Jamies vriend te zien,' zei haar moeder, en de aarzeling voor het woord 'vriend' was zo kort dat die nauwelijks waarneembaar was.

Katie keek naar haar handen en zei 'Ja', en vond het heel naar voor Jamie.

De dag verstreek. Ze reed met Jacob naar de stad om de taart op te halen en het cassettebandje bij het stadhuis af te geven. Ze had willen beginnen met een stukje 'Royal Fireworks', naadloos overgaand in 'I Feel Good' zodra het huwelijk een feit was, maar de vrouw aan de telefoon zei nogal hooghartig dat ze niet aan naadloze overgangen deden, en Katie bedacht dat het misschien maar beter was ook. Stel je voor dat er een of andere oudtante onderuitging en ze die in de stabiele zijligging legden terwijl James Brown jankte als een hitsige hond. Dus werd het dat stuk uit het concerto voor twee violen van Bach, van die verzamel-cd die ze met kerst van haar vader had gehad.

Bij Sandersons en Sticky Fingers haalden ze de bierpul met inscriptie en de kingsize Belgische bonbons voor Ed en Sarah op, en onderweg terug naar huis sneuvelde de taart bijna toen er uit een groep voetballende kinderen ineens een bal de weg op vloog.

Ze gingen met z'n vieren aan tafel voor het avondeten, pa, ma, Jacob en zij, en het was goed. Geen geruzie. Geen gemok. Geen ontwijken van lastige onderwerpen.

Ze bracht Jacob naar bed, hielp ma met de afwas en de hemelsluizen gingen open. Ma was bezorgd, zoals ouders zijn bij slecht weer. Maar Katie ging naar zolder en deed het raam open en keek naar de feesttent die kraakte en klapperde en luisterde naar de wind die door de zwarte bomen raasde en klonk als de branding.

Ze hield van noodweer. Donder, bliksem, stortregen. Het had te maken met de droom die ze als kind altijd had, dat ze in een kasteel woonde.

Ze dacht terug aan de vorige bruiloft. Graham met die gekke allergische reactie op haar shampoo die hij de dag daarvoor had gebruikt. IJskompressen. Antihistamine. Dat bestelbusje dat het spatbord van oom Brians Jaguar af reed. Die rare vrouw die niet helemaal in orde was en zingend op de receptie verzeild raakte.

Ze vroeg zich af wat er deze keer mis zou gaan en tikte zichzelf toen op de vingers. Dat was net als ma met die regen: de angst om niets te mopperen te hebben.

Ze deed het raam dicht, veegde met haar mouw het water van de vensterbank en ging naar beneden om te zien of er nog wijn in de fles zat.

95

George besefte dat dokter Barghoutian nog niet zo dom was.

Die valium was goed. Die valium was erg goed. Hij ging naar beneden, maakte een beker thee en kaartte een tijdje met Jacob.

Toen Katie naar de stad was gegaan, wurmde hij zich langs de feesttent om even naar het atelier te kijken en ontdekte dat het, nu de achterkant van de tuin door de tent was afgesloten, zo'n geheime plek was geworden waar kinderen dol op zijn en die hij zelf eigenlijk ook nog heel leuk vond. Hij pakte de klapstoel en bracht tien aangename minuten door totdat een van de werklui langs de andere kant van de tent gekropen kwam en in een bloembed ging staan urineren. George besloot dat kuchen om zijn aanwezigheid kenbaar te maken beleefder was dan zwijgend naar een urinerende man kijken, dus kuchte hij en de man verontschuldigde zich en verdween, maar George had het gevoel dat zijn geheime plek een beetje bezoedeld was en ging terug naar het huis.

Binnen maakte hij een boterham met ham en tomaat en spoelde die weg met een glas melk.

Het enige probleem met de valium was dat die niet tot logisch nadenken aanzette. Pas na het avondeten, toen de twee pillen die hij in de loop van de middag had genomen zo'n beetje waren uitgewerkt, ging hij rekenen. Er hadden maar tien pillen in het flesje gezeten. Als hij zo doorging, waren ze op voordat de bruiloft was begonnen.

Het begon tot hem door te dringen dat dokter Barghoutian weliswaar een verstandig, maar geen royaal man was.

Hij moest vandaag geen pillen meer nemen. En hij moest morgen helemaal geen pillen nemen.

Op het etiket van het bruine flesje stond een waarschuwing tegen de combinatie met alcohol. Jammer dan. Als hij na zijn speech ging zitten, dronk hij het eerste het beste glas leeg dat hij in zijn vingers kon krijgen. Als hij dan snel buiten westen zou raken, vond hij dat prima.

Het probleem was dat hij zaterdag moest zien te halen.

Hij voelde het alweer aankomen, gezeten op de bank met Jacques Loussier uit de speakers en *The Daily Telegraph* op schoot, zoals ze die hoosbui een paar jaar geleden in St. Ives vanaf zee hadden zien komen, een grijze muur van ingedikt licht op een kilometer afstand, het water eronder donker. Iedereen stond gewoon te kijken zonder te beseffen hoe snel het kwam opzetten en rende pas gillend weg toen de hagel horizontaal over het strand scheerde, als mitrailleurvuur.

In zijn lichaam begon het te woelen en te draaien, alle wijzers stevig op weg naar het rood. De angst kwam terug. Hij wilde aan zijn heup krabben. Maar als er nog kanker zat, wilde hij daar absoluut niet aankomen.

Het was zeer verleidelijk om weer wat valium te nemen.

Godallemachtig. Je kon eindeloos doorgaan over rede en logica en gezond verstand en verbeelding, maar als het er echt op aankwam had je alleen maar iets aan het vermogen om helemaal niets te denken.

Hij stond op en liep de gang in. Er was nog wat wijn over van bij het eten. Hij ging de fles leegmaken en dan een paar codeïnetabletten nemen.

Maar toen hij de keuken in liep was het licht uit, de tuindeur open en stond Katie op de drempel naar de plensbui te kijken en de rest van de wijn zo uit de fles te drinken.

'Niet opdrinken,' zei George, een stuk harder dan de bedoeling was.

'Sorry,' zei Katie. 'Ik dacht dat je al in bed lag. Maar ik wou hem toch leegdrinken, dus je hoeft niet bang te zijn voor mijn bacteriën.'

George kon geen manier bedenken om 'Geef hier die fles' te zeggen zonder gestoord over te komen.

Katie dronk de wijn op. 'Heerlijk, die regen.'

George bleef naar haar staan kijken. Ze nam nog een slok wijn. Na enige ogenblikken draaide ze zich om en besefte dat hij naar haar stond te kijken. Hij besefte dat hij een beetje vreemd deed. Maar hij had gezelschap nodig.

'Scrabble,' zei hij.

'Hè?'

'Ik vroeg me af of je misschien zin had om te scrabbelen.' Waar kwam dat nou vandaan?

Katie ging langzaam heen en weer met haar hoofd terwijl ze het idee overwoog. 'Oké.'

'Leuk,' zei George. 'Pak jij het spel, het ligt onder de trap. Dan haal ik boven even wat codeïne. Tegen de hoofdpijn.'

Halverwege de trap bedacht George hoe het laatste spelletje scrabble was geëindigd. Het was vastgelopen in een zeer verhitte discussie over Georges volkomen legitieme woord *quokka*, een kleine kangoeroe.

Nou ja, het was in elk geval afleiding.

96

Het was allemaal een beetje vermoeiend.

Een derde van de tijd die hij wakker was slaagde Jamie erin om helemaal niet aan Tony te denken. Een derde stelde hij zich voor dat Tony op tijd terug was plus allerlei melodramatische vormen van de hereniging die daarop volgde. En een derde ging op aan overdreven sentimentele scenario's waarin hij in zijn eentje naar Peterborough ging en veel te veel of juist helemaal geen medeleven kreeg en omwille van Katie vrolijk moest blijven.

Hij was van plan vrijdag vroeg in de middag te vertrekken om de verkeersdrukte voor te zijn. Donderdagavond at hij een pasta-ovenschotel met fruitsalade van Tesco, terwijl hij naar *The Blair Witch Project* keek. Die film bleek een stuk enger dan hij had gedacht, zodat hij de band halverwege moest stopzetten om alle gordijnen dicht te trekken en de voordeur op slot te doen.

Hij rekende op een nachtmerrie, dus was het tamelijk verrassend dat hij een seksdroom over Tony kreeg. Niet dat hij klaagde: het was categorie laarzen-nog-aan, net-uit-de-gevangenis. Maar het was wel enigszins verontrustend dat het in de huiskamer van zijn ouders gebeurde, tijdens een of andere cocktailparty. Tony die hem voorover de bank op duwde, drie vingers in zijn mond schoof en hem zonder enige plichtplegingen neukte. Alle details waren veel scherper dan in dromen de gewoonte was. De knik in Tony's pik, de verfvlekken op zijn vingers, van zeer nabij het dessin van verstrengelde wijnranken op de kussenhoesjes waar Jamies gezicht in gedrukt lag, het gebabbel, het getinkel van wijnglazen. Zo scherp zelfs dat hij zich de volgende morgen een paar keer herinnerde wat er zich had afgespeeld en het koude zweet hem heel even uitbrak voordat hij weer wist dat het niet echt gebeurd was.

97

Jean zag pas hoe erg het was toen ze naar beneden ging en in haar ochtendjas door de motregen over het gazon liep.

Er stond water in de feesttent. Hier moesten morgen zeventig man eten.

Onwillekeurig dacht ze dat dit niet gebeurd zou zijn als zij de bruiloft nog organiseerde, al had ze natuurlijk net zo weinig controle over het weer als Katie en Ray.

Ze voelde zich... oud. Dat voelde ze zich.

Het kwam niet alleen door de regen. Ook door George. Een paar weken lang had er niets aan de hand geleken. Maar gisteren na het eten was het ineens weer helemaal mis. Hij wou niet praten. Hij wou niet helpen. En ze had geen flauw idee waar dat aan lag.

Ze zou bezorgd moeten zijn, niet kwaad. Dat wist ze wel. Maar hoe kon je je zorgen blijven maken als je niet wist wat het probleem was?

Ze liep terug naar de keuken, roosterde wat brood en maakte koffie.

Een halfuur later verschenen Katie en Jacob. Ze vertelde Katie over de tent en werd bijna nijdig dat Katie weigerde in paniek te raken.

Katie snapte het niet. Het gebeurde niet bij haar in de tuin. Als mensen door de modder moesten baggeren, kreeg Jean de schuld. En het was egoïstisch om dat te denken, maar het was wel waar.

Ze probeerde de gedachte te verdrijven. 'Zo, mannetje...' Ze woelde met haar vingers door Jacobs haar. 'Wat wil je voor het ontbijt?'

'Ik wil ei,' zei Jacob.

'Ik wil ei wat?' zei Katie, die in de krant verdiept was.

'Ik wil ei alstublieft,' zei Jacob.

'Gekookt, gebakken of geklutst?' vroeg Jean.

'Wat is geklutst?' vroeg Jacob.

'Hij wil roerei,' zei Katie afwezig.

'Dan krijgt hij roerei.' Jean gaf hem een zoen op zijn hoofd. Nu kon ze tenminste iets voor iemand doen.

98

Haar moeder had gelijk: een bruiloft zonder rampen ging tegen een of andere ongeschreven wet in. Net als sneeuw met Kerstmis. Of een pijnloze bevalling.

Ze belde de firma van de feesttent en het was geen probleem: ze zouden met zwabbers en kacheltjes komen.

Toen arriveerden tante Eileen en oom Ronnie met hun labrador. Hun hondenoppas bleek in het ziekenhuis te liggen. Helaas had Jacob een hekel aan honden, dus moest het beest de tuin in. Waarop het begon te janken en aan de achterdeur te krabben.

Toen belde het cateringbedrijf dat ze het menu moesten veranderen omdat er 's nachts door een stroomstoring een vriezer was ontdooid. Sadie belde dat ze net terug was uit Nieuw-Zeeland en de uitnodiging had gevonden en graag wilde komen. En Brian en Gail belden dat het hotel geen kamer voor ze had gereserveerd en dat iemand anders dat probleem maar moest oplossen. De bruid, bijvoorbeeld. Of de ouders van de bruid.

Ze nam de telefoon niet meer op en liep naar beneden waar pa zich in de badkamer had opgesloten, mogelijk om zich voor Eileen en Ronnie te verstoppen, dus ging ze naar de wc boven, plaste en trok door en hoorde de pomp draaien en zag het water tot bijna aan de bovenrand van de toiletpot opwellen. Waarop een soort doodsverlangen bezit van haar nam en in plaats van het telefoonnummer op de sticker te bellen dacht ze 'Ik probeer het nog een keer', en ze trok nog een keer door, met voorspelbare gevolgen.

Twee tellen later zat ze vloekend op haar knieën een vijver verdunde plas met beige handdoeken af te dammen, waarop Jacob achter haar verscheen en haar erop wees dat ze lelijke woorden gebruikte.

'Jacob, haal oma even en zeg dat ze vuilniszakken meeneemt.'

'Het ruikt vies.'

'Jacob, ga alsjeblieft oma halen, anders krijg je geen zakgeld, nooit.'

Maar de labrador was weer in huis en Jacob weigerde naar beneden te gaan, dus deed ze dat zelf en in de gang trof ze pa en ma die ruzie stonden te maken over dat pa te weinig deed, maar dan heftig fluisterend, vermoedelijk om te voorkomen dat Eileen en Ronnie het hoorden. Katie zei dat de wc was overgelopen. Ma zei tegen pa dat hij het mocht oplossen. Pa bedankte voor de eer. En ma zei iets zeer onwelvoeglijks tegen pa wat Katie niet helemaal verstond omdat Ray aan het andere eind van de gang verscheen en zei: 'Ik hoop dat je het niet erg vindt. Je tante heeft me binnengelaten.'

Ma reageerde verrast en toen meteen ontzet en verontschuldigde zich uitvoerig dat ze alweer ruzie stond te maken waar Ray bij was en vroeg of hij een lekker kopje thee wou en Katie herinnerde haar eraan dat de wc nog steeds was overgelopen en baalde als een stekker dat Ray gisteravond naar Londen was geweest om iets geheimzinnigs te regelen, en pa kneep ertussenuit toen niemand op hem lette en Ray stormde de trap op en ma zei dat ze theewater ging opzetten en Katie ging een paar vuilniszakken halen om de met plas doorweekte handdoeken naar de wasmachine te brengen en zag onderweg naar de keuken de vuile hondepoten op het tapijt in de eetkamer en gooide Ronnie een doekje toe en zei dat hij verdomme de rotzooi van zijn hond moest opruimen, wat hij moest omdat hij een christen was.

De wc-man zei dat hij er over een uur zou zijn en Eileen en Ronnie gingen ondanks de regen een eind wandelen met Rover en alles was weer goed totdat Katie haar jurk uit de koffer haalde om hem te strijken en ontdekte dat er een hele flacon douchegel met kokosmelk in de zoom was getrokken en zo hard 'Kut en shit en kut en shit' riep dat Eileen en Ronnie het waarschijnlijk een kilometer verderop nog hoorden. Dus hield Ray zijn handen omhoog en zei 'Sla maar', en dat deed ze, en ze ging een aanzienlijke tijd door totdat Ray zei: 'Nu begint het pijn te doen.'

Hij stelde voor dat ze de stad in ging om een nieuwe jurk te kopen en ze stond op het punt om hem voor de voeten te gooien dat hij zeker dacht dat alle vrouwenproblemen konden worden opgelost door te gaan winkelen toen hij rustig zei: 'Koop een nieuwe jurk. Ga ergens zitten met een boek en een kop koffie en kom over een paar uur terug, dan los ik het hier wel op', en ze gaf hem een zoen en greep haar tas en rende weg.

99

Toen Katie en Ray zeiden dat ze zelf alles zouden regelen, was George zo naïef geweest om te denken dat hij dus niets zou hoeven te doen.

Jean begreep niet dat hij wel eens in Aberdeen terecht zou kunnen komen als hij naar de stad moest om bloemen op te halen. Ze begreep niet dat hij ergens op een rustige plek moest zitten en heel weinig moest doen.

Toen liep de wc boven over en werd het allemaal buitengewoon hectisch, dus ging hij op bed liggen. Maar Jean kwam de slaapkamer in om lakens en handdoeken voor Eileen en Ronnie te halen en was erg bot tegen hem. Dus sloot hij zich op in de badkamer, totdat Jean hem eruit gooide omdat er mensen naar de wc moesten. En hij begreep dat er in de loop van de dag alleen maar meer van zulke verwikkelingen zouden komen, en dat het hem zeer binnenkort te veel zou worden.

Hij had het volkomen verkeerd ingeschat. Hij kon onmogelijk met al deze mensen koetjes en kalfjes bespreken, laat staan een speech houden waar ze allemaal naar zaten te luisteren.

Hij wilde niet dat Katie zich zou hoeven te generen.

Het was duidelijk dat hij niet naar haar bruiloft kon.

100

Jean had zich vergist in Ray.

Binnen een uur na zijn aankomst was alles weer onder controle. Katie was de stad in. Er kwam iemand om de wc te maken en Eileen en Ronnie waren er met hun verwenste hond op uitgestuurd om de bloemen te gaan halen.

En vreemd genoeg scheen hij wel het weer te kunnen beïnvloeden. Toen hij net aangekomen was en ze thee voor hem stond te maken, keek ze uit het raam en zag dat het niet meer regende en de zon tevoorschijn was gekomen. Binnen een halfuur waren de mensen van de tent er om die droog te maken en liep hij in de tuin bevelen uit te delen alsof hij de baas van het spul was.

Goed, hij was soms wel erg voortvarend. Niet ons soort mensen, als je het zo wou zeggen. Maar het begon haar te dagen dat het niet per se iets goeds was om tot ons soort mensen te behoren. Tenslotte kreeg haar familie het niet voor elkaar om een bruiloft te organiseren. Misschien kwam een beetje voortvarendheid juist wel van pas.

Ze zag in dat Katie misschien wel wijzer was dan George en zij beseften.

Halverwege de middag kwamen haar broer en zijn vrouw langs en nodigden George en haar uit om ergens te gaan eten.

Ze legde uit dat George zich niet zo lekker voelde.

'Nou, als George het niet erg vindt, kun jij ook alleen meegaan,' zei Douglas.

Ze was al met een beleefde afwijzing bezig toen Ray zei: 'Doe dat maar. Wij zorgen wel dat er iemand hier een oogje in het zeil houdt.'

En voor het eerst was ze blij dat Katie met deze man ging trouwen.

101

Jamie reed het dorp in en voelde de knoop in zijn maag weer die hij altijd wel een beetje voelde wanneer hij terugging. Het familieverhaal. Alsof hij weer veertien was. Hij parkeerde aan de overkant van de straat, zette de motor af en concentreerde zich op wat hem te doen stond.

Wat had hij Tony graag bij zich gehad.

Hij keek naar het huis en zag oom Douglas door het hekje ernaast komen met zijn vrouw. Mary. Of Molly. Dat moest hij eerst even bij iemand navragen, om straks geen flater te slaan.

Hij liet zich onderuit zakken zodat hij niet zichtbaar was en wachtte tot ze in hun auto waren gestapt.

Wat had hij de pest aan tantes. De lippenstift. Het lavendelgeurtje. De dolkomische verhalen over hoe je tijdens de kerstdienst in je broek had geplast.

Ze reden weg.

Wat moest hij over Tony zeggen?

Dat was het probleem, hè: je ging het huis wel uit, maar volwassen werd je nooit. Niet echt. Je ging alleen maar op andere, ingewikkeldere manieren de mist in.

Op dat moment kwam Katie aanrijden en parkeerde tegenover hem. Ze stapten tegelijkertijd uit.

'Hé, hallo,' zei Katie. Ze omhelsden elkaar. 'Geen Tony?'

'Geen Tony.'

Ze wreef over zijn armen. 'Wat jammer nou.'

'Dat wou ik je vragen: wat heb je eigenlijk tegen ma gezegd?'

'Ik heb niets gezegd.'

'Oké.'

'Vertel gewoon de waarheid,' zei Katie.

'Ja.'

Katie keek hem aan. 'Ze zullen niet moeilijk doen. Ze hebben geen keus. Ik ben dit weekend de koningin. En ik deel de lakens uit, goed?'

'Goed,' zei Jamie. 'Wat zit je haar trouwens leuk.'
'Dank je.'
Ze gingen naar binnen.

102

Katie liep met Jamie de keuken in, waar de gezegende Sint Eileen aan tafel zat omringd door een klein oerwoud.

'We hebben jullie bloemen gehaald,' zei Eileen terwijl ze opstond.

Even dacht Katie dat het een soort persoonlijk cadeau was.

'Dag schat,' zei ma tegen Jamie en ze gaf hem een zoen.

Eileen zei: 'Kijk eens aan, deze jongeman hebben we niet meer gezien sinds... nou, ik weet niet hoe lang.'

'Heel lang,' zei Jamie.

'En...' zei ma, en ze keek er wat ongemakkelijk bij, 'waar is Tony?'

Katie besefte dat haar moeder zich voorbereidde op de ongelukkig getimede verschijning van de vriend van haar zoon ten overstaan van haar evangelische zuster die van niets wist. En ze had zowel met Jamie als met haar moeder te doen. Als koningin van dit weekend had ze blijkbaar toch niet alles in de hand.

'Die komt helaas niet,' zei Jamie. Katie zag hoe zwaar het hem viel. 'We hebben wat problemen gehad. Om een lang verhaal kort te maken, hij zit op Kreta. Waar het deze tijd van het jaar zeer aangenaam schijnt te zijn.'

Katie gaf Jamie een discreet klopje op de rug.

'Wat jammer,' zei ma, en het klonk gemeend.

Toen zei Eileen: 'Wie is Tony?' op zo'n onschuldig-naïeve toon dat er een merkbare verkoeling optrad in de keuken.

'Maar goed,' zei ma, die haar zuster volledig negeerde en haar handen langs elkaar wreef. 'We hebben nog een hoop te doen.'

'Tony is mijn vriend,' zei Jamie.

En als de hele dag in het water zou vallen, als het stadhuis in brand vloog of als ze onderweg haar enkel brak, dacht Katie, dan nog zou het allemaal de moeite waard zijn geweest vanwege het gezicht van Eileen op dit moment.

Ze keek alsof ze aanwijzingen van God kreeg wat ze moest doen.

Het was vrij moeilijk te zeggen wat haar moeder dacht.

'We zijn homoseksuelen,' zei Jamie.

Dat, vond Katie, was nou weer net iets te veel van het goede. Ze trok hem mee naar de gang. 'Kom mee, jij.'

En er verscheen een man in de keukendeur die zei: 'Ik kom de wc maken.'

103

Jamie en Katie gingen haar slaapkamer in en lieten zich achterover op bed vallen. Ze moesten zo lachen dat ze Ray en Jacob niet konden uitleggen waarom. En het leek inderdaad wel weer of hij veertien was. Maar nu op een goeie manier.

En toen moest Jamie plassen, dus liep hij over de overloop naar de wc en toen hij er weer uit kwam dook zijn vader op die zei: 'Jamie, ik moet je spreken.' Geen begroeting. Geen beleefdheden. Alleen een samenzweerderige fluistertoon en een hand op Jamies elleboog.

Hij liep achter zijn vader aan de ouderlijke slaapkamer in en ging op het puntje van de leunstoel zitten.

'Jamie, moet je horen...'

Jamie was nog niet helemaal bekomen van de ontmoeting in de keuken en de kalme, gelijkmatige toon van zijn vader had iets geruststellends.

'De kanker,' zei zijn vader, en hij huiverde op een wat beschaamde manier. 'Die is terug, vrees ik.'

Jamie besefte dat dit ernst was en ging wat rechterop zitten. 'Is de kanker terug?'

'Ik ben bang, Jamie. Heel bang. Dat ik doodga. Aan kanker. Vrijwel voortdurend. Niet prettig. Helemaal niet prettig. Ik kan niet slapen. Niet eten.'

'Heb je met ma gepraat?'

'Ik werk haar een beetje op de zenuwen,' zei zijn vader. 'Ze heeft weinig aan me. Ik moet echt in een rustige kamer zitten. In mijn eentje.'

Jamie wilde zich vooroverbuigen om hem te aaien, zoals je een nerveuze hond zou aaien. Het was een merkwaardige drang, waaraan hij waarschijnlijk beter niet kon toegeven. Hij zei: 'Kan ik je op een of andere manier helpen?'

'Jawel,' zei zijn vader, die zichtbaar opfleurde. 'Ik kan namelijk echt niet naar de bruiloft.'

'Wat?'

'Ik kan niet naar de bruiloft.'

'Je moet naar de bruiloft,' zei Jamie.

'Ja?' vroeg zijn vader zwakjes.

'Natuurlijk,' zei Jamie. 'Je bent de vader van de bruid.'

Zijn vader dacht hierover na. 'Je hebt natuurlijk helemaal gelijk.'

Er viel een korte stilte, waarna zijn vader begon te huilen.

Jamie had zijn vader nog nooit zien huilen. Hij had helemaal nog nooit een oude man zien huilen. Behalve dan op de televisie, in oorlogen. Hij werd er zeeziek en bang en verdrietig van en hij moest de verleiding weerstaan om tegen zijn vader te zeggen dat hij niet op de bruiloft hoefde te zijn. Want als hij dat deed, zou Katie haar leven lang tegen geen van hen tweeën nog een woord zeggen.

Jamie kwam van zijn stoel en hurkte voor zijn vader neer. 'Luister eens, pa.' Hij wreef over de onderarm van zijn vader. 'We staan allemaal achter je. We zullen er allemaal zijn om je hand vast te houden. In de feesttent kun je meteen een paar glazen wijn achteroverslaan... Het komt goed, dat beloof ik je.'

Zijn vader knikte.

'O, en ik praat wel even met ma,' zei Jamie. 'Ik zal zeggen dat je een beetje rust nodig hebt.'

Hij kwam overeind. Zijn vader was in zijn eigen wereld. Jamie raakte zijn schouder aan. 'Gaat het?'

Zijn vader keek op. 'Dank je wel.'

'Geef maar een gil als je wat nodig hebt,' zei Jamie.

Hij liep de kamer uit, deed de deur zachtjes achter zich dicht en ging op zoek naar zijn moeder.

Maar toen hij de trap af liep, keek hij zijn oude kamer even in en zag koffers op het bed liggen. Omdat hij aan het geestelijk welzijn van zijn vader dacht, drong het pas tot hem door wat de koffers betekenden toen hij zijn moeder in de gang met een stapel schone washandjes tegenkwam.

'Ma, ik heb pa net gesproken en...'

'Ja...?'

Jamie zweeg terwijl hij bedacht wat hij wou zeggen en hoe hij het zou formuleren. En intussen was een ander deel van zijn hersens bezig met de implicaties van de koffers, en hij hoorde zichzelf zeggen: 'Die koffers in mijn kamer...'

'Wat is daarmee?'

'Van wie zijn die?'

'Van Eileen en Ronnie,' zei zijn moeder.

'En ik slaap...?'

'We hebben een prettig pension in Yarwell gevonden.'

En dat schoot Jamie in het verkeerde keelgat. Hij wist dat dit niet het moment was om kwaad te worden, en hij was ook niet zo opvliegend, maar hier kon hij weinig aan doen.

104

Jean was op zoek naar Jamie. Om de plooien glad te strijken na al die ophef in de keuken. Om te zeggen hoe jammer ze het vond dat Tony niet zou komen.

Ze liep hem tegen het lijf toen hij de trap af kwam. En niemand had hem kennelijk verteld dat Eileen en Ronnie zijn kamer hadden gekregen.

Jean wilde uitleggen dat ze een vrij gênante ochtend lang in de bibliotheek in de stad had gezeten om een speciaal pension te zoeken waar Tony en hij zich thuis zouden voelen. Ze was hier nogal trots op en dacht dat Jamie dankbaar zou zijn. Maar hij was niet in de stemming om dankbaar te zijn.

'Je wou gewoon niet dat Tony en ik hier zouden slapen, hè?'

'Dat zie je verkeerd, Jamie.'

'Ik ben goddomme je zoon.'

'Een beetje zachter, Jamie, alsjeblieft. En nu Tony toch niet komt...'

'Ja, dat komt je goed uit, hè?'

Er ging vlakbij een deur open en ze zwegen allebei.

Ray, Katie en Jacob verschenen boven aan de trap. Ze schenen de woordenwisseling gelukkig niet gehoord te hebben.

'Ah, Jamie,' zei Ray, 'jou moeten we net hebben.'

'Ik heb een Power Ranger ingekleurd,' zei Jacob, die een blad omhooghield.

'We willen je wat vragen,' zei Katie.

'Wat dan?' vroeg Jamie, duidelijk geprikkeld dat hij midden in een woordenwisseling werd gestoord.

Ray zei: 'Katie en ik gaan uit eten, en Jean heeft met haar broer afgesproken. Zou jij misschien op Jacob willen passen?'

'O, helaas slaap ik hier vannacht niet,' zei Jamie met een sarcastische glimlach naar Jean.

'Misschien kan je vader op Jacob passen,' zei Jean, die de aandacht van Jamie wilde afleiden. 'Het wordt een keer tijd dat hij de handen uit de mouwen steekt en zich hier een beetje nuttig gaat maken.'

'Jezus, nee,' zei Jamie.

'Jamie,' zei Jean. 'Denk om je taal.'

'Dat is stout,' zei Jacob.

'Ik pas wel op Jacob,' zei Jamie. 'Sorry. Vergeet maar wat ik net zei. Ik dacht niet goed na. Sorry. Geen probleem. Kom, kleine man, laat je Power Ranger eens zien.'

'Het is een Gele Ranger,' zei Jacob.

En de twee liepen samen naar boven.

'Wat was dat nou allemaal?' vroeg Katie.

'O, niets,' zei Jean. 'Waar gaan jullie eten? Of is dat een grote verrassing?'

105

Halverwege de maaltijd begon Ray steeds op zijn horloge te kijken.

Katie wees hem erop dat een gentleman dat eigenlijk niet hoorde te doen tijdens een dineetje bij kaarslicht met zijn aanstaande. Ray verontschuldigde zich, maar niet overtuigend. Hij dacht kennelijk dat het grappig was, en dat was niet zo, en Katie wilde aan de ene kant wel kwaad worden, maar aan de andere kant geen openlijke ruzie aan de vooravond van haar bruiloft.

Maar iets voor negenen boog Ray zich over de tafel naar haar toe, pakte allebei haar handen en zei: 'Ik heb een cadeautje voor je.'

En Katie bromde een beetje vrijblijvend vanwege het gekijk op dat horloge, maar ook omdat Ray niet super was in cadeaus.

Ray zei niets.

'Ja...?' vroeg Katie.

Ray stak zijn vinger op, wat 'wacht' of 'stil' betekende, en ook dat was raar.

'Oké,' zei Katie.

Ray keek naar het raam, dus keek Katie ook naar het raam, en Ray zei: 'Vijf, vier, drie, twee, een...' en een paar tellen lang gebeurde er helemaal niets, en Ray zei zachtjes 'Shit' en toen schoten er vanaf het landje naast het restaurant vuurpijlen de lucht in, sissende witte slangen, vuurrode zee-egels, gele sterrenregens, treurwilgen van fonkelend groen licht. En dat vvvvoemp, alsof er telkens iemand met een golfclub tegen een kartonnen doos sloeg, deed haar meteen denken aan vreugdevuren en in de as gepofte aardappelen in zilverpapier en de geur van brandende sterretjes.

Het hele restaurant zat te kijken, en elke knal leverde ergens wel een 'oeh' of 'aah' op, en Katie zei: 'Dus dit is...'

'Juist.'

'Jezus, Ray, dit is ongelooflijk.'

'Alsjeblieft,' zei Ray, die helemaal niet naar het vuurwerk keek, maar naar haar gezicht dat naar het vuurwerk keek. 'Het was dit of Chanel No. 5. Ik dacht dat je liever dit zou hebben.'

106

Jean zag Douglas en Maureen zelden. Deels omdat ze in Dundee woonden. En deels omdat... nou, eerlijk gezegd omdat hij een beetje het type Ray was. Maar dan erger. Om te beginnen had hij een transportbedrijf. Zo'n grote man die er overdreven trots op is dat hij geen kouwe drukte maakt.

Haar mening over mensen als Ray was het afgelopen etmaal echter veranderd, en ze vond Douglas eigenlijk wel aangenaam gezelschap.

Ze had al een paar glazen wijn op toen Maureen vroeg wat er met George was, dus ze dacht: Kan mij het schelen, en zei dat hij aan stress leed.

Waarop Maureen antwoordde: 'Dat heeft Doug een paar jaar terug ook gehad.'

Douglas nuttigde de rest van zijn garnalencocktail en stak een sigaret op en sloeg zijn arm om Maureen heen en liet haar het woord voor hem voeren.

'Even boven Edinburgh kreeg hij een blackout, achter het stuur van de bestelwagen. Toen hij weer bijkwam schuurde hij met honderdtwintig per uur langs de vangrail in de middenberm. Hersenscans. Bloedonderzoeken. Volgens de dokter was het spanning.'

'Dus hebben we een van de vrachtwagens verkocht en zijn we drie weken in Portugal gaan zitten,' zei Douglas. 'Simon mocht de tent runnen. Weten wanneer je de teugels moet laten vieren. Dat is het geheim.'

Jean wilde gaan zeggen dat ze dat helemaal niet wist. Maar zij wisten dat zij dat niet wist. En ze wisten allemaal hoe dat kwam: het had haar nooit geïnteresseerd. En daar voelde ze zich nu slecht over. Ze zei: 'Het spijt me heel erg. Ik had jullie moeten vragen om bij ons te logeren.'

'Samen met Eileen?' vroeg Maureen met opgetrokken wenkbrauwen.

'In plaats van,' zei Jean.

'Ik hoop niet dat ze die rothond meeneemt naar de bruiloft,' zei Douglas, en iedereen lachte.

En Jean vroeg zich even af of ze over de schaar kon vertellen, maar besloot dat dat een beetje ver ging.

107

Jamie had nog nooit opgepast. Niet serieus.

Hij was een paar keer alleen met Jacob geweest toen die nog baby was. Een uur of twee. En Jacob had voornamelijk geslapen. Jamie had zelfs een keer een luier verschoond. Hoewel dat toen niet nodig was. Hij had zich in de geuren vergist en toen hij de luier loshaalde zat er niets in. Maar het stond hem tegen om zo'n ding weer om te doen als er urine in zat.

Maar hij ging niet nog een keer oppassen. In elk geval niet voordat Jacob twaalf was.

Dat besef drong vrij snel tot hem door toen Jacob hem naar de badkamer riep omdat hij klaar was met zijn poep en Jamie zag hoe hij iets te vroeg van de wc-bril gleed, zodat het laatste stukje over de bril sleepte en als een natte chocolade-stalactiet aan de rand bleef hangen.

Geen babypoep. Maar gewoon een menselijk uitwerpsel. Met een zweempje hond.

Jamie wapende zich met een geïmproviseerde ovenwant van toiletpapier en kneep zijn neus dicht.

En natuurlijk waren er ergere baantjes op de wereld (rattenvanger, astronaut...) maar Jamie besefte nu pas hoe laag op de lijst het ouderschap eigenlijk stond.

Jacob was bovenmatig trots op zijn prestatie en de resterende activiteiten die avond (geroosterd brood met roerei, *Meneer Gumpy gaat op stap*, een bad met heel erg veel bubbels) werden gelardeerd met het verhaal van Jacobs wc-avontuur, dat hij minstens twintig keer kwijt wilde.

Jamie kreeg uiteindelijk geen gelegenheid om met zijn moeder over de toestand van zijn vader te praten. En dat was misschien maar beter ook. Dat scheelde weer iemand die zich zorgen maakte. Als hij vanavond wegging, kon hij Ray vragen om de wacht te houden.

Zijn vader bleef de rest van de avond in de slaapkamer. Jamie ging een paar keer kijken. Er leek niets aan de hand.

Toen Jacob eindelijk in bed lag, legde Jamie zijn benen op tafel en keek naar

Mission Impossible (om een of andere onverklaarbare reden lag er een hele voorraad actiefilms onder de televisie).

Halverwege de film zette Jamie de band stil om te gaan plassen en bij zijn vader te kijken. Zijn vader was niet in de slaapkamer. Noch in de badkamer. Zijn vader was in geen enkele kamer, boven of beneden. Jamie keek nog een keer, nu ook in de kasten en onder de bedden, doodsbenauwd dat zijn vader iets doms had gedaan.

Hij stond op het punt de politie te bellen toen hij de donkere tuin in keek en zijn vader midden op het gazon zag staan. Hij deed de deur open en stapte naar buiten. Zijn vader stond een beetje te schommelen.

Jamie liep naar hem toe en ging naast hem staan. 'Hoe gaat het?'

Zijn vader richtte zijn blik naar de hemel. 'Ongelooflijk dat het straks allemaal weg is.'

Hij had gedronken. Jamie rook het. Wijn? Whisky? Het was moeilijk te zeggen.

'Muziek. Boeken. De wetenschap. Iedereen heeft het over de vooruitgang, maar...' Zijn vader keek nog steeds naar boven.

Jamie legde een hand op de arm van zijn vader om te voorkomen dat hij achterover kieperde.

'Over een paar miljoen jaar is dit allemaal één grote lege steenklomp. Geen sporen dat we ooit hebben bestaan. Niet eens iemand om te zien dat er geen sporen zijn. Niemand die naar sporen zoekt. Alleen maar... de ruimte. En nog een paar grote steenklompen. Die ronddwarrelen.'

Jamie had in zijn studietijd voor het laatst iemand zo horen praten, toen hij gigantisch stoned was geworden met Scunny. 'Misschien moeten we weer naar binnen gaan.'

'Ik weet niet of het angstaanjagend is of geruststellend,' zei zijn vader. 'Dat iedereen in de vergetelheid belandt, bedoel ik. Jij. Ik. Hitler. Mozart. Je moeder.' Hij keek omlaag en wreef zich in de handen. 'Hoe laat is het eigenlijk?'

Jamie keek op zijn horloge. 'Tien voor half elf.'

'Laten we dan maar naar binnen gaan.'

Jamie loodste zijn vader naar het licht van de keukendeur.

Hij bleef op de drempel staan en zei: 'Dank je wel.'

'Waarvoor?'

'Voor het luisteren. Anders kon ik niet aan, denk ik.'

'Graag gedaan,' zei Jamie, en hij draaide de deur op slot terwijl zijn vader op weg ging naar de trap.

Toen iedereen thuiskwam, nam Jamie Ray apart en zei dat hij zijn vader niet helemaal vertrouwde. Hij vroeg of Ray die nacht een beetje wou opletten, maar niets tegen Katie wou zeggen. Dat was geen probleem, zei Ray.

Toen stapte hij in zijn auto en reed naar het pension in Yarwell, waar de deur op slot zat en werd opengedaan door een groot, in kaftan gekleed persoon van onbestemde kunne die het erg vervelend vond dat Jamie niet had gebeld om te zeggen dat hij laat zou komen.

108

De volgende morgen werd Jean wakker, ze waste zich en kwam terug in de slaap-kamer.

George zat op de rand van het bed met de geslagen uitdrukking die hij al een paar dagen had. Ze deed haar best om hem te negeren. Als ze wat zei, zou ze haar kalmte verliezen.

Misschien was ze hardvochtig, misschien was ze ouderwets, maar zij kon zich niets voorstellen wat zo kwellend was dat je het voor de bruiloft van je dochter niet even opzij kon zetten.

Ze stapte in haar onderjurk en hoorde hem sorry zeggen, en toen ze zich om-draaide zag ze dat hij het meende.

'Het spijt me zo, Jean.'

Ze wist niet goed wat ze moest zeggen. Dat het goed was? Want het was niet goed. Dat zag ze wel.

Ze ging zitten en pakte zijn hand en hield die vast. Meer kon je misschien niet doen.

Ze dacht aan de kinderen, toen ze klein waren, dat ze die leerden om sorry te zeggen als ze elkaar hadden geslagen of iets stukgemaakt hadden. En voor hen was het maar een woord. Een manier om er vanaf te zijn. Maar dan hoorde je ie-mand met oprechte spijt en besefte je wat een kracht erin school, in dat tover-woord waarmee je toegang tot de grot kreeg.

'Wat kan ik doen?' vroeg ze.

'Ik denk niet dat je iets kunt doen,' zei George.

Ze ging naast hem op bed zitten en sloeg haar armen om hem heen. Hij rea-geerde niet.

Ze zei: 'We slepen je er wel doorheen.'

Een paar tellen later klopte Katie aan. 'Ma...? Kun je misschien komen helpen?'

'Ik kom zo.' Ze trok de rest van haar kleren aan en gaf George een zoen en zei: 'Het komt goed. Dat beloof ik je.'

Toen ging ze de rest van haar gezin helpen.

109

Jamie stond op en liep de wc in.

Op de extra rollen wc-papier zaten gebreide babyblauwe mutsjes en aan de muur hing een stel schilderijtjes van de Costa Brava.

Hij was in de loop van de nacht verschillende malen wakker geworden, als gevolg van een reeks verontrustende dromen waarin het hem niet lukte om te beletten dat er gruwelijke dingen met zijn vader gebeurden. In een van de dromen keek Jamie vanuit een raam omlaag en zag dat zijn vader, twee keer zo klein als normaal en hevig bloedend, door een wolf de tuin door werd gesleurd. Jamie was dus niet uitgerust en toen hij dacht aan het soort ontbijt dat hem beneden wachtte (warme bacon met witte knobbeltjes kraakbeen, dikke thee met volle melk...) zonk de moed hem in de schoenen.

Hij sliep vannacht wel bij zijn ouders op de bank. Of in de feesttent.

Hij pakte zijn tas in, keek of de kust veilig was en liep op zijn tenen de trap af. Net toen hij de deur opendeed doemde de gezette man-vrouw in de deuropening van de keuken op en zei: 'Ontbijtje...?' en Jamie zette het op een lopen.

110

Katie lag in een ligstoel op het dakterras. Ze keek uit over Barcelona. Maar het terras was het terras bij hun kamer in dat hotel in San Gimignano. En ze zag de zee, wat in San Gimignano niet kon. De zon scheen en het rook naar iets tussen zonnebrandcrème en hele lekkere vanillevla. Jacob sliep, of was thuis bij haar ouders, of was er gewoon niet zonder dat ze over hem hoefde in te zitten. En het was een hangmat, geen ligstoel.

Toen ging Ray op de Playmobilridder staan en schreeuwde, en Jacob schreeuwde omdat Ray de Playmobilridder kapot had gemaakt en Katie was wakker en ze ging vandaag trouwen en het zou wel een moment zijn waar je even van moest genieten, maar dat ging niet echt want tegen de tijd dat ze haar tanden had gepoetst en haar gezicht gewassen waren de mensen van de catering al beneden en wilden weten welk deel van de keuken ze in bezit konden nemen, dus moest ze haar moeder snel inschakelen, en vervolgens raakte Jacob overstuur omdat Ronnie de Bran Flakes had opgemaakt en in plaats van zich te verontschuldigen of aan te bieden om in de dorpswinkel een nieuw pak te gaan halen, stak hij tegen Jacob een zedenpreekje af over dat je niet altijd kon krijgen wat je hebben wilde, hoewel het probleem juist veroorzaakt was doordat Ronnie zelf had gepakt wat hij hebben wilde. Toen kwam Ed en trapte in de enorme hoop die hun rothond midden op het pad had gedeponeerd en was het duidelijk dat het zo'n beetje de hele dag wel zo door zou gaan.

111

Jamie scheurde zo hard weg uit het doodlopende straatje dat zijn banden piepten.

Hij bleef zich beschaamd voelen over zijn gedrag tot hij de grote weg bereikte, waar hij gas terugnam en zichzelf eraan herinnerde dat het echt een waardeloos pension was, dat de eigenaar behalve vreemd (tot man omgebouwde vrouw, gokte Jamie, maar veel geld zou hij er niet op zetten) ook onbeleefd was, en dat Jamie er alleen maar sliep omdat hij op smadelijke wijze zijn eigen kamer uit geknikkerd was (hij was vergeten te betalen, bedacht hij; jammer dan, dat loste hij later wel op). Dus de gêne maakte plaats voor verontwaardiging, wat veel gezonder was.

Toen stelde hij zich voor dat hij Katie het hele verhaal vertelde (compleet met gebreide closetrolmutsjes en piepende banden) en zich hardop afvroeg welke gidsen zijn moeder precies had geraadpleegd in de bibliotheek, en veranderde de verontwaardiging in plezier, wat nog gezonder was.

Tegen de tijd dat hij voor het huis van zijn ouders parkeerde, was hij erg ingenomen met zichzelf. Hij liep normaal nooit weg. Hij maakte hotelkamers aan kant en zat slechte films uit en deed weleens alsof Tony gewoon een goede vriend was. Wat niet goed voor de ziel was.

Hij had er altijd een hekel aan gehad als Tony in een restaurant klaagde of Jamies hand in het openbaar opzichtig vasthield. Maar nu Tony er niet was, zag Jamie in hoe belangrijk dat was. En hij bedacht dat er twee kanten aan zaten, als je een beter mens wou worden: aan anderen denken; maar ook: je geen bal aantrekken van wat anderen dachten. Geen genoegen nemen met oud naanbrood. Tongzoenen op Blackfriars Bridge.

Een gedachtegang die zijn toppunt bereikte toen hij de keuken in liep, waar heel toepasselijk Eileen en Ronnie zaten te ontbijten. Op dat moment voelde hij Tony naast zich, in elk geval in gedachten, en besefte hij dat wat Eileen en Ronnie ook vonden (dat hij gered moest worden, of gecastreerd, of achter de tralies gezet), ze in feite doodsbang voor hem waren. Waardoor hij zich een beetje als

Batman voelde, die er gemeen uitzag, maar eigenlijk goed was.

Dus zei hij: 'Dag Eileen, dag Ronnie', en hij schonk ze een brede glimlach. 'Ik hoop dat jullie goed geslapen hebben.'

Toen gaf hij ze allebei een klopje op de schouder en draaide zich met een snelle beweging om, en de lucht in de keuken deed zijn zwarte cape bollen en op majestueuze wijze spoedde hij zich met zijn leren laarzen en bijpassende toque de eetkamer door, de gang in en de wc op.

Wat als een soort korteafstands-tijdmachine leek te werken, want toen hij had doorgetrokken en de gang weer in stapte leek het de stationshal op Euston wel: Eileen ging de ene kant uit, zijn moeder en zuster de andere kant, Jacob was een straaljager, de christelijke hond jankte en twee bijzonder roodharige vrouwen die hij niet kende stonden in witte dienstkleding in de deuropening van de keuken.

Katie zei: 'Hoi Jamie', en verdween.

Ray kwam de trap af en liep naar hem toe en fluisterde: 'Je pa heeft vannacht geen kik gegeven.'

'Bedankt,' zei Jamie. 'Ik ga zo even naar hem toe.'

'Hoe was het pension?' vroeg Ray.

'Niet goed.'

'Ik hoorde van Katie dat de blijde-boodschappers je kamer hebben ingepikt,' zei Ray. 'Volgens mij hebben ze er de boze geesten verdreven.'

Pas op de overloop bedacht Jamie dat hij er niet helemaal bij was geweest en niet op Rays grapje had gereageerd, wat waarschijnlijk niet zo sympathiek was overgekomen. Nou ja, zijn vader was nu belangrijker.

Hij klopte op de deur van de slaapkamer.

'Binnen,' zei zijn vader. Hij klonk opvallend monter.

Jamie ging naar binnen en zag dat hij helemaal aangekleed op de rand van het bed zat.

'Je bent er,' zei zijn vader. 'Mooi zo.' Hij liet zijn handen op zijn knieën kletsen alsof hij ergens helemaal klaar voor was.

'Hoe gaat het?' vroeg Jamie.

'Ik heb me bedacht.'

'Waarover?'

'Ik kan echt niet naar de bruiloft.'

'Wacht eens even,' zei Jamie.

'Ik zou naar een hotel kunnen gaan,' zei zijn vader. 'Maar eerlijk gezegd heb ik mijn buik een beetje vol van hotels.'

Jamie wist niet hoe hij moest reageren. Zijn vader maakte een volkomen normale indruk. Alleen was hij dat duidelijk niet.

'De auto kan ik natuurlijk niet nemen, want die heeft je moeder nodig om naar het stadhuis te rijden. En als ik hiervandaan gewoon ga lopen kom ik vast iemand tegen die me herkent.' Zijn vader trok een wandelkaart onder het matras uit. 'Maar jij hebt ook een auto.' Hij vouwde de kaart open en wees Folksworth aan. 'Als jij me hier ergens kunt afzetten, kan ik zo'n vijftien, twintig kilometer over wandelpaden lopen zonder dat ik een grote weg hoef over te steken.'

'Juist,' zei Jamie.

'Als je mijn grote regenjas en een thermosfles thee in de achterbak kunt leggen, zou dat fijn zijn.' Zijn vader vouwde de kaart weer dicht en stopte hem terug onder het matras. 'Een paar koekjes zou ook lekker zijn, als dat kan.'

'Een paar koekjes.'

'Gewone koekjes. Volkorenbiscuitjes. Zoiets. Niet te veel chocola erop.'

'Volkorenbiscuitjes.'

Zijn vader pakte Jamies hand en hield die vast. 'Dank je wel. Ik ben hier erg blij mee.'

'Mooi,' zei Jamie.

'Ga nu maar naar beneden om mee te doen,' zei zijn vader. 'We willen natuurlijk niet dat iemand anders hier lucht van krijgt.'

'Nee,' zei Jamie.

Hij stond op en liep naar de deur. Daar draaide hij zich nog even om. Zijn vader stond uit het raam te staren, wiegend van de ene voet op de andere.

Jamie liep de overloop op, deed de deur achter zich dicht, rende naar beneden, greep zijn mobieltje, sloot zich andermaal in de wc op en belde de dokterspraktijk. Hij werd doorverbonden naar een soort weekendcentrale. Hij legde uit dat zijn vader bezig was om gek te worden. Hij vertelde over de schaar en de bruiloft en het plan om te vluchten en het huilen. Hij kreeg te horen dat er binnen drie kwartier een arts bij hen zou zijn.

112

Jean vond Ray in de feesttent, waar hij de allerlaatste wijzigingen in de tafelschikking stond te regelen (een van hun vrienden was die ochtend gestruikeld en tegen een wastafel gesmakt en had daarbij zijn voortanden gebroken).

'Ray?

'Zeg het eens.'

'Sorry dat ik je stoor,' zei Jean, 'maar ik weet niet aan wie ik het anders moet vragen.'

'Ga door.'

'Ik maak me zorgen om George. Hij had het er vanmorgen over. Hij leek zichzelf niet.'

'Ik weet het,' zei Ray.

'Ja?'

'Jamie zei gisteren al dat hij niet helemaal goed was. Vroeg of ik een beetje op hem wou letten.'

'Tegen mij heeft hij niets gezegd.'

'Om je niet ongerust te maken, denk ik,' zei Ray. 'In elk geval is Jamie vanmorgen voor de zekerheid even met hem gaan praten.'

Ze voelde hoe de opluchting door haar lichaam trok. 'Dat is heel aardig van je.'

'Je moet Jamie bedanken.'

'Je hebt gelijk,' zei Jean. 'Dat zal ik doen.'

Een paar minuten later kreeg ze de kans toen ze Jamie in de gang zag, waar hij net uit de wc kwam.

'Geen dank,' zei Jamie.

Hij leek er niet helemaal bij met zijn hoofd.

113

George hield zich aan de rand van de closetpot vast en kreunde.

Jamie was nu twintig minuten weg. Meer dan genoeg tijd om de thee en de koekjes te doen.

Het begon tot George door te dringen dat zijn zoon hem niet ging helpen.

Hij zwaaide heen en weer zoals de ijsberen in die dierentuin waar ze een keer met de kinderen heen waren gegaan. Amsterdam. Of Madrid, misschien.

Schrok hij mensen af? Hij had die ochtend met Jean proberen te praten, maar die moest ineens een broek gaan strijken, of iemands bibs afvegen.

Hij beet hard in zijn onderarm, vlak boven de pols. De huid was verrassend taai. Hij beet nog harder. Zijn tanden gingen door de huid en door nog iets heen, hij wist niet precies wat. Het klonk als selderie.

Hij ging staan.

Hij stond er alleen voor.

De rode tweeling had hen de keuken uit gestuurd, dus stonden Katie en Sarah in het voorportaal van de feesttent en blies Sarah haar sigarettenrook de tuin in om de trouwlucht niet te vergiftigen.

Een tiener liep de gedroogde vloerplanken schoon te vegen. Er werden boeketten in vazen in gekrulde gietijzeren houders gezet. Een man zat op zijn hurken te kijken of de tafels goed aansloten, alsof hij probeerde te bepalen hoe hij een moeilijke snookerstoot moest maken.

'En Ray...?' vroeg Sarah.

'Die doet het echt geweldig,' zei Katie.

Een vrouw haalde bestek uit een plastic krat en hield het tegen het licht voor ze het op tafel legde.

'Sorry dan,' zei Sarah.

'Waarvoor?'

'Dat ik dacht dat dit misschien wel een vergissing was.'

'Dacht je dat dan?'

'Hou op. Ik schaam me al rot. Je bent mijn vriendin. Ik wou het gewoon zeker weten. Nu weet ik het zeker.' Sarah zweeg even. 'Het is een aardige man.'

'Dat is zo.'

'Zelfs Ed is misschien wel een aardige man, geloof ik.' Ze draaide zich om en keek naar de overkant van het gazon. 'Goed, misschien niet heel aardig. Maar hij valt mee. Vergeleken met die zatte oetlul toen bij jullie thuis.'

Katie draaide zich ook om en zag Ed vliegtuigje spelen met Jacob, die rondzwaaide aan zijn armen.

'Kijk,' riep Jacob. 'Kijk.'

'Ed,' riep Katie, 'wees voorzichtig.'

Ed keek haar kant uit en raakte lichtelijk in paniek en liet zijn greep verslappen en Jacobs linkerhand schoot los en Jacob gleed met zijn Rupert Bear-bruidsbroek over het natte gras.

'Sorry,' riep Ed, en hij hees Jacob aan één pols op alsof het kind een afgeschoten konijn was.

Jacob gilde en Ed probeerde hem rechtop te zetten.

'Dat is lekker,' mompelde Katie, terwijl ze erheen liep en zich afvroeg of ze de wasmachine zouden mogen gebruiken van de rode tweeling.

Waarna ze even omhoog keek en haar vader in de badkamer met zijn armen en benen wijd zag staan springen, wat eigenaardig was.

Het liefst was Jamie bij zijn vader in de slaapkamer gaan zitten. Maar daarvandaan zag je de weg niet. En Jamie wilde niet dat de dokter onaangekondigd zou verschijnen.

Als de dokter zijn vader kon helpen, kwamen ze hier misschien doorheen zonder iedereen de stuipen op het lijf te jagen.

Dus stond Jamie in de huiskamer tegen de vensterbank geleund en deed net of hij het magazine van de *Telegraph* las. En pas toen begon hij zich af te vragen of zijn vader nu misschien gedwongen in een inrichting zou worden opgenomen, iets waar hij niet aan had gedacht toen hij opbelde.

Verdomme, hij had dit beter tegen iemand kunnen zeggen in plaats van alles in zijn eentje te willen oplossen.

Alleen... kon je toch alleen maar gedwongen worden opgenomen als je geprobeerd had je van kant te maken? Of geprobeerd had iemand anders van kant te maken? Eerlijk gezegd was Jamies kennis op dit gebied vrijwel geheel afkomstig uit televisiedrama's.

Het was ook heel goed mogelijk dat de dokter helemaal niets kon uitrichten.

Aan veel artsen had je natuurlijk helemaal niets. Als je drie jaar studenten medicijnen had meegemaakt, was het moeilijk om nog veel vertrouwen in de beroepsgroep te hebben. Neem die Markowicz. Tot zijn nek in het gips en dan in zijn eigen braaksel stikken.

Er stapte een man uit een blauwe Range Rover. Zwart tasje. Shit.

Jamie slalomde de gang door en liep de voordeur uit om hem te onderscheppen voor hij een grootse entree kon maken.

'Bent u de arts?' Hij voelde zich als iemand in een slechte film. *Haal de warme handdoeken!*

'Dokter Anderson.' De man stak zijn hand uit. Het was zo'n lange, magere man die naar zeep rook.

'Het gaat om mijn vader,' zei Jamie.

'Ja,' zei dokter Anderson.

'Hij heeft een soort zenuwinzinking.'

'Misschien moeten we even met hem gaan praten.'

Dokter Anderson wilde de weg gaan oversteken. Jamie hield hem tegen. 'Eerst moet ik even iets uitleggen. Mijn zuster trouwt vandaag.'

De dokter tikte tegen zijn neus en zei: 'Mondje dicht.'

Het stelde Jamie niet helemaal gerust.

Ze liepen de trap op naar de slaapkamer van zijn ouders. Helaas was zijn vader niet in de slaapkamer van zijn ouders. Jamie vroeg of de dokter op bed wou gaan zitten en even wou wachten.

Jamie keek de huiskamer in en bedacht dat zijn moeder een vreemde man op het bed zou aantreffen als ze haar slaapkamer in liep. Hij had de dokter beter in de wc beneden kunnen opsluiten.

Zijn vader bevond zich niet in het huis. Hij vroeg het aan Eileen. Hij vroeg het aan de vrouwen van de catering. Hij vroeg het aan de getuige van Ray, wiens naam hij was vergeten. Hij keek achter de feesttent en besefte toen dat hij overal had gekeken, wat betekende dat zijn vader weggelopen was, wat echt helemaal niet goed was en hij rende terug over het gazon terwijl hij vrij hard 'Kut, kut, kut, kut, kut...' zei en onderweg kwam hij Katie tegen die hij niet ongerust wou maken dus lachte hij en zei het eerste wat er in hem opkwam en dat was 'De duif is gevlogen', iets wat Tony weleens zei en wat Jamie nooit zo goed begrepen had, en wat Katie ook niet zou begrijpen, maar inmiddels rende Jamie de trap al op. En hij stormde de slaapkamer in en dokter Anderson sprong van het bed en nam een wat commandoachtige verdedigingshouding aan.

'Hij is weg,' zei Jamie. 'Ik kan hem nergens vinden.' En toen moest hij op het bed gaan zitten en zijn hoofd tussen zijn knieën doen omdat hij een beetje duizelig was.

'Oké...' zei de dokter.

'Hij wou dat ik hem ergens ging afzetten,' zei Jamie. 'Zodat hij niet naar de bruiloft hoefde.' Hij ging rechtop zitten, voelde zich wiebelig en stopte zijn hoofd weer tussen zijn knieën. Opzij kijkend zag hij een reepje roze onder het matras. Hij stak zijn hand uit en trok de wandelkaart tevoorschijn. Die had zijn vader dus niet meegenomen.

'Wat is dat?' vroeg dokter Anderson.

'Hier wou hij heen.' Jamie vouwde de kaart uit en wees Folksworth aan. 'Misschien heeft hij een taxi genomen. Ik ga hem zoeken.'

De dokter haalde een kaartje uit zijn jas en gaf het aan Jamie. 'Eigenlijk is dit niet de bedoeling. Maar als je hem vindt, bel me dan, goed?'

'Bedankt.' Jamie stopte het kaartje in zijn broekzak. 'Laat ik maar gauw gaan dan.'

Op de trap kwamen ze Ray tegen.

Dokter Anderson glimlachte en zei: 'Ik ben de fotograaf.'

'Oké,' zei Ray. Hij keek een beetje bevreemd, mogelijk vanwege het feit dat Jamie en de fotograaf samen boven waren geweest.

Jamie zei tegen dokter Anderson: 'Hij weet ervan.'

'In dat geval ben ik arts,' zei dokter Anderson.

'Pa is verdwenen,' zei Jamie. 'Ik ga hem zoeken. Ik leg het nog wel uit.' Toen bedacht hij dat het ook Ray z'n trouwdag was. 'Sorry voor al dit gedoe.'

'Ik bel je als hij boven water komt,' zei Ray.

116

Jean stond zich aan te kleden en zich af te vragen waar George in hemelsnaam was gebleven toen er werd aangebeld. Kennelijk ging er niemand opendoen, dus viste ze haar zondagse schoenen onder uit de klerenkast en liep naar beneden.

'Alan Phillips,' zei de man die voor de deur stond. 'De vader van Ray. Dit is mijn vrouw Barbara. En jij bent Jean, denk ik?'

'Aangenaam,' zei Barbara.

Jean noodde ze binnen en nam hun jas aan.

'Leuk om eindelijk eens kennis te maken,' zei Alan. 'Jammer dat het zo op de valreep is.'

Ze had een grotere man verwacht, iemand met meer drukte. Toen herinnerde ze zich dat Katie het over een chocoladefabriek had gehad, wat op dat moment komisch leek, maar nu heel toepasselijk. Ze zag hem wel met treinen spelen of anjers kweken. 'Ga zitten.'

'Wat een mooi huis,' zei Barbara, en het klonk alsof ze het meende, wat Jean wel vertederde.

Ze hadden allebei iets vormelijks, en dat was een opluchting (in sombere buien had ze zich voorgesteld... nou ja, sommige dingen kon je maar beter vergeten). Daar stond tegenover dat het geen mensen leken die je in de huiskamer kon parkeren terwijl je zelf andere dingen ging doen.

Waar was iedereen? George, Jamie, Eileen, Ronnie. Ze schenen allemaal in rook te zijn opgegaan.

'Een kopje thee misschien?' vroeg Jean. Het klonk alsof ze het tegen meneer Ledger had, die de verwarmingsketel onderhield. 'Of koffie?' Ze kon de cafetière voor de dag halen.

'O,' zei Barbara, 'je hoeft voor ons geen moeite te doen.'

'Het is geen moeite,' zei Jean, hoewel het haar eerlijk gezegd niet heel erg goed uitkwam.

'Dan graag twee thee,' zei Barbara. 'Alan heeft een halfje suiker.'

Jean werd alweer gered door Ray, die een klein geel actiepoppetje uit hun auto had gehaald.

'Barbara. Pa.' Hij zoende Barbara op haar wang en gaf zijn vader een hand.

'Ik ging net thee zetten voor je ouders,' zei Jean.

'Dat doe ik wel,' zei Ray.

'Dat is heel lief van je,' zei Jean opgewekt. Toen Ray naar de keuken wilde lopen, voegde ze er zachtjes aan toe: 'Weet jij toevallig waar George is? Gewoon uit nieuwsgierigheid. Of Jamie, die zie ik ook niet.'

Ray zweeg nogal lang, wat haar enigszins verontrustte. Hij wilde net antwoord gaan geven toen Ed uit de richting van de keuken aan kwam lopen met een broodje en Ray zei: 'Ed.'

'Meneer en mevrouw Phillips,' zei Ed, door het halve broodje heen.

Alan en Barbara stonden op.

'Ed Hobday,' zei Alan. 'Jeetje. Ik herkende je niet.'

Ed veegde de kruimels van zijn mond en gaf ze allebei een hand. 'Dikker maar wijzer.'

'Ach welnee,' zei Barbara, 'je bent gewoon een beetje aangekomen.'

Ray tikte Jeans schouder aan en zei zachtjes: 'Ga even mee naar de keuken.'

117

Toen George aan de rand van het dorp kwam, was hij inmiddels wat rustiger.

Maar toen hij op het landje naast de spoorbaan liep, zag hij Eileen en Ronnie zijn kant uit komen. Ze waren bezig hun hond over het hekje te tillen en hij was er vrij zeker van dat ze hem niet hadden gezien. Hij kroop in een holte naast de meidoorn zodat hij uit hun gezichtslijn was.

De hond blafte.

Hij kon niet terug zoals hij was gekomen zonder gezien te worden, en een dichte rij doornstruiken maakte het onmogelijk om de spoorbaan zelf over te steken. De spanning in zijn borst nam toe.

Zijn arm bloedde nog steeds van de beet.

Het geblaf werd harder.

Hij ging liggen en rolde in de ondiepe greppel, waar het gras iets afliep voor het onder het hek door ging. Zijn jas was groen. Als hij stillag, vonden ze hem misschien niet.

Hij paste precies in de greppel, en lag verrassend lekker. Interessant ook, om van zo dichtbij naar de natuur te kijken, iets wat hij niet meer had gedaan sinds hij een jochie was. Er waren wel veertig of vijftig plantensoorten die hij zo had kunnen pakken. En hij wist geen enkele naam. Behalve dan de brandnetels. Als het brandnetels waren. En het fluitenkruid. Als het fluitenkruid was.

Zes jaar geleden had Katie hem met de kerst een boekenbon gegeven (een lui cadeau, maar beter dan die belachelijke Zweedse wijnglazen die je aan een touwtje om je nek hing). Hij had er het *Reader's Digest Book of British Flora and Fauna* van gekocht, met de bedoeling om ten minste de namen van bomen te leren. Het enige wat hij zich nu uit het boek herinnerde, was dat er in de Cotswolds een kolonie wilde wallaby's leefde.

Hij bedacht dat hij nergens heen hoefde te gaan om de bruiloft te ontlopen. Hij zou zelfs eerder de aandacht trekken als hij nu ging wandelen. Hij kon hier beter gewoon blijven liggen, of nog wat verder het kreupelhout in. Als het donker was, kon hij dan weer tevoorschijn komen.

Toen zei Eileen: 'George...?' en hij dacht dat ze misschien wel weg zou gaan als hij zich niet verroerde.

Maar ze ging niet weg. Ze zei nog eens zijn naam, en schreeuwde toen hij niet reageerde. 'Ronnie. Kom gauw hier.'

George rolde zich om, ten teken dat hij nog leefde.

Eileen vroeg wat er was gebeurd. George legde uit dat hij bij het wandelen zijn enkel had verstuikt.

Ronnie hielp hem overeind en George hinkte zogenaamd en een paar minuten lang was het draaglijk, want hoewel de greppel troost bood, trok het idee om de komende tien uur alleen te zijn hem minder. Eerlijk gezegd was het een opluchting om in het gezelschap van andere mensen te zijn.

Maar Eileen en Ronnie namen hem mee terug naar het huis en dat was niet goed, en hoe dichterbij ze kwamen, hoe sterker het gevoel werd dat er iemand een zwarte vuilniszak over zijn hoofd trok.

Bij de hoofdweg zette hij het bijna op een lopen. Het kon hem niet schelen of de hond getraind was om aan te vallen. Het kon hem niet schelen dat het een genante vertoning zou zijn als Ronnie hem door het dorp achternazat (Ronnie zou hem vrijwel zeker niet te pakken krijgen: er stroomde zoveel adrenaline door zijn lichaam dat zelfs een zebra hem niet had ingehaald). Er was domweg geen andere mogelijkheid.

Alleen was die er wel.

Er was een andere mogelijkheid, en die lag zo voor de hand dat hij het zich niet kon voorstellen dat hij die over het hoofd had gezien. Hij zou de valium nemen. Zodra hij terug was, nam hij alle valium.

Maar stel dat iemand het flesje had weggegooid. Stel dat iemand de pillen door de wc had gespoeld. Of ze had opgeborgen om te voorkomen dat een kind ze per ongeluk doorslikte.

Hij begon te rennen.

'George,' riep Ronnie. 'Je enkel.'

Hij had geen flauw idee waar de man het over had.

118

In de keuken zei Ray tegen Jean: 'We hebben een probleempje.'

'Hoezo dan?' vroeg Jean.

'George.'

'O lieve hemel.' Ze moest heel gauw gaan zitten. Wat had George zichzelf nu weer aangedaan?

'Hij is helaas zoek,' zei Ray.

Ze ging flauwvallen. Voor de ogen van de mensen van de catering. Voor de ogen van Ray. Ze haalde diep adem en het hoofd van George flitste langs het raam als een soort bovennatuurlijke verschijning. Ze dacht dat ze misschien wel gek werd.

De keukendeur vloog met een klap open en George denderde naar binnen. Ze gilde, maar hij sloeg totaal geen acht op haar, holde alleen maar de gang in en de trap op.

Jean en Ray keken elkaar een paar tellen lang aan.

Ze hoorde Ed zeggen: 'Dat was, geloof ik, Katies vader.'

Ray zei: 'Ik ga wel even naar hem toe.'

Ze bleef een paar minuten zitten om tot bezinning te komen. Toen vloog de deur weer open en waren het Eileen en Ronnie met hun verdomde labrador. Net had ze nog even gedacht dat George misschien wel dood was en vervolgens was ze zich kapot geschrokken toen hij ineens was komen binnenstuiven, dus was het wel te begrijpen dat ze nu snauwde: 'Weg met dat rotbeest', maar tactvol was het niet.

119

Katie maakte zich op en liet Jacob aan Sarah over.

'Ik vrees dat je toch echt mee moet.'

'Ik wil hier blijven,' zei Jacob.

'Dan ben je wel alleen,' zei Sarah.

'Ik wil hier blijven.'

Het was nog geen woedeuitbarsting, alleen maar aandachttrekkerij. Maar het moest in de kiem worden gesmoord. En dat lukte Sarah waarschijnlijk eerder dan haar. Vreemde ogen die dwongen.

'Ik wil naar huis,' zei Jacob.

'Straks is het feest,' zei Sarah. 'En dan is er taart. Je moet het even een paar uur volhouden.'

Een paar uur? Sarah had weinig verstand van kinderen en tijdsduur. Jacob kon amper onderscheid maken tussen vorige week en het uitsterven van de dinosaurussen.

'Ik wil een koekje.'

'Jacob...' Sarah pakte zijn hand en streelde die. Als Katie dat had gedaan, had hij misschien wel gebeten. 'Ik weet dat je je speelgoed en je films en je vriendjes hier niet hebt. En ik weet dat iedereen het druk heeft en nu niet met je kan spelen...'

'Ik haat je,' zei Jacob.

'Niet waar.'

'Welles.'

'Niet waar.'

'Welles.'

'Niet waar,' zei Sarah, wier repertoire leek te zijn uitgeput.

Gelukkig werd Jacobs aandacht afgeleid door Ray die binnenkwam en zich op het bed liet vallen. 'Tjongejonge.'

'Wat is er?' vroeg Katie.

'Ik weet niet of jij dat wel wil weten.'

'Vooruit,' zei Katie, 'ik kan wel wat amusement gebruiken.'

'Ik weet niet of dit onder amusement valt,' zei Ray, die zorgwekkend bedrukt klonk.

'Misschien moet je het me straks maar vertellen,' zei Katie. 'Als bepaalde mensen er niet bij zijn.'

Sarah stond op. 'Zo, jongeman. Wij gaan verstoppertje spelen. Als je me binnen tien minuten vindt, krijg je twintig cent.'

Jacob was meteen de kamer uit. Sarah kon duidelijk beter met kinderen omgaan dan Katie net had gedacht.

'Nou?' vroeg Katie.

'Vroeg of laat kom je er toch wel achter,' zei Ray, terwijl hij overeind kwam.

'Waarachter?'

'Je vader is ervandoor gegaan.'

'Ervandoor gegaan?' Katie stopte met het aanbrengen van haar make-up.

'Hij was de draad even kwijt. Je weet wel, net als de vorige keer dat we hier waren. Beetje zenuwachtig voor de bruiloft, denk ik. Jamie heeft de dokter gebeld...'

'De dokter gebeld...?' De gedachten joegen door haar hoofd.

'Maar toen die kwam, was je vader al verdwenen. Dus is Jamie hem gaan zoeken.'

'En waar is pa nu dan?' Katie voelde zich zelf ook niet zo stabiel.

'O, hij is terug. Hij ging gewoon een eindje wandelen en kwam toen Eileen en Ronnie tegen, zegt hij. Wat waar kan zijn. Maar ik stond in de keuken toen hij terugkwam en hij leek wel een Formule 1-wagen.'

'En hoe is het met hem?'

'Zo te zien prima. Hij had valium van de huisarts gekregen.'

'Hij gaat toch geen overdosis nemen of zo...?'

'Dat denk ik niet,' zei Ray. 'Hij heeft er een paar ingenomen. Hij leek tevreden met het flesje in zijn hand.'

'Mijn god,' zei Katie, en ze haalde een paar keer diep adem om een beetje te kalmeren. 'Waarom wist ik dit niet?'

'Jamie wou je niet ongerust maken.'

'Ik moet met hem gaan praten.'

'Blijf maar hier.' Ray stond op en liep naar haar toe en kwam op zijn hurken voor haar zitten. 'Je kunt waarschijnlijk beter doen of je van niets weet.'

Katie pakte Rays hand. Ze wist niet of ze moest lachen of huilen. 'Jezus. Dit is onze trouwdag.'

Toen zei Ray iets wijs. Wat haar verraste. 'Ach, wij zijn alleen maar het stelletje op de taart. Bij een bruiloft gaat het om familie. Wij tweeën, wij hebben de rest van ons leven nog samen.'

En toen huilde Katie toch een beetje.

En Ray zei: 'Shit. Jamie. Die is je vader nog aan het zoeken. Wat is zijn mobiele nummer?'

120

Bij het bereiken van de slaapkamer ervoer George zo'n golf van opluchting dat hij zijn darmen een beetje losser voelde worden.

Maar ineens vergat hij waar hij de valium had verstopt en de paniek kwam weer op als vloedwater, en hij moest worstelen om adem te blijven halen.

Hij wist dat hij wist waar het flesje stond. Of liever gezegd, hij wist dat hij tien minuten geleden nog wist waar het stond, want waarom zou hij zoiets vergeten? En hij wist dat het op een heel vanzelfsprekende plek stond. Het was gewoon een kwestie van het juiste hokje in zijn hoofd vinden waar hij die informatie had opgeslagen. Maar in zijn hoofd hing alles ondersteboven en werden alle hokjes krachtig leeggeschud en was het een chaos.

Hij ging met zijn gezicht naar het raam staan, een beetje ineengedoken om beter te kunnen ademen.

Onder het bed...? Nee. In de ladekast...? Nee. Achter de spiegel...?

Het stond in de badkamer. Hij had het flesje helemaal niet verstopt. Waarom zou hij het verstoppen? Dat hoefde niet.

Hij rende de badkamer in, en opnieuw werden zijn darmen weer wat losser. Hij deed het medicijnkastje open. Het stond op de bovenste plank, achter de pleisters en de tandenstokers.

Hij draaide aan de dop, en bleef draaien en voelde de paniek terugkomen tot hij besefte dat het een kindveilige dop was en je erop moest drukken. Hij drukte en draaide en liet het flesje bijna vallen toen hij Ray in de spiegel achter hem zag staan, op nog geen meter afstand, in de badkamer zelf. Ray zei: 'George? Gaat het wel? Ik heb aangeklopt, maar je hoorde me niet.'

Het scheelde weinig of George had de hele inhoud van het flesje naar binnen gegoten en doorgeslikt, uit angst dat Ray hem zou willen tegenhouden.

'George?'

'Ja?'

'Gaat het wel?'

'Prima. Niks aan de hand,' zei George.

'Je leek anders een beetje over je toeren toen je de keuken in rende.'

'O ja?' George wilde heel graag de pillen innemen.

'En Jamie maakt zich zorgen over je.'

George schudde rustig twee pillen in zijn handpalm uit en gooide ze achteloos naar binnen. Alsof hij pinda's stond te eten op een feestje.

'Hij zei dat je je niet zo lekker voelde.'

'Het is valium,' zei George. 'Heb ik van de dokter gekregen. Daarmee voel ik me wat rustiger.'

'Mooi zo,' zei Ray. 'Dus je bent niet van plan om weer een wandelingetje te gaan maken? Vandaag, bedoel ik. Voor de bruiloft.'

'Nee hoor,' zei George met een geforceerd lachje. Was dit gesprek grappig bedoeld? Hij wist het niet precies. 'Het spijt me als ik problemen heb veroorzaakt.'

'Maakt niet uit,' zei Ray.

'Ik kom zeker op de bruiloft,' zei George. Hij moest heel nodig naar het toilet.

'Mooi,' zei Ray. 'Dat is mooi. Nou, dan ga ik me maar eens in het pak steken.'

'Dank je wel,' zei George.

Ray ging weg en George deed de deur op slot en liet zijn broek zakken en ging op de wc zitten en liet zijn darmen leeglopen en slikte de resterende zes pillen door met een slok niet helemaal koosjer water uit de tandenborstelbeker zonder aan het drabje op de bodem te denken.

Jean verontschuldigde zich bij Eileen voor haar uitbarsting en Eileen zei 'Ik vergeef je' op zo'n toon dat Jean meteen weer iets beledigends wou zeggen.

Ronnie zei: 'Ik hoop maar dat alles goed is met George.'

En Jean besefte dat het haar schuld was: hij zat op het bed en zag er vreselijk uit en wilde praten en toen had Katie haar hoofd om de deur gestoken en was ze zo opgegaan in alles wat er geregeld moest worden dat ze niet meer was teruggegaan om te vragen waar hij last van had.

'Ik ga even naar boven,' zei ze, en ze glimlachte beleefd naar Ed en Alan en Barbara toen ze langs de huiskamer kwam.

Ze hadden nog geen thee, hè.

Nou ja, ze had nu belangrijkere dingen aan haar hoofd.

Toen ze de slaapkamer in liep, zat George op het bed zijn sokken op te halen. Ze ging naast hem zitten. 'Het spijt me, George.'

'Wat spijt je?'

'Dat ik vanmorgen ineens weg was.'

'Je had dingen te doen,' zei George.

'Hoe voel je je nu?'

'Een stuk beter.'

Er leek inderdaad niets mis met hem. Misschien had Ray overdreven. 'Je arm.'

'O ja.' George hief zijn arm op. Op zijn pols zat een fikse jaap. 'Ik ben zeker aan het prikkeldraad van dat hek blijven hangen.'

Op het eerste gezicht leek het een beet. Die hond had hem toch niet aangevallen? 'Laat mij dat maar even verzorgen, voordat je bloed op je kleren krijgt.'

Ze ging naar de badkamer om het groene verbandtrommeltje te halen en lapte hem op terwijl hij geduldig op het bed zat. Kon ze dit soort dingen maar wat vaker doen. Praktische hulp verlenen.

Ze plakte het verbandje vast met een tweede reepje leukoplast. 'Zo.'

'Dank je wel.' George legde zijn hand in de hare.

Ze hield de hand vast. 'Sorry dat je zo weinig aan me hebt gehad.'

'Is dat dan zo?'

'Ik weet dat je je al een tijd niet goed voelt,' zei Jean. 'En ik weet... dat ik daar soms te weinig oog voor heb. En dat is niet goed. Ik... ik vind het gewoon moeilijk.'

'Je hoeft over mij niet meer in te zitten,' zei George.

'Hoe bedoel je?'

'Ik bedoel dat je vandaag niet meer over me hoeft in te zitten,' zei George. 'Ik voel me nu veel prettiger.'

'Gelukkig,' zei Jean.

En het was waar: hij leek inderdaad heel ontspannen, veel ontspannener dan de laatste tijd. 'Maar als je toch weer gaat piekeren, zeg je het dan wel tegen me?'

'Maak je geen zorgen.'

'Ik meen het,' zei Jean. 'Je hoeft maar een seintje te geven en ik sta voor je klaar. Echt waar.'

'Dank je wel.'

Ze zaten even zwijgend naast elkaar. Toen ging er een telefoon.

'Dat is toch niet onze telefoon?' vroeg George.

Dat klopte. 'Wacht even.' Jean stond op en liep naar de gang. Het geluid was afkomstig van een mobiele telefoon die op de vensterbank lag.

Ze raapte hem op en drukte op het groene knopje en hield hem tegen haar oor. 'Hallo?'

'Jamie?' zei een mannenstem. 'Sorry, ik geloof dat ik verkeerd heb gedraaid.'

'Ray?' zei Jean.

'Jean?' zei Ray.

'Ja,' zei Jean. 'Ben jij dat, Ray?'

'Waar ben je ?'

'Op de overloop,' zei Jean, die het niet helemaal snapte.

'Ik probeer Jamie te bellen.'

'Die is er niet,' zei Jean, die nooit zo goed raad wist met mobiele telefoons.

'Neem me niet kwalijk,' zei Ray, en hij hing op.

Ze keek op haar horloge. Over twintig minuten moesten ze weg. Tijd om George in gereedheid te brengen en dan de troepen te verzamelen.

Ze legde de telefoon terug en deed de klerenkast in de gang open om haar sjaaltje te pakken en kreeg haast een hartverzakking toen ze Sarah tussen de jassen zag zitten.

'Verstoppertje,' zei Sarah.

122

Katie zei tegen haar moeder dat Jamie pa nog steeds zocht. Haar moeder deed paniekerig. Katie verzekerde haar dat Jamie wist waar het stadhuis was. Hij was er misschien al op weg naartoe. Haar moeder deed niet meer paniekerig.

Ze stonden allemaal voor het huis. Het rook er naar aftershave en parfum en de sigarettenrook van oom Doug en de mottenballengeur van zondagse jassen. Was het droevig of grappig dat Jamie de huwelijksplechtigheid ging missen? Ze wist het eigenlijk niet.

Sarah en Jacob zaten naast elkaar op het muurtje. Hij had haar niet weten te vinden, maar ze had hem evengoed twintig cent gegeven. Als hij ook maar iets ouder was geweest, had Katie het verliefdheid genoemd.

'Kruimels van een hondenkont,' zei Sarah.

'Poep van een paard,' zei Jacob, gierend van de lach.

'Kruimels van een hondenkont en een grote kan ouwevrouwenplas.'

Katie liep naar haar vader toe. 'Hoe gaat het?' Ze probeerde de vraag neutraal te laten klinken, zodat hij niet zou merken hoeveel ze wist.

Hij pakte haar handen en keek haar aan en leek bijna te gaan huilen. Hij zei: 'Mijn prachtige, prachtige dochter', wat bij haar ook tranen opriep en ze omhelsden elkaar even, iets wat ze lang niet hadden gedaan.

Toen keek haar moeder op haar horloge en bepaalde dat het wachten op haar zoon officieel voorbij was, en de spanning week en iedereen begaf zich naar zijn auto.

123

Jamie had inmiddels op de weg terug naar huis moeten zijn. Maar wat had dat voor zin? Zonder zijn vader ging de bruiloft toch niet door. Er was niets om te laat bij te komen.

Hij stond op een modderpaadje in Washingley, nadat hij als een kip zonder kop alle wandelpaden vlak onder Folksworth had afgerend. Zijn broek zat onder de modder, hij had de mouw van zijn jasje aan prikkeldraad opengehaald en hij voelde zich waardeloos.

Hij was degene die door zijn vader in vertrouwen was genomen. Hij was degene die zijn vader niet had belet om te doen wat hij nota bene had aangekondigd. Hij was degene die de bruiloft van zijn zuster had verknald.

Hij besefte nu wat een stom idee het was geweest om zijn vader zo te gaan zoeken. Die kon alle kanten op gegaan zijn.

Hij moest iedereen gaan uitleggen wat er was gebeurd. Hij moest de politie op de hoogte stellen. Hij moest zijn excuses aanbieden. Hij liep terug naar de auto, legde een plastic zak op de bestuurdersplaats en reed naar huis.

Zodra hij daar aankwam, wist hij dat er iets mis was: er stonden geen auto's. Hij parkeerde en liep naar de voordeur. Die zat op slot. Hij belde aan. Niemand kwam opendoen. Hij keek door de ramen. Het huis was leeg.

Misschien had Ray verteld wat er was gebeurd. Misschien waren ze massaal op zoek naar zijn vader. Misschien hadden ze hem gevonden. Misschien waren ze allemaal in het ziekenhuis.

Hij probeerde daar niet aan te denken.

Hij was zijn mobieltje kwijt. Hij moest binnen zien te komen. Al was het maar voor een telefoon en een droge broek. Hij probeerde het hek aan de zijkant. De hond van Eileen en Ronnie wierp zich tegen de andere kant, blaffend en krabbend aan het hout. Hij draaide aan de klink. Op slot.

Nou ja, zijn broek was toch al rijp voor de vuilnisbak...

Hij pakte de stijl van het hek vast en zette zijn voet in een van de gleuven in de stenen muur en trok zich op. Het was lang geleden dat hij zoiets had gedaan en hij had er drie pogingen voor nodig, maar toen zat hij dan toch schrijlings op het hek, wat niet zo'n comfortabele houding was.

Hij keek aan de andere kant omlaag en vroeg zich af hoe hij beneden kwam en wat hij met de dolle hond aan moest toen er iemand zei: 'Moet ik soms helpen?'

Hij draaide zijn hoofd om en zag beneden een oudere man staan die hij vaag herkende. De man droeg een Noorse trui en had een tuinschaar in zijn hand.

'Nee hoor, het gaat wel,' zei Jamie, hoewel de hond volledig door het lint ging omdat hij op het hek zat.

'Ben jij Jamie?' vroeg de man met de tuinschaar.

'Jawel,' zei Jamie. Hij begon pijn in zijn kruis te krijgen.

'Neem me niet kwalijk,' zei de man. 'Ik herkende je niet. Ik heb je ook zo lang niet gezien. Sinds je een tiener was. Ik ben Derek West, ik woon aan de overkant.'

'Juist,' zei Jamie. Hij moest het proberen, ondanks het risico dat hij zijn enkel brak, dat hij de hond van zijn tante verpletterde of levend werd opgegeten. Hij verplaatste zijn lichaamszwaartepunt een beetje.

'Moet je niet naar de bruiloft?' vroeg de man.

'Jawel,' zei Jamie. Hij had duidelijk met een sukkel te maken.

'Ze zijn een minuut of vijf geleden vertrokken.'

'Hè?'

'Ze zijn een minuut of vijf geleden vertrokken.'

Jamie had een paar seconden nodig om deze informatie te verwerken. 'En ze gingen naar het stadhuis?'

'Waar zouden ze anders heen gaan?'

De waarheid begon tot hem door te dringen. 'Met mijn vader?'

'Dat neem ik aan.'

'Hebt u hem zelf gezien?'

'Ik heb ze niet afgevinkt, natuurlijk. Nee. Wacht. Ik heb hem wel gezien. Want ik weet nog dat hij een beetje strompelde. En je moeder liet hem aan de passagierskant instappen zodat zij kon rijden. Wat me opviel, omdat je vader bijna altijd rijdt als ze samen weggaan. Zodat ik me afvroeg of er iets met je vader was. Is er iets met hem?'

'Kut,' zei Jamie.

Waarna meneer West zijn mond hield.

Hij verplaatste zijn lichaamszwaartepunt weer terug en sprong van de muur af, wat hem een nieuwe scheur in zijn jasje opleverde. Hij rende naar de auto, liet zijn sleuteltjes vallen, raapte zijn sleuteltjes op, stapte in en reed met hoge snelheid weg.

124

Jean voelde zich afschuwelijk.

Jamie was de laatste druppel. Alles ging mis. George. Eileen en Ronnie. Alan en Barbara. Het was Katies trouwdag. Het moest een bijzondere dag worden. Het moest gladjes verlopen. Het moest romantisch zijn.

Toen gebeurde er iets in de auto.

Er waren werkzaamheden aan de vierbaansweg en ze kwamen tot stilstand omdat al het verkeer over één baan werd geleid. George zei: 'Ik vrees dat ik niet zo'n goede echtgenoot ben geweest.'

'Doe niet zo raar,' zei Jean.

George keek recht vooruit, door de ruit heen. Er zaten regendruppeltjes op het glas. 'Ik ben een vrij koude man. Een vrij stijve man. Dat ben ik ook altijd geweest. Dat zie ik nu wel in.'

Ze had hem nog nooit zo horen praten. Hij werd toch niet weer gek? Ze wist absoluut niet wat ze ervan moest denken.

Ze zette de ruitenwissers aan.

'En ik besef dat veel van mijn problemen van de laatste tijd juist voortkomen uit dat koude, dat stijve.' George veegde een pluisje van de klep van het handschoenenkastje.

Het verkeer kwam weer in beweging. Jean schakelde en trok op.

George legde zijn hand op die van haar. Dat maakte het schakelen wat lastig. 'Ik hou van je,' zei George.

Die woorden hadden ze al heel lang niet tegen elkaar gezegd. Ze had een brok in haar keel.

Ze keek even opzij en zag dat George met een glimlach op zijn gezicht naar haar zat te kijken.

'Ik heb het je de laatste tijd heel moeilijk gemaakt.'

'Je hoeft je niet te verontschuldigen,' zei Jean.

'Maar ik ga veranderen,' zei George. 'Ik wil niet meer bang zijn. Ik wil me niet meer eenzaam voelen.'

Hij legde zijn hand op haar dij, leunde achterover en deed zijn ogen dicht.

En ze wist dat haar avontuur ten einde was. Dat ze misschien nooit meer naar bed zou gaan met David. Maar het gaf niet.

Haar leven met George was geen opwindend leven. Maar zou een leven met David uiteindelijk niet dezelfde kant op gaan?

Misschien was het geheim wel dat je niet naar groener gras moest blijven zoeken. Misschien was het geheim wel dat je het beste moest maken van wat je had. Als ze wat meer met George praatte. Als ze nog een paar keer op vakantie gingen...

Het regende niet meer. Ze zette de wissers uit en rechts van de weg kwam het stadhuis in zicht.

Ze zette de richtingaanwijzer aan en reed de parkeerplaats op.

George vermaakte zich uitstekend.

Ze parkeerden de auto en hij liep met Jean naar de stenen poort aan de achterkant van het stadhuis waar iedereen bij elkaar kwam voor de foto's.

'Kom, pa.' Katie pakte zijn arm en liep met hem over het paadje.

Hij was Katies vader. Het voelde goed om Katies vader te zijn.

Hij gaf zijn dochter ten huwelijk. En ook dat voelde goed. Want hij gaf haar ten huwelijk aan een goede man. Ten huwelijk geven. Raar eigenlijk, dat geven. Een beetje uit de tijd. Delen. Dat zou een beter woord zijn. Al klonk dat ook wat typisch.

Maar waar was Jamie?

Hij vroeg het aan Katie.

'Die zoekt jou,' zei Katie met een glimlach die moeilijk te duiden was.

Waarom zocht Jamie hem? Hij wilde het net gaan vragen toen de fotograaf Katie naar voren haalde en ze met Ray ging praten. George moest het straks vragen, zei hij bij zichzelf.

De fotograaf leek erg op Rays getuige. Hoe heette die ook alweer? Misschien was het Rays getuige wel. Misschien hadden ze geen beroepsfotograaf.

'Kom op, luitjes,' zei de fotograaf. 'Probeer eens wat vrolijker te kijken.'

Hij had een heel klein fototoestel. Het was waarschijnlijk geen beroepsfotograaf.

Ed. Zo heette hij.

George glimlachte.

Ed nam vier foto's en verzocht Katie en Ray toen om voor de poort te gaan staan.

De man die naast George stond stelde zich voor. George gaf hem een hand. De man verontschuldigde zich ervoor dat hij zich nu pas voorstelde. George zei dat het helemaal niet erg was. De man stelde zijn vrouw voor. George gaf haar ook een hand. Het leken hele aardige mensen.

Er kwam een vrouw het stadhuis uit. George dacht eerst dat het een stewardess was.

'Als u zo vriendelijk wilt zijn om mee te komen...'

George liet de dames voorgaan, en liep toen naar binnen met de mannen.

Mogelijk waren het de ouders van Ray, dat aardige stel. Dat zou verklaren waarom ze allemaal samen op de foto gingen. Als ze binnen eenmaal zaten, zou hij het aan Jean vragen.

126

Op Thorpe Road, halverwege de rit naar het stadhuis, keek Katie uit het autoraampje en zag een zwerver tegen een bushokje pissen, wat je daar niet vaak zag, en het leek een teken van God die kennelijk a) gevoel voor humor had, en b) er net zo over dacht als Ray. Als je verwachtte dat de dag soepel en waardig zou verlopen, was er wel iemand die de boel verpestte. Je kon er beter samen over twintig jaar om lachen dan dat alles op rolletjes liep en je over een jaar uit elkaar ging.

Arme Jamie. Hij zou in elk geval wel een mooi verhaal hebben.

Misschien konden ze bij hem langs gaan als ze terug waren uit Barcelona. En elkaar dan nog een keer trouw beloven. Beetje confetti erbij. Jacob zou het prachtig vinden.

Er verschenen spatjes motregen op de ruit. Het maakte niet uit. Sneeuw, hagel, plensregen. Ze had het nu begrepen: je trouwde ondanks je bruiloft. Ze keek naar Ray en hij bleef naar de weg kijken terwijl er een grote glimlach op zijn gezicht doorbrak.

En een paar minuten lang leken ze in een belletje te leven dat helemaal los zweefde van de natte wereld om hen heen. Toen doemde het stadhuis op en reden ze het hek door en de verzamelde gasten leken net exotische vissen tegen de achtergrond van het vuilwitte metselwerk.

Op het parkeerterrein stapten ze uit en het motregende niet meer en pa en ma stapten uit de auto naast hen. En pa stond zo geboeid omhoog te kijken dat Katie een luchtballon of een zwerm vogels verwachtte, maar toen ze zelf keek was er helemaal niets te zien.

Ma legde haar hand rond zijn elleboog en leidde hem zo naar de stenen poort aan de achterkant van het gebouw.

Sarah zong: '*Jingle bells, Batman smells, Robin laid an egg,*' terwijl ze Jacob boven een plas liet zwaaien. '*The batmobile lost a wheel and the Joker broke his leg.*'

Ray pakte Katies arm en ze liepen achter pa en ma aan en oom Douglas die voor de wind stond te roken zag hen en riep en er steeg een luid gejuich op.

Ze liepen onder de poort door en Sandra kwam aangerend en vloog haar om de hals, en toen deed Mona hetzelfde en oom Doug hield zijn brandende sigaret opzij en zei: 'Weet je het wel zeker, meid?' en ze wou een gevatte maar vernietigende opmerking maken (oom Doug was een beetje een billenknijper), maar ze zag dat hij het meende, dus bedacht ze zich.

Mona had Ray al in beslag genomen voor een snel kruisverhoor, want ze had hem nog nooit ontmoet, en de mensen gingen opzij en ze zag Jenny in een rolstoel zitten, waar ze van schrok, en Katie boog zich voorover en omhelsde haar en Jenny zei: 'Het gaat weer wat minder. Sorry,' en ineens begreep Katie waarom ze twee uitnodigingen had gevraagd en Jenny zei: 'Dit is Craig,' en Katie gaf de jongeman achter de rolstoel een hand en hoopte dat dit echt een relatie was, want dat zou fantastisch zijn, maar dit was niet het moment om vragen te stellen.

Toen zette Ed hen neer voor de foto en Katie stond naast Ray voor de ingang tegenover al die mensen en het was net of ze bij een straalkacheltje stonden, zoveel warmte kwam er naar hen toe, al keken Eileen en Ronnie een beetje zuur, maar dat zou wel komen omdat het geen kerk was en omdat andere mensen plezier hadden.

Toen verscheen de ambtenaar van de burgerlijke stand in een wat truttig marineblauw mantelpakje en zo'n zijig sjaaltje dat al sinds het eind van de Tweede Wereldoorlog uit de mode was en mochten ze het gebouw in en binnen deed het haar denken aan de praktijk van haar dokter in Londen: een en al beige schilderwerk en informatieve foldertjes en dik tapijt. Maar er stond een grote vaas bloemen en de ambtenaar was heel opgewekt en zei: 'Als de bruid en bruidegom met mij mee willen komen, en de gasten mijn collega willen volgen...'

De ambtenaar nam snel even de volgorde van de ceremonie met ze door. Toen hoorden ze het concerto voor twee violen van Bach beginnen en het leek wel filmmuziek. Koetsen, deftig huis, japonnen. En Katie dacht: niks naadloze overgang, ze hadden gewoon alleen maar James Brown moeten doen. Maar het was nu te laat.

En ze liepen de hoek om en naar de grote zaal aan het eind van de gang en wachtten daar terwijl de ambtenaar naar binnen ging en zei: 'Mag ik iedereen verzoeken te gaan staan voor het bruidspaar', en ze betraden de zaal waar het ging gebeuren en die was heel fraai en heel roze met fluwelen gordijnen. En ma lachte naar haar. En Katie lachte terug. En pa leek verdiept in een of ander oud kaartje dat hij waarschijnlijk in zijn zak had gevonden.

En toen ze bij de tafel kwamen zag Katie daar een zijden kussen liggen met een zoom van namaakedelstenen aan kleine kwastjes. Voor de ringen, nam ze aan.

'U mag gaan zitten,' zei de ambtenaar.

Iedereen ging zitten.

'Goedemiddag, dames en heren,' zei de ambtenaar. 'Mag ik u om te beginnen allemaal hartelijk welkom heten in het stadhuis van Peterborough, voor de huwelijksvoltrekking van Katie en Ray. Vandaag begint er een nieuw hoofdstuk in hun leven...'

Ze deed haar ogen dicht toen Sarah voorlas en neuriede in gedachten zodat ze niet echt hoefde te luisteren ('Je vriend is je nood gelenigd. Hij is je akker waarop je met liefde zaait en met dankbaarheid oogst...'). Ze vroeg zich af of ze voor de tweede ceremonie bij Jamie in de keuken een bruidstaartje konden bakken. Dadels en walnoten van binnen. Een Batmannetje van suiker bovenop voor Jacob.

'Want in de dauw van kleine dingen vindt het hart zijn morgen en wordt verkwikt.'

Sarah ging zitten en de ambtenaar stond op en zei: 'Het is mijn plicht u mee te delen dat dit vertrek waarin wij ons bevinden een wettige plaats is voor het voltrekken van huwelijken. U bent hier bijeen om getuige te zijn van het in de echt verbinden van Ray Peter Jonathon Phillips en Katie Margaret Hall. Als er iemand is die een wettig beletsel kent voor het in de echt verbinden van deze twee mensen, dient hij of zij daar nu gewag van te maken.'

En er gebeurde iets in Katies hart, en ze besefte dat er niet alleen maar twee mensen met elkaar werden verbonden, of zelfs twee families. Het voelde alsof ze de hand vasthield van iedereen die dit eerder had gedaan, net zoals toen ze Jacob ter wereld had gebracht, het gevoel dat ze eindelijk op haar plaats was, dat ze deel uitmaakte van de hele onderneming, een steen in die grote poort die in het donker achter je verrees en over je hoofd heen de toekomst in boog, en zij hielp mee om ervoor te zorgen dat die sterk en stevig bleef, en dat iedereen eronder werd beschermd.

De ambtenaar verzocht Ray en haar te gaan staan en elkaars hand vast te pakken, en er stonden tranen in haar ogen en de ambtenaar zei: 'Alvorens u hier vandaag in de echt te verbinden moet ik u herinneren aan de plechtige en bindende aard van de beloften die u gaat uitspreken...' maar Katie luisterde al niet meer. Ze was daarboven, en keek omlaag en de hele zaal vol mensen was zo klein dat hij in haar hand paste.

127

Net toen Katie en Ray hun beloften gingen uitspreken, hoorde Jean een licht ge-
piep. Ze draaide zich om en zag Jamie zachtjes binnenkomen en achter die aardige jongedame in de rolstoel gaan staan.

Nu was alles precies zoals het moest.

'Waarom ik, Katie Margaret Hall,' zei Katie.

'Niet in de echt verbonden kan worden,' zei de ambtenaar.

'Niet in de echt verbonden kan worden,' zei Katie.

'Met Ray Peter Jonathon Phillips,' zei de ambtenaar.

Jean draaide zich nog eens om. Wat had Jamie in hemelsnaam uitgespookt?
Hij zag eruit alsof hij achterstevoren door een heg heen was gesleurd.

'Met Ray Peter Jonathon Phillips,' zei Katie.

De moed zonk Jean een beetje in de schoenen.

'En dan is nu het plechtige ogenblik aangebroken,' zei de ambtenaar, 'dat Ray
en Katie in aanwezigheid van u, hun getuigen, familie en vrienden, elkaar het ja-
woord gaan geven.'

Toen herinnerde Jean zich dat de moed haar niet in de schoenen mocht zin-
ken. Nu niet. Jamie had iets goeds willen doen. En dit waren goede mensen. Die
zouden het wel begrijpen.

'Dus mag ik iedereen verzoeken te gaan staan,' zei de ambtenaar, 'voor de vol-
trekking van het huwelijk.'

Iedereen ging staan.

Ze zouden naar huis gaan en Jamie kon zich verkleden en dan was alles weer
precies zoals het moest.

'Ray,' zei de ambtenaar, 'neem jij Katie tot je wettige echtgenote, om je leven
met haar te delen, haar lief te hebben, te steunen en te troosten in voor- en te-
genspoed?'

'Ja,' zei Ray.

'Katie,' zei de ambtenaar, 'neem jij Ray tot je wettige echtgenoot, om je leven
met hem te delen, hem lief te hebben, te steunen en te troosten in voor- en te-
genspoed?'

'Ja,' zei Katie.

Een paar rijen achter zich hoorde Jean Douglas zeggen: 'Zet 'm op, meid.'

George keek de zaal rond en had het gevoel dat al deze mensen hem na aan het hart lagen, wat een vreemde gewaarwording was.

Hij was niet gewend om dat gevoel op familiebijeenkomsten te krijgen.

Hij kneep in Jeans hand. Hij was verliefd op zijn vrouw. Dat gaf hem een warm gevoel van binnen.

Van nu af aan werd alles anders.

Wat was er eigenlijk zo beangstigend aan de dood? Vroeg of laat overkwam het iedereen. Dat hoorde bij het leven. Het was slapen zonder het wakker worden.

En daar was Jamie, die te laat kwam, wat normaal was bij kinderen.

Jamie was homoseksueel. En wat was daar mis mee? Helemaal niets. Als je de hygiëne maar in acht nam.

En daar naast hem stond zijn man. Vriend. Levensgezel. Wat het woord ook was. Hij zou het straks aan Jamie vragen.

Nee. Dat was natuurlijk de man die dat invalide meisje in die rolstoel duwde. Beetje dik. Warrig haar. Baard. Duidelijk geen homoseksueel, bij nader inzien.

Zelfs Douglas en Maureen vielen wel mee. Een beetje ordinair. Een beetje schreeuwerig. Maar niemand was volmaakt.

En kijk, ze hadden tl-verlichting in de zaal, dus als je je vingers spreidde en je bewoog je hand met de juiste snelheid heen en weer leek het net of je zes vingers had. Was dat niet curieus? Net als dat je een fietswiel zo kon laten ronddraaien dat het stil leek te staan.

Jamie vroeg aan de vrouw achter de balie waar de bruiloft was en hij zag haar letterlijk kijken of ze ergens een wapen had liggen. Hij keek omlaag en zag bloed aan zijn handen en probeerde uit te leggen dat zijn vader was weggelopen, maar daar werd de vrouw niet rustiger van. Dus zette hij de stem op die hij voor lastige klanten gebruikte en zei: 'Mijn zuster, Katie Hall, trouwt op dit moment in dit gebouw met Ray Phillips en als ik daar niet bij ben zult u van mijn advocaat horen.'

Mijn advocaat? En wie mocht dat dan wel wezen?

Of ze geloofde hem of ze dorst hem niet alleen aan te pakken, want toen hij weg beende op zoek naar de bruiloft, bleef ze zitten.

Hij bleef voor de deur aan het eind van de gang staan en duwde hem op een kiertje en zag een vrouw die wel iets van tante Maureen weg had en een decolleté dat zeer beslist aan de vrouw van oom Brian toebehoorde. Dus ging hij stilletjes naar binnen en de ambtenaar zei: '... plechtig en in het openbaar jullie liefde voor elkaar. Ik ga jullie nu verzoeken...'

Zijn vader stond naast zijn moeder vriendelijk te glimlachen, en Jamie voelde een rare combinatie van opwinding en anticlimax, omdat hij de hele rit hierheen had gedacht dat hij in het middelpunt van de belangstelling zou staan en dat bleek nu helemaal niet te kloppen, dus in plaats van op en neer te springen en zijn belachelijke avontuur te vertellen moest hij zijn mond houden en stilstaan.

Wat waarschijnlijk verklaarde dat hij zonder na te denken naar Katie grijnsde en zwaaide toen ze naar hem keek, waardoor ze de ring aan de verkeerde vinger schoof, al bleek dat gelukkig vooral grappig te zijn. En toen Jacob naar haar toe rende om haar te omhelzen, kon hij niet nalaten om dat ook te doen, en dat leek de ambtenaar niet erg op prijs te stellen, maar een heleboel mensen volgden hun voorbeeld, dus had ze pech gehad.

Het parkeerterrein stroomde vol en een vriendin van Katie vroeg hoe hij zo verfomfaaid kwam en hij zei: 'Ik kreeg autopech en toen moest ik een stuk afsnijden.' Ze lachten allebei en Jamie dacht dat hij ook had kunnen zeggen dat hij door een luipaard was aangevallen zonder dat er iemand raar opkeek, omdat de stemming zo feestelijk was, al drong zijn moeder er wel op aan dat hij zich zo snel mogelijk ging opknappen.

'Hoe gaat het met pa?' vroeg hij.

'Voortreffelijk,' zei ze, wat Jamie licht verontrustte, want hij kon zich niet zo'n positieve opmerking van haar over zijn vader herinneren zelfs toen die nog helemaal normaal was.

Dus klampte hij zijn vader aan en vroeg hoe die zich voelde, en zijn vader zei: 'Wat zit je haar raar', wat feitelijk juist was, maar niet het antwoord dat Jamie had verwacht.

Jamie vroeg of hij had gedronken.

'Ik heb wat valium genomen,' zei zijn vader. 'Van de huisarts. Kan geen kwaad.'

'Hoeveel?'

'Hoeveel wat?'

'Hoeveel valium?'

'Acht, tien stuks,' zei zijn vader. 'Genoeg. Laten we het zo zeggen.'

'Mijn god,' zei Jamie.

'Ik zou heel graag willen kennismaken met je vriend,' zei zijn vader. 'Klonk dat goed of niet?'

'Ga je een speech houden bij de receptie?'

'Een speech?'

'Je bloedt,' zei Jamie.

Zijn vader tilde zijn hand op. Er druppelde bloed uit zijn mouw. 'Dat is ook vreemd.'

130

George zat op de wc-bril in de badkamer terwijl Jamie een nieuw verband om zijn pols deed en hem hielp een schoon wit overhemd aan te trekken.

Hij wist het nu weer: Jean had eerder op de dag het oorspronkelijke verband aangebracht. Hij had zijn pols opengehaald aan prikkeldraad. Al was het niet duidelijk hoe hij daarmee precies in contact was gekomen.

'Dus je hebt geen speech,' zei Jamie.

Natuurlijk. Nu wist hij het weer: Katie trouwde vandaag.

'Pa?'

'Ja?'

'Een speech?' vroeg Jamie. 'Heb je een speech?'

'Waarvoor?'

Jamie wreef zich in het gezicht. 'Goed, luister. Katie is vandaag getrouwd...'

George trok zijn wenkbrauwen op. 'Ik ben niet helemaal achterlijk.'

'De receptie is in de tuin,' zei Jamie. 'Na de maaltijd houdt de vader van de bruid meestal een korte speech.'

'Ze trouwt met Ray, hè,' zei George.

'Inderdaad. We gaan het volgende doen.'

'Wat gaan we doen?'

'Ik ga met Ed praten,' zei Jamie.

'Wie is Ed?' vroeg George. De naam kwam hem niet bekend voor.

'Pa,' zei Jamie. 'Luister nou maar even. Ed is Rays getuige. Na de maaltijd kondigt hij aan dat jij een toost gaat uitbrengen. Dan sta jij op en je brengt een toost uit. Dan ga je weer zitten.'

'Oké,' zei George, die zich afvroeg waarom Jamie hier zo'n ophef over maakte.

'Kun je een toost uitbrengen?'

'Het hangt ervan af op wie,' zei George, nogal zelfvoldaan omdat hij niet in de strikvraag was getrapt.

Jamie blies een heleboel lucht uit, alsof hij een zwaar gewicht ging heffen. 'Je

gaat staan. Je zegt: 'Ik wil graag een toost uitbrengen op Katie en Ray. Ik wil...
Nee. Te ingewikkeld.'

George kreeg het idee dat Jamie zelf ook een beetje in de war was.

'Je gaat staan,' zei Jamie. 'Je zegt: "Op Katie en Ray." Je gaat zitten.'

'Ik hou geen speech,' zei George.

'Nee,' zei Jamie. 'Alleen een dronk. "Op Katie en Ray." Dan ga je weer zitten.'

'Waarom hou ik geen speech?' vroeg George, die zich begon af te vragen waarom hij de aanwijzingen moest opvolgen van iemand die in de war was.

Jamie wreef zich weer in het gezicht. 'Katie en Ray willen het graag kort en simpel houden.'

George nam dit in zich op. 'Goed.'

'Je gaat staan,' zei Jamie. 'Je zegt...'

'Op Katie en Ray,' zei George.

'En je gaat zitten.'

'Ik ga zitten.'

'Hartstikke goed,' zei Jamie.

George bleef nog een paar minuten op de wc zitten nadat Jamie was vertrokken. Hij voelde zich enigszins verongelijkt dat hem de kans werd onthouden om uitgebreid te praten. Maar toen hij probeerde te bedenken wat hij dan uitgebreid zou kunnen zeggen, werden zijn gedachten een beetje vaag. Dus misschien was de weg van de minste weerstand wel het beste.

Hij stond op, concentreerde zich en liep naar beneden.

Iemand gaf hem een glas champagne.

Was het verstandig om champagne te drinken als hij al valium had geslikt? Hij had weinig ervaring met zulke dingen. Misschien zat er bij de gasten een dokter aan wie hij het kon vragen.

Gail stond ineens voor hem. 'Brian vond het heel jammer dat je niet naar Cornwall kwam.'

Het was moeilijk om niet naar haar borsten te kijken.

'Hij had zich juist verheugd op een beetje padvinderij,' zei Gail. 'Kampvuurtjes. Slaapzakken.' Ze huiverde. 'Ik ga er volgende maand heen. Als de stroom werkt en het tapijt erin ligt.'

Wat moest die vent hier in godsnaam?

Aan de overkant van de kamer.

George vroeg zich af of hij soms hallucineerde.

'Gaat het wel, George?' vroeg Gail.

Hij hallucineerde niet. Het was hem. David Symmonds. De man die geslachtsgemeenschap had gehad met Jean in hun slaapkamer. Nu kwam hij zomaar op Katies bruiloft. Had die vent dan geen greintje fatsoen?

De wereld kwam weer scherp in beeld. Net als die avond in Glasgow. Te dronken om te praten. Toen die vlammen in de gang en in één klap nuchter.

'Je lijkt een beetje afwezig,' zei Gail.

Dit pikte hij niet. Hij schoof Gail opzij en baande zich een weg tussen de mensen door. Hij ging de heer Symmonds verzoeken om te vertrekken.

Hopelijk zou het niet nodig zijn om hem te slaan.

131

Jamie dofte zich op en ging nàar beneden, duimend en hopend dat zijn vader zou onthouden wat hij moest doen.

Hij moest Ed zien te spreken.

Wat moest Ed gaan zeggen? Dat Katies vader zich niet helemaal lekker voelde? Misschien hoefde hij wel niets te zeggen. 'En nu wil Katies vader graag een toost uitbrengen.' Hoe minder gezegd, hoe beter. Zo dicht mogelijk bij de waarheid blijven.

Hij ging op zoek naar Ed en dacht wat heerlijk het zou zijn als Tony er was, zodat hij zijn hart kon luchten zonder te hoeven nadenken bij wat hij zei of tegen wie hij het zei. En het beeld van Tony stond hem zo helder voor de geest dat het toen hij naar buiten liep de gewoonste zaak van de wereld leek om Tony door het hek aan de andere kant van het gazon te zien komen.

Hij bleef staan. Tony bleef staan.

Tony had zijn spijkerbroek aan en dat leuke blauwgebloemde overhemd en een suède jasje dat Jamie voor het eerst zag. Hij was een paar kilo afgevallen en een stuk bruiner. Hij zag er verdomme uit om op te vreten.

En toen drong het door. Tony was er. Op de bruiloft. En de mensen leken als de Rode Zee te wijken en Jamie en Tony keken naar elkaar door een lange gang van gasten. Of misschien voelde het alleen maar zo.

Jamie wilde gaan rennen. Maar Tony had het uitgemaakt. Ze hadden elkaar niet meer gesproken sinds die vreselijke avond op de stoep van Tony's flat.

Maar hij was er wel. Dat kon alleen maar betekenen...

Jamie rende. Of liep in elk geval heel snel. En nog terwijl hij dat deed besefte hij dat het een goedkoop soapmoment was, maar het kon hem niet schelen en hij voelde zijn hart in zijn borst opwellen.

Toen lagen ze in elkaars armen en Tony's mond smaakte naar mintkauwgum en tabak en Jamie zag de camera om hen heen draaien en voelde de spieren in Tony's rug onder zijn hand en rook de nieuwe douchegel die Tony gebruikte en wilde hem naakt hebben en het was alsof hij na duizend jaar thuiskwam en in de stilte om hen heen hoorde hij een vrouwenstem die zachtjes zei: 'Dat had ik nou niet verwacht.'

132

Jean stond in de gang naar een jonge collega van Ray te luisteren. Maar ze liet vooral haar blik over het groeiende aantal gasten gaan. Want eerlijk gezegd was dit zo'n man die verwachtte dat je je mond hield en af en toe even knikte en een begrijpend geluidje maakte.

En het was goed om haar blik over het groeiende aantal gasten te laten gaan. Ze voelde zich verantwoordelijk genoeg om een beetje trots te zijn dat iedereen het naar zijn zin leek te hebben (Judy lachte; Kenneth was nuchter). Maar niet zo verantwoordelijk dat ze zich met allerlei rampscenario's hoefde bezig te houden.

En daar had je Jamie die naar de keuken liep in een heel mooi donkerblauw pak met een wit overhemd (de snee op zijn wang maakte hem erg mannelijk).

Ze zag David met Katies getuige staan praten. Hij oogde een beetje terughoudend. Het voelde alsof ze van grote afstand naar hem keek.

'Vijf jaar geleden,' zei de collega van Ray, 'kwam je televisiesignaal door de lucht en je telefoonsignaal door de grond. Over vijf jaar komt je tv-signaal door de grond en je telefoonsignaal door de lucht.'

Ze excuseerde zich en verdween de tuin in.

Op dat moment zag ze een jongeman door het zijhek komen met een donkergroene reistas. Suède jasje, gebloemd overhemd. Hij kwam haar vaag bekend voor.

Ze vroeg zich af of het misschien een vriend van Katie en Ray was toen hij de tas liet vallen en iemand hem om zijn hals vloog en ze draaiden samen rond en iedereen keek en ze zag dat het Jamie was, wat betekende dat dit Tony moest zijn, en ze zoenden elkaar, waar iedereen bij stond, met hun mond open.

Haar eerste impuls was te voorkomen dat mensen dit zagen, door iets over ze heen te gooien, een tafelkleed of zo, of door heel hard iets te roepen. Maar iedereen had het inmiddels al gezien (Brians mond hing letterlijk open) en er zou een mitrailleursalvo voor nodig zijn om de aandacht af te leiden.

De tijd vertraagde. Behalve Jamie en Tony en de as die van Eds sigaret viel bewoog er niets in de tuin.

Ze moest iets doen. En wel meteen.

Ze liep naar Jamie en Tony toe. Ze lieten elkaar los en Tony keek haar aan. Ze voelde de dag balanceren als een auto op de rand van een rots.

'Jij bent Tony, denk ik?'

'Dat klopt,' zei Tony, die heel bewust zijn arm om Jamies middel hield. 'En u bent Jamies moeder?'

'Dat klopt.'

Hij stak zijn vrije hand uit. 'Fijn om u eens te ontmoeten.'

'Dat vind ik ook.' Ze stak haar armen uit om hem te omhelzen, om hem te laten zien dat ze het meende, en om iedereen te laten zien dat hij welkom was. En Tony liet Jamie eindelijk los en sloeg zijn armen om haar heen en drukte haar tegen zich aan.

Hij was een stuk langer dan hij vanuit de verte had geleken, dus het zou er wel wat komisch uitzien. Maar ze voelde de sfeer in de tuin milder en warmer worden.

Ze had het maar een paar seconden willen doen, maar moest haar gezicht vrij lang tegen Tony's overhemd gedrukt houden omdat ze huilde, waar ze helemaal niet op gerekend had, en hoewel ze iedereen wilde laten zien dat ze Tony welkom heette in haar familie, wilde ze iedereen liever niet laten zien dat ze hulpeloos huilend in de armen lag van iemand die ze tien tellen geleden had ontmoet.

Toen hoorde ze Katie opgetogen gillen: 'Tony. Krijg nou de pest. Je bent toch gekomen', en dat leidde de aandacht wel af.

133

George kwam achter in de eetkamer tot stilstand en ging met zijn benen gespreid en zijn vuisten gebald voor David staan.

Helaas had David zijn rug naar hem toe en besefte hij niet dat George achter hem stond. George wou hem niet vragen zich om te draaien, want iets vragen zou betekenen dat David dominant was. Zoals bij honden. Terwijl George dominant moest zijn.

En hij wou David ook niet bij de schouder pakken en hem op die manier omdraaien, want dat deden ze bij knokpartijen in kroegen en hij wou zo min mogelijk gedoe.

Dus bleef hij een paar seconden gespannen zo staan totdat de vrouw met wie David in gesprek was 'George' zei, en David draaide zich om en zei: 'George', en glimlachte en verhuisde zijn sigaartje met enig gegoochel naar de hand met het glas en stak zijn andere hand uit.

En George schudde de hand en zei: 'David', wat helemaal niet de bedoeling was geweest.

'Je bent vast apetrots,' zei David.

'Daar gaat het niet om,' zei George.

De vrouw verdween geruisloos.

'Nee,' zei David. 'Je hebt gelijk. Iedereen zegt dat wel, maar het is een egocentrische manier van kijken. Katie moet gelukkig zijn. Daar gaat het om.'

God, wat een slijmbal. George begon te begrijpen hoe hij Jean had weten in te palmen.

En dan te bedenken dat hij vijftien jaar met deze man had samengewerkt.

David trok een wenkbrauw op. 'Ik hoorde trouwens van Sarah dat Katie en Ray dit zelf allemaal betalen.' Hij maakte een weids armgebaar alsof de hele kamer van hem was. 'Dat is nog eens een slimme zet, George.'

Het moest nu gebeuren. 'Ik vrees dat ik je...'

Maar David onderbrak hem en zei: 'En hoe gaat het verder?' en George werd een beetje duizelig en David klonk zo oprecht en zo begaan dat George de neiging moest bedwingen om aan David op te biechten dat hij zichzelf met een schaar had verwond en in het ziekenhuis was beland nadat hij zijn vrouw met een andere man in bed had aangetroffen.

Hij besefte dat hij David niet ging verzoeken om te vertrekken. Hij had de kracht niet. Moreel noch fysiek. Als hij David eruit probeerde te gooien zou hij waarschijnlijk opschudding veroorzaken en Katie in verlegenheid brengen. Misschien was het beter om niets te doen. Juist vandaag moest hij zijn eigen gevoelens opzijzetten.

'George?' vroeg David.

'Wat zei je?'

'Ik vroeg hoe het met je ging.'

'Prima,' zei George. 'Prima.'

134

Katie duwde de zalm buiten snaaibereik.

Als het even kon wou ze zich aan het eind van haar trouwdag niet opgeblazen voelen, en er moest een gaatje open blijven voor de tiramisu.

Ray streelde haar been een beetje onder de tafel. Links van hem hadden ma en Alan het over sierkool en helleborus. Rechts van haar vertelde Barbara pa over de geneugten van de caravan. Pa zag er erg tevreden uit, dus die zat vermoedelijk tegelijkertijd aan iets anders te denken.

Ze zaten zo'n anderhalve decimeter hoger dan alle anderen. Het leek wel iets wat je op televisie zag. De serveersters in hun witte jasjes. Het getinkel van deftig bestek. Het lichte gerommel van zeildoek.

Het was maf om David Symmonds achter in de feesttent te zien zitten, babbelend met Mona en met een servetje zijn mondhoeken deppend. Ze had hem Ray aangewezen en ze ging hem verder negeren, net zoals ze het geblaf van de hond van Eileen en Ronnie negeerde, die in een naburige tuin was gestald en daar geweldig de pest over in had.

Ze likte aan haar vingers en gebruikte die om de broodkruimels van het kleine bordje op te nemen.

Tony en Jamie hielden aan tafel nog steeds zeer openlijk elkaars hand vast. Wat lief was. Zelfs ma vond dat. Rays ouders schenen er niet mee te zitten. Misschien zagen ze niet zo goed. Of misschien hielden alle mannen elkaars hand vast in Hartlepool.

Pa tikte haar op de arm. 'Alles kits?'

'Alles kits,' zei Katie. 'Met de kids.'

De tiramisu kwam en viel eerlijk gezegd nogal tegen. Maar de bonbons bij de koffie waren verrukkelijk. En toen Jacob bij haar op schoot kwam was hij behoorlijk teleurgesteld dat ze de hare al op had (Barbara stond manmoedig haar bonbon af om de rust te bewaren).

Toen werd er flink op de tafel getikt, het gekwetter stierf weg en Ed ging staan. 'Dames en heren, het is bij een bruiloft de gewoonte dat de getuige van de bruidegom opstaat om stuitende verhalen te vertellen en schuine moppen te tappen zodat iedereen zich heel ongemakkelijk gaat voelen,'

'En zo hoort het ook,' riep oom Douglas.

Nerveus gelach in de feesttent.

'Maar dit is een modern huwelijk,' zei Ed. 'Dus ga ik wat aardige dingen over Katie zeggen en wat aardige dingen over Ray. Ik ga een paar telegrammen voorlezen en een paar mensen bedanken. Daarna zal Sarah, dat is Katies getuige, opstaan om stuitende verhalen te vertellen en schuine moppen te tappen zodat iedereen zich ongemakkelijk gaat voelen.'

Opnieuw nerveus gelach in de feesttent.

Jacob had zijn duim in zijn mond en speelde wat met haar trouwring en Ray legde zijn arm om haar heen en zei zacht: 'Ik hou van je, vrouw.'

135

George nam een slokje dessertwijn.

'Maar goed, ze laat dat oorlelletje vallen,' zei Sarah, 'dus die agent moet op de vloer van die auto gaan zoeken. En ik weet niet wie van u weleens in een Fiat Panda heeft gezeten, maar je kunt daar in die voetenruimte een hele hond kwijt. Klokhuizen. Sigarettenpakjes. Koekkruimels.'

Judy hield een servet voor haar mond. George wist niet of ze moest proesten van het lachen of ging overgeven.

Katies vriendin was verrassend goed in speechen. Al had hij moeite om dat verhaal over die Paul Harding te geloven. Kon een jongeman echt uit Katies slaapkamerraam zijn geklommen, van het dak van de keuken zijn gevallen en zijn enkel hebben gebroken zonder dat George iets merkte? Misschien wel. Zoveel dingen schenen voor hem te zijn achtergehouden of domweg aan zijn aandacht te zijn ontsnapt.

Hij nam nog een slokje dessertwijn.

Jamie en Tony hielden elkaars hand nog steeds vast. Hij had geen flauw idee hoe hij hierop moest reageren. Een paar maanden geleden zou hij hebben ingegrepen om te voorkomen dat mensen aanstoot namen. Maar hij wist niet meer zo zeker wat hij van dingen vond, en of hij nog wel bij machte was om in te grijpen.

Hij raakte zijn greep op de wereld kwijt. Die was nu van de jonge mensen: Katie, Ray, Jamie, Tony, Sarah. En dat moest ook.

Hij vond het niet erg om oud te worden. Het had geen zin om dat erg te vinden. Het overkwam iedereen. Maar daarom deed het nog wel pijn.

Hij zou alleen wat meer respect willen afdwingen. Misschien was het zijn eigen schuld wel. Hij herinnerde zich dat hij die ochtend nog enige tijd in een greppel had gelegen. Dat leek geen overdreven waardige bezigheid. En hoe kon je respect afdwingen als je je niet waardig gedroeg?

Hij boog zich naar Jacob toe en pakte zijn hand en kneep er zachtjes in en bedacht dat ze veel gemeen hadden, allebei cirkelend in een verre baan, duizenden kilometers verwijderd van het stralende centrum waar de besluiten werden genomen en de toekomst werd gevormd. Al bewogen ze zich natuurlijk wel in tegenovergestelde richting, Jacob naar het licht toe en hij ervanaf.

Jacobs hand reageerde niet, maar bleef slap en levenloos. George besefte dat zijn kleinzoon sliep.

Hij liet Jacobs hand los en dronk zijn glas leeg.

De harde waarheid was dat hij gefaald had. Bijna overal in. Huwelijk. Ouderschap. Werk.

Het schilderen was er nooit meer van gekomen.

Toen zei Sarah: '... enkele woorden van de vader van de bruid', wat hem compleet verraste.

Gelukkig werd dit gevolgd door applaus, zodat hij zich even kon bezinnen. Hij herinnerde zich het gesprek dat hij voor de maaltijd met Jamie had gehad.

Hij ging staan en liet zijn blik over de gasten gaan. Hij was nogal emotioneel. Wat precies de emoties waren die hij voelde, was moeilijk te zeggen. Het waren er verschillende, en dat was op zich al verwarrend.

Hij hief een glas. 'Ik wil graag een toost uitbrengen. Op mijn prachtige dochter Katie. En op haar man Ray, een fijne vent.'

De woorden 'op Katie en Ray' weerklonken door de tent.

Hij wou weer gaan zitten, maar deed dat niet meteen. Hij bedacht ineens dat dit een soort afscheidsoptreden was, dat hij nooit meer een man of zestig, zeventig aan zijn lippen zou hebben hangen. En het leek een erkenning van zijn mislukking om die kans voorbij te laten gaan.

Hij ging weer rechtop staan.

'Het grootste deel van onze tijd hier op aarde denken we het eeuwige leven te hebben...'

136

Jean had de tafelrand vastgegrepen.

Als ze dichterbij had gezeten, had ze George bij zijn mouw kunnen pakken en hem zijn stoel in kunnen trekken, maar Katie en Ray zaten in de weg en iedereen keek naar hen en ze zag niet hoe ze kon ingrijpen zonder het nog erger te maken.

'Zoals sommigen van u misschien wel weten, gaat het de laatste tijd niet zo goed met me...'

Lieve help, nu ging hij zeker vertellen wat hij zichzelf had aangedaan en dat hij in het ziekenhuis terecht was gekomen en bij een psychiater liep. En dat waar zo'n beetje iedereen bij zat die ze kenden. Dat zoenen van Jamie en Tony zou hierbij volkomen in het niet vallen.

'We kijken allemaal uit naar ons pensioen. De tuin goed bijhouden. Eindelijk eens die boeken lezen die we met de kerst of voor onze verjaardag hebben gehad.' Een paar mensen lachten. Jean had geen idee waarom. 'Kort nadat ik met pensioen was gegaan ontdekte ik een klein gezwel op mijn heup.'

Wendy Carpenter zat midden in een chemokuur. En Kenneth had in augustus die knobbel uit zijn keel laten halen. God mocht weten wat die dachten.

'Ik besefte dat ik dood zou gaan.'

Jean concentreerde zich op de suikerpot en probeerde net te doen of ze in dat mooie hotel in Parijs zat.

137

Jamie zag zijn vader ten overstaan van zeventig mensen staan janken en voelde iets wat erg veel op een blindedarmontsteking leek.

'Ik. Jean. Alan. Barbara. Katie. Ray. Allemaal gaan we dood.' Ergens achter in de tent rolde een glas van een tafel en spatte uiteen. 'Maar we willen het niet toegeven.'

Jamie keek heel even opzij. Tony zat naar zijn vader te staren. Het leek of hij geëlektrocuteerd was.

'We beseffen niet hoe belangrijk hij is, deze... deze wereld. Bomen. Mensen. Taarten. Dan wordt hij ons ontnomen. En dringt onze vergissing tot ons door. Maar dan is het te laat.'

In een naburige tuin blafte de hond van Eileen en Ronnie.

138

George was het spoor een beetje bijster.

De dessertwijn had hem niet helderder gemaakt. Hij was een stuk emotioneler geworden dan hij van plan was geweest. Hij had het over de kanker gehad, wat geen feestelijk onderwerp was. Kon het zijn dat hij zich belachelijk had gemaakt?

Het leek hem beter om zijn speech zo vlug en zo elegant mogelijk af te ronden.

Hij wendde zich tot Katie en pakte haar hand. Omdat Jacob bij haar op schoot zat te dutten, werd het gebaar wat stunteliger dan de bedoeling was. Niets aan te doen.

'Mijn lieve dochter. Mijn lieve, lieve dochter.' Wat wilde hij nou eigenlijk zeggen? 'Jij en Jacob en Ray. Blijf. Blijf je altijd bewust van elkaar.'

Dat was beter.

Hij liet Katies hand los en keek nog één keer de tent rond voor hij weer plaatsnam en zag David Symmonds achter in de hoek zitten. Deze had gedurende de maaltijd met zijn gezicht de andere kant op gezeten, zodat de aanblik van de man George tijdens het eten bespaard was gebleven.

George bedacht dat hij zich misschien niet alleen belachelijk had gemaakt, maar dat David Symmonds daar ook getuige van was geweest.

'Pa?' zei Katie, en ze raakte zijn arm even aan.

George was gestopt op weg van staan naar zitten.

Die vent zag er zelfvoldaan uit, zo gezond, zo verdomd parmantig.

De beelden kwamen terug. De beelden die hij al zo lang niet voor zich probeerde te zien. De hangbillen van de man die in het halfduister van de slaapkamer op en neer gingen. De pezen in zijn benen. Dat schrompelige scrotum.

'Pa?' vroeg Katie.

George kon er niet meer tegen.

139

Jean gilde. Deels omdat George over de tafel klom. Deels omdat hij een koffie-pot had omgestoten en het hete bruine vocht haar kant uit liep. Ze deinsde achteruit en er gilde nog iemand. George sprong van de tafel en liep de tent door.

Ze draaide zich naar Ray en zei: 'Doe iets, in godsnaam.'

Ray verstijfde even, stond toen op en ging achter George aan.

Het was te laat.

Jean zag waar George heen ging.

140

George bleef voor David staan.

Het was heel erg stil geworden in de feesttent.

George legde aan en haalde uit naar Davids hoofd. Helaas ging Davids hoofd op het laatste moment opzij en sloeg George mis, en hij moest iemands schouder pakken om niet te vallen.

Toen David opstond om te vluchten raakte hij gelukkig met zijn voeten klem in de stoel, zodat hij klungelig achterover viel en wild rondmaaide met zijn armen, alsof hij met de rugslag over het tafelkleed bij George vandaan wou zwemmen.

Daardoor kreeg George een nieuwe kans om hem te stompen. Maar iemand stompen was een stuk lastiger dan het in films leek, en George had erg weinig ervaring op dit gebied. Met als gevolg dat hij David een stomp tegen zijn borst gaf, wat niet genoeg was.

De stoel lag in de weg. Dat was het probleem. George schopte hem opzij. Hij bukte zich, greep de revers van Davids jasje en gaf hem een kopstoot.

Hierna werd het onduidelijk wie wie precies sloeg. Maar er was een hoop bloed en George was er vrij zeker van dat het van David was, dus dat was goed.

141

Het beeld dat Jamie bijbleef was van een schaaltje tiramisu dat met bijbehorende lepel op hoofdhoogte in slowmotion door de lucht tuimelde. Zijn vader en
David Symmonds waren achteruit op de tafel gevallen. De ene kant was ingeklapt
en de andere was als een wip omhooggeschoten, waardoor er allerlei voorwerpen
waren gelanceerd (een van Katies vriendinnen was heel trots dat ze een vork had
gevangen).

Vanaf dat moment voelde het meer als bij een auto-ongeluk. Alles heel helder
en losstaand en traag. Geen pijn in de onderbuik meer. Alleen maar een reeks taken die uitgevoerd moesten worden om verder letsel te voorkomen.

Ray boog zich voorover en trok Jamies vader van David Symmonds af. Het gezicht van David Symmonds zat onder het bloed. Jamie was onder de indruk dat
een man van zijn vaders leeftijd iemand zo kon toetakelen.

Jamie en Tony keken elkaar aan en namen zo'n onmiddellijke, onuitgespro-
ken beslissing, in dit geval om te gaan helpen. Ze stonden op en sprongen over
de tafel heen, wat behoorlijk Starsky & Hutch geweest zou zijn als er geen bebo-
terd broodje aan Jamies broekspijp was blijven plakken.

Ze kwamen tegelijk achter in de tent aan. Tony knielde naast David neer omdat hij een cursus eerste hulp had gedaan en omdat David er erger aan toe leek,
en Jamie ging met zijn vader praten.

Ray zei net: 'Waarom deed je dat in godsnaam?' en zijn vader wilde gaan antwoorden toen Jamies hersens ineens op lichtsnelheid overgingen en hij begreep
dat niemand wist waarom zijn vader dit had gedaan. Behalve Katie en hij, zijn
moeder en zijn vader. En David uiteraard. En Tony, want Jamie had hem voor
de maaltijd bijgepraat. En zijn moeder was de tent uit gerend omdat ze dacht dat
iedereen er nu achter zou komen. Al konden ze het als Jamie snel was misschien
nog op een door medicijnen veroorzaakt moment van waanzin gooien. Want die
speech had wel duidelijk gemaakt dat zijn vader niet goed bij zijn hoofd was.

Dus toen zijn vader zei: 'Omdat...' sloeg Jamie snel een hand voor diens mond
en misschien deed hij dat wel een beetje te hard, want het klonk als een flinke

pets en zowel Ray als zijn vader schrokken, maar zijn vader zei in elk geval niets meer.

Jamie boog zich tot vlak bij zijn vader en zei: 'Niets zeggen.'

Zijn vader zei: 'Nnnnn.'

Jamie zei tegen Ray: 'Breng hem naar binnen. Naar boven. De slaapkamer. En zorg... zorg dat hij daar blijft, oké?'

Ray zei: 'Komt voor mekaar', alsof Jamie had gevraagd of hij een zak aardappelen wou verplaatsen. Hij hielp Jamies vader overeind en liep met hem naar de uitgang van de tent.

Jamie ging naar Tony toe.

David zei: 'Die vent is gestoord.'

Jamie zei: 'Ik vind het heel erg vervelend.' Vervolgens zei hij zachtjes tegen Tony: 'Breng hem naar de slaapkamer en bel een ziekenwagen.'

Tony zei: 'Ik denk niet dat een ziekenwagen nodig is.'

'Of een taxi of zo. Als hij maar afgevoerd wordt.'

'Aha, op die manier,' zei Tony. Hij duwde zijn hand onder Davids arm. 'Kom, vriend.'

Jamie kwam overeind en draaide zich om en besefte dat dit alles zich in seconden had afgespeeld en dat de overige gasten er nog steeds doodstil bij zaten, zelfs oom Douglas, wat een primeur was. En ze verwachtten duidelijk een verklaring of een mededeling, en die verwachtten ze van Jamie, maar hij moest zijn moeder eerst spreken, dus zei hij: 'Ik ben zo terug', en rende de tent uit en zag haar aan de overkant van het gazon staan, waar ze werd getroost door een oudere vrouw die hij niet kende, terwijl Ray en Tony zijn vader en David het huis in loodsten. Beiden hielden hun man goed vast om te voorkomen dat er enig contact tussen de drie was.

Zijn moeder huilde. De vrouw die hij niet kende had haar armen om haar heen geslagen.

Jamie zei: 'Ik moet mijn moeder onder vier ogen spreken.'

De vrouw zei: 'Ik ben Ursula, ik ben een goede vriendin.'

'Ga terug naar de tent,' zei Jamie. De vrouw bleef staan. 'Sorry. Dat klonk bot. En dat was niet de bedoeling. Maar u moet hier nu wel heel gauw weg.'

De vrouw stapte achteruit en zei: 'Goed', op die voorzichtige toon waarmee je een psychopaat kalm hoopt te houden.

Jamie pakte zijn moeder bij de armen en keek haar aan. 'Het komt wel goed.'

'Ik kan alles uitleggen,' zei zijn moeder. Ze huilde nog steeds.

'Dat hoeft niet.'

'Jawel,' zei zijn moeder. 'Die man die je vader te lijf ging...'

'Ik weet het,' zei Jamie.

Zijn moeder zweeg even en zei toen: 'O, god.'

Haar benen werden een beetje slap en Jamie moest haar een paar tellen lang op de been houden. 'Ma...?'

Ze legde een hand op zijn arm voor de steun. 'Hoe weet je dat dan?'

'Dat vertel ik je nog wel,' zei Jamie. 'Gelukkig weet verder niemand het.' Het was heel lang geleden dat hij zich zo mannelijk en competent had gevoeld. Hij moest snel zijn zolang het nog duurde. 'We gaan zo weer naar binnen. Ik ga een speech houden.'

'Een speech?' Zijn moeder keek erg benauwd.

Jamie was zelf ook een beetje zenuwachtig.

'Waarover dan?' vroeg zijn moeder.

'Over pa,' zei Jamie. 'Laat het maar aan mij over.'

Gelukkig leek zijn moeder niet in staat tot protest en toen hij zijn arm om haar schouder legde en met haar het gazon op liep, liet ze zich leiden.

Ze gingen door de deuropening in het zeildoek naar binnen, de gesprekken verstomden en ze begaven zich door een zeer geladen stilte langzaam naar hun stoel. Het enige geluid was het klepperen van hun schoenen op de planken.

Katie hield Jacob op haar schoot vast. Toen Jamie en zijn moeder bij de tafel kwamen, zei Jacob: 'Opa ging vechten', en achter zich hoorde Jamie iemand een paniekerig giecheltje smoren.

Jamie aaide Jacob zachtjes over zijn hoofd, liet zijn moeder plaatsnemen en draaide zich om naar de gasten. Hun aantal scheen de laatste paar minuten op wonderbaarlijke wijze te zijn verdubbeld. Hij wist ineens niets meer en vroeg zich af of hij op het punt stond zichzelf op precies dezelfde manier als zijn vader voor gek te zetten.

Toen kwamen zijn hersens weer online en besefte hij dat men, na wat zijn vader had gedaan, al dolblij zou zijn als hij iets zinnigs zei.

Hij zei: 'Sorry voor al dit gedoe. Dat was een onverwachte wending.'

Niemand lachte. Begrijpelijkerwijze. Het moest wat serieuzer.

'Het gaat de laatste tijd niet zo goed met mijn vader. Zoals u waarschijnlijk wel heeft begrepen.'

Kon hij om de kanker heen? Nee, dat kon hij niet.

'Ik kan u geruststellen; hij heeft geen kanker.'

Dit viel tegen. De begrafenissfeer in de feesttent was voelbaar. Hij wierp een snelle blik op zijn moeder. Die zat naar beneden te staren en probeerde op haar schoot een zo klein mogelijk balletje van haar servet te maken.

'Maar hij is wel erg neerslachtig. En zenuwachtig. Vooral voor de bruiloft was hij erg zenuwachtig. Vooral omdat hij een speech moest houden.'

Hij begon op gang te komen.

'Hij heeft een hele aardige huisarts. Die heeft hem valium gegeven. Daar heeft hij vanochtend nogal veel van ingenomen. Om rustig te worden. Het was waarschijnlijk iets te veel van het goede, denk ik.'

Weer lachte er niemand, maar er was nu wel een soort geroezemoes, waar hij moed uit putte.

'Hopelijk gaat hij nu een tijdje slapen en is hij daarna weer zichzelf.'

En op dit punt aangekomen besefte Jamie dat hij niet alleen de onverstandige speech van zijn vader moest verklaren, maar ook het feit dat zijn vader ten overstaan van iedereen de minnaar van zijn moeder een kopstoot had gegeven. Wat een stuk lastiger zou worden. Hij zweeg. Nogal lang. En de sfeer bekoelde weer wat.

'Ik heb geen flauw idee waarom mijn vader David Symmonds te lijf ging. Eerlijk gezegd weet ik niet eens zeker of mijn vader wist dat het David Symmonds was.'

Hij voelde zich als iemand die met een gevaarlijk hoge snelheid van een helling af skiet door een woud van dikke bomen die veel te dicht bij elkaar staan.

'Ze waren vroeger collega's bij Shepherds. Ik weet niet of ze elkaar sindsdien nog hebben gezien. De moraal van het verhaal is, denk ik, dat het waarschijnlijk niet zo handig is om een collega met wie je niet kunt opschieten op de bruiloft van je dochter uit te nodigen en dan van tevoren grote hoeveelheden medicijnen te slikken.'

En goddank ging het geroezemoes nu wel over in gelach. In elk geval van de meeste gasten (Eileen en Ronnie leken wel gevriesdroogd). En Jamie voelde dat hij eindelijk wat vastere grond onder de voeten kreeg.

Hij keek naar Katie en zag Jacob bij haar op schoot zitten met haar armen om zich heen en zijn hoofd tegen haar borst. Dat arme ventje. Ze hadden hem heel wat uit te leggen als dit allemaal achter de rug was.

'Maar dit is en blijft natuurlijk Katie en Rays dag,' zei Jamie, die zijn stem verhief en positief probeerde te klinken.

'Bravo!' riep oom Douglas met geheven glas.

En veel gasten schrokken een beetje, waaruit bleek dat ze waren vergeten dat ze bij een bruiloft zaten.

'Helaas bekommert de bruidegom zich momenteel om de vader van de bruid...'

Ray verscheen in de ingang van de tent.

'Niet dus...'

Alle blikken zwenkten naar Ray, die abrupt bleef staan en een beetje verrast leek door alle aandacht.

'Dus namens Katie en Ray stel ik voor om de gebeurtenissen van de afgelopen tien minuten maar achter ons te laten en hen te gaan helpen om hun bruiloft te vieren. Katie en Ray...' Hij pakte een halfvol glas van de tafel. 'Op een hele fijne dag. En laten we hopen dat de rest van jullie huwelijk wat minder stormachtig verloopt.'

Iedereen hief het glas en er klonk even wat lichtelijk verward gejuich en Jamie ging zitten en iedereen viel stil en Sarah begon te klappen en Jamie wist niet precies of dat voor Katie en Ray was of om hem te feliciteren met zijn optreden, waar hij behoorlijk trots op was.

Hij werd zelfs zo meegevoerd met het algehele gevoel van opluchting dat hij verbaasd was toen hij zag dat zijn moeder nog steeds huilde.

Ze keek naar Katie en zei: 'Het spijt me zo verschrikkelijk. Het is allemaal mijn schuld.' Ze droogde haar tranen met een servetje en stond op en zei: 'Ik moet met je vader gaan praten', en Katie vroeg: 'Weet je dat zeker...?', maar ze was al weg.

En Ray stond ineens naast ze en zei droogjes: 'Ik verheug me erg op Barcelona.'

En Jacob zei: 'Opa ging vechten.'

En Ray zei: 'Dat weet ik. Ik was erbij.'

En Katie zei: 'Die man die hij te lijf ging, dat was...'

'Weet ik,' zei Ray. 'Je vader heeft het uitgelegd. Vrij gedetailleerd zelfs. Dat is een van de redenen dat ik me op Barcelona verheug. Hij rust nu trouwens even uit. Ik geloof niet dat hij van plan is om gauw weer naar beneden te komen.'

En ineens wist Jamie wat hij tot nu toe over het hoofd had gezien, hoezeer die conclusie ook voor de hand had gelegen: dat zijn vader het de hele tijd al had geweten. Van zijn moeder en David Symmonds.

Het duizelde hem een beetje.

Hij vroeg aan Katie: 'Dus wist ma nou dat pa wist dat ma en David Symmonds...?'

'Nee,' zei Katie, nog droger dan Ray. 'Blijkbaar had pa besloten om haar het heuglijke nieuws op onze trouwdag mee te delen.'

'Jezus,' zei Jamie. 'Waarom is die vent dan uitgenodigd?'

'Dat,' zei Katie, 'is een van de vragen die ik ze nog ga stellen. Als ze elkaar niet hebben afgemaakt.'

'Moeten wij niet...?' Jamie stond op.

'Nee,' zei Katie bits. 'Dit lossen ze zelf maar op.'

Ray liep naar zijn eigen ouders om te kijken hoe zij deze pijnlijke ervaring hadden doorstaan en Tony verscheen met een geopende fles champagne en een paar glazen. Hij nam plaats in Jeans lege stoel en zei tegen Katie: 'Dit is mijn allereerste bruiloft. En ik moet zeggen, ze zijn een stuk leuker dan ik dacht.'

Wat Jamie nogal gewaagd vond gezien Katies gemoedstoestand. Maar het was blijkbaar bekend terrein voor hem, misschien doordat hij een zus als Becky had, want Katie pakte de fles uit Tony's hand, nam een geweldige teug en zei: 'Weet je wat ik het leukste vind?'

'Nou?'

'Dat jij er bent.'

'Dat is erg lief,' zei Tony. 'Al had ik niet verwacht dat mijn komst zo dramatisch in de schaduw zou worden gesteld.'

'God,' zei Katie, 'ik heb grote behoefte aan een disco.'

'Een vrouw naar mijn hart,' zei Tony.

'En David...?' vroeg Jamie.

'Die is naar zijn auto gelopen,' zei Tony. 'Ik geloof dat hij geen zin had in nog zo'n ontmoeting. Wat gezien de omstandigheden wel verstandig was.'

Op dat moment verscheen er als een zwaarlijvige engel een man met een grote luidspreker waar Top Sounds op stond in de deuropening van de tent.

Maar Jamie maakte zich meer zorgen om zijn vader dan Katie en was minder tuk op het idee dat zijn ouders het samen moesten oplossen, dus excuseerde hij zich bij Tony en liep het huis in, nadat hij onderweg verschillende vrienden en familieleden had verzekerd dat het goed ging met zijn vader, in de vurige hoop dat dat ook zo was.

Hij klopte aan. De flauwe stemmen aan de andere kant van de slaapkamerdeur verstomden. Hij wachtte even en klopte nog eens.

'Wie is daar?' vroeg zijn vader.

'Jamie. Ik wou even zeker weten dat het goed ging met jullie.' Het bleef even stil. Natuurlijk ging het niet goed met ze. Wat een domme opmerking. 'De mensen zijn bezorgd. Allicht.'

'Ik vrees dat ik alles volkomen verpest heb,' zei zijn vader.

Hoe moest je hier door een deur heen op reageren?

'Wil je tegen Katie en Ray zeggen dat het me vreselijk spijt dat ik me zo genant heb gedragen?'

'Dat zal ik zeggen.'

Weer bleef het even stil.

'Hoe is het met David?' vroeg zijn vader.

'Dat gaat wel,' zei Jamie. 'Hij is weg.'

'Mooi zo,' zei zijn vader.

Jamie bedacht dat hij zijn moeder nog niet had gehoord. En het leek erg onwaarschijnlijk dat haar iets naars was overkomen, maar hij wilde het nu helemaal zeker weten. 'Ma?'

Geen reactie.

'Ma...?'

'Maak je maar geen zorgen,' zei zijn moeder. Er klonk enige ergernis in haar stem door, wat merkwaardigerwijs geruststellend was.

Jamie wou gaan zeggen dat als ze iets nodig hadden... Maar vroeg zich toen af wat dat dan wel zou kunnen zijn (Wijn? Een stuk bruidstaart?) en besloot het gesprek te beëindigen. 'Dan ga ik weer naar beneden.'

Geen reactie.

Dus liep hij weer naar beneden en het gazon over en stelde onderweg nog wat meer mensen gerust omtrent de gezondheid van zijn vader. De disco was begonnen en hij liep de tent in en ging naast Tony zitten, die het met Ed over tengelwerk en gestuukte plafonds had.

Ed verdween en Jamie pakte een sigaret uit het pakje dat voor Tony op tafel lag en Tony schonk een glas dessertwijn voor hem in en samen keken ze naar oom Douglas die danste als een gewonde os, en de muziek was goed want die vulde al die kleine gaatjes waarin men in de verleiding kon komen om zich af te vragen wat de implicaties waren van wat er eerder was gebeurd, al moest je niet te veel naar de songteksten luisteren als je wel precies wist wat er eerder was gebeurd ('Groovy Kind of Love', 'Congratulations', 'Stand By Your Man'...).

De afgelopen twee weken wilde hij zo graag met Tony praten. Nu was het genoeg om naast hem te zitten, hem aan te raken, dezelfde lucht te ademen. De laatste keer dat ze bij elkaar waren geweest, hadden ze twee aparte mensen geleken. In de tussentijd waren ze op de een of andere manier een... wat geworden? Een 'stel'? Nu hij het woord eindelijk kon gebruiken, voelde het verkeerd.

Misschien was het wel goed om iets te zijn waar je geen woord voor wist.

Ze praatten met Mona, over de risico's van een wip met de baas (die zij beter niet had kunnen maken). Ze praatten met Rays ouders, die vreemd genoeg helemaal niet leken te zitten met het onorthodoxe verloop van de receptie (Rays broer bleek in de gevangenis te zitten, wat Katie had verzwegen, en de ex-man van Barbara was eens door de politie aangetroffen toen hij in een afvalcontainer lag te slapen). Ze praatten met Craig, de verzorger van Jenny, die eigenlijk niet zelf met mensen mocht praten als hij aan het werk was, maar wat maakte het uit, Jenny was toch bezopen en had dolle pret met die ongelooflijk saaie collega van Ray.

Een halfuurtje later kwam zijn moeder de tent weer in. En het was een beetje alsof de koningin binnenkwam: men stopte ineens met dansen en werd stil en men vroeg zich wat paniekerig af hoe men zich nu moest gedragen. Alleen wist de man van Top Sounds van niets en zong Kylie Minogue dus vrolijk en keihard verder over 'The Locomotion'.

Jamie wilde opspringen en naar haar toe rennen om haar voor al deze ongewenste aandacht te behoeden, maar Ursula (die een verrassend lenige locomotion had gedaan met een groepje vrienden van Katie en Ray) liep er al heen en omhelsde haar en Jamie wou haar niet nog eens aftroeven. En binnen een paar seconden waren Douglas en Maureen er ook bij en even later zat zijn moeder aan een tafeltje in de hoek en was ze onder de pannen.

Dus toen zijn vader een paar minuten later de tent in kwam, veroorzaakte dat al iets minder beroering. Weer vroeg Jamie zich af of hij naar hem toe moest gaan om zich over hem te ontfermen. Maar zijn vader liep rechtstreeks naar Katie en Ray en verontschuldigde zich vermoedelijk voor zijn gedrag, een gebaar dat blijkbaar in goede aarde viel, want de ontmoeting werd besloten met een omhelzing, waarna zijn vader op eenzelfde manier naar een tafel werd gebracht door Ed, met wie hij ondanks het generatieverschil een warme vriendschap aangeknoopt leek te hebben (Jamie hoorde later dat Ed een paar jaar eerder ook een zenuwinzinking had gehad en toen maandenlang het huis niet uit was geweest). En het was wel wat vreemd dat zijn ouders aan verschillende tafeltjes zaten. Maar het was nog vreemder geweest om ze naast elkaar te zien staan, wat ze nog nooit bij enige bijeenkomst hadden gedaan, dus besloot Jamie dat hij in elk geval vandaag niet meer over hen ging inzitten.

En toen Jamie en Tony korte tijd later naar buiten liepen, schemerde het al een beetje en had iemand rond het hele gazon veelkleurige fakkels op bamboestokken neergezet en aangestoken, wat zeer betoverend was. En eindelijk voelde het alsof de dag zo goed mogelijk gerepareerd was.

Ze speelden verstoppertje met Jacob en troffen Judy mistroostig in de keuken aan omdat Kenneth bewusteloos in de wc beneden lag. Dus zochten ze een schroevendraaier en schroefden het slot los en legden hem in de stabiele zijligging op de bank in de huiskamer met een deken over zich heen en een emmer naast zich op de grond, waarna ze Judy weer mee naar buiten sleurden en de dansvloer op.

En toen was het bedtijd voor Jacob, dus las Jamie hem *Pompoensoep* voor en *Nieuwsgierig Aapje neemt de trein* en ging naar beneden en danste met Tony en 'Three Times a Lady' werd gedraaid en Jamie lachte en Tony vroeg waarom en Jamie zei niets maar trok hem dicht tegen zich aan en tongzoende midden op de dansvloer drie minuten lang met hem, en drie minuten lang Tony's pik tegen zich aan werd hem te veel, dus trok hij Tony mee naar boven en zei dat hij hem zou vermoorden als hij niet stil was en ze gingen zijn oude slaapkamer in en Tony neukte hem voor het oog van Grote Giraffe die naast de set Doctor Dolittleboekjes stond.

142

Katie was blij dat Jacob bij haar op schoot zat toen het gebeurde.

Ray, Jamie en Tony leken alles onder controle te hebben en zij hoefde alleen maar Jacob te knuffelen en hopen dat hij niet al te zeer van streek raakte door wat hij zag.

Vreemd genoeg bleek het hem weinig te doen. Hij had nog nooit twee volwassenen in het echt zien vechten. Opa en die man deden net als Power Rangers, begreep ze. Al kon Katie zich niet herinneren dat ze bij de Power Rangers weleens bloed had zien vloeien en had pa geen salto gemaakt of karatetrap uitgedeeld.

Ze had geen idee wat ze gedaan zou hebben als Jacob niet bij haar op schoot had gezeten. Het was duidelijk dat pa erg leed en dat ze veel meer aandacht hadden moeten schenken aan het feit dat hij was gevlucht en valium had geslikt. Anderzijds zou je denken dat je toch wel tot na de maaltijd kon wachten en iemand dan mee naar buiten nemen om hem in elkaar te slaan in plaats van de trouwreceptie van je dochter te versjteren, hoe beroerd je je ook voelde.

En ma vond het natuurlijk afschuwelijk om te ontdekken dat pa van David Symmonds wist. Maar waarom had ze die vent dan ook in godsnaam uitgenodigd?

Alles bij elkaar was Katie dankbaar dat ze niet hoefde te bedenken wat ze van al die dingen vond terwijl ze een van haar ouders troostte, anders was ze zelf misschien ook een beetje Power Ranger geworden.

Jamie was degene die de zaak had gered (Man van de wedstrijd, zoals Ray terecht zei). Ze had geen flauw idee wat hij zou gaan zeggen toen hij opstond voor zijn speech (Jamie bekende later dat hij zelf ook geen idee had) en ze was zenuwachtig, zij het niet zo zenuwachtig als ma, die erin slaagde haar stoffen servet stuk te scheuren terwijl Jamie aan het woord was, kennelijk in de overtuiging dat hij de verzamelde gasten precies ging uitleggen wat pa bezield had.

Maar het verhaal over die ruzie die nog dateerde uit de tijd dat ze collega's waren, was een geniale inval. Het idee sprak zelfs zo tot de verbeelding dat Katie in de loop van de avond een aantal geheel verschillende redenen hoorde waarom pa wrok koesterde tegen zijn oud-collega. Volgens Mona had David geruchten verspreid om te verhinderen dat pa directeur zou worden. Volgens oom Douglas was David aan de drank. Katie besloot ze niet tegen te spreken. Aan het eind van de avond zou hij ongetwijfeld een van de fabrieksarbeiders hebben vermoord en het lijk in een nabijgelegen bos begraven.

Ze klaagde wel even tegen Ray over het gedrag van haar ouders, wat niet al te veel hielp. Maar hij lachte alleen maar en sloeg zijn armen om haar heen en zei: 'Kunnen we proberen om het ondanks je familie leuk te hebben?'

Om haar goede wil te tonen – het was tenslotte hun bruiloft – besloot ze toe te geven dat hij gelijk had. Door niets terug te zeggen.

Hij zei dat ze beter dronken kon worden, wat een heel goed idee bleek te zijn, want toen pa weer verscheen en zijn excuses kwam aanbieden wist ze al bijna niet meer wat er gebeurd was, laat staan dat het haar nog iets kon schelen, en dus kon ze hem omhelzen, wat diplomatiek gezien waarschijnlijk de beste afloop was.

Tegen elven zaten ze in een kringetje aan de rand van het gazon. Zij, Ray, Jamie, Tony, Sarah, Mona. Ze hadden het over Rays broer die in de gevangenis zat. En Jamie vroeg waarom niemand hem deze spannende informatie had meegedeeld. Dus wierp Ray hem een licht verwijtende blik toe, omdat dit eigenlijk geen onderwerp voor een leuke roddel was, en vertelde over de drugs en de autodiefstallen en het geld en de tijd en de pijn die het zijn ouders had gekost om te proberen hem weer op het rechte pad te krijgen.

Sarah zei: 'Ko Lere.'

En Ray zei: 'Uiteindelijk zie je in dat andermans problemen andermans problemen zijn.'

Katie sloeg haar armen om hem heen en zei: 'Je hebt meer in huis dan een knap snoetje, hè?'

'Knap?' zei Tony. 'Ik weet niet of ik zo ver wil gaan. Ruig misschien. Stoer zeker.'

Ray had inmiddels genoeg bier naar binnen om het als een compliment op te vatten.

En Katie vond het jammer dat Jamie en Tony niet meegingen naar Barcelona.

143

Jean bleef halverwege de trap staan en hield de leuning vast. Ze voelde zich licht in het hoofd, zoals soms op hoge gebouwen.

Alles was ineens zonneklaar.

Haar verhouding met David was voorbij. Toen George hem te lijf ging, maakte ze zich zorgen om George. Dat hij krankzinnig was geworden. Dat hij zich belachelijk maakte ten overstaan van iedereen die ze kenden.

Ze wist niet eens of David nog in het huis was.

Had ze dit gisteren maar ingezien, of vorige week, of vorige maand. Dan had ze het tegen David kunnen zeggen. Dan was hij niet op de bruiloft gekomen en was dit allemaal niet gebeurd.

Hoe lang wist George het al? Was hij depressief geworden omdat hij het wist? Wat hij zichzelf daar in de badkamer had aangedaan. Was dat haar schuld?

Misschien was haar huwelijk ook wel voorbij.

Ze liep over de overloop en klopte op de deur van de slaapkamer. Aan de andere kant klonk gegrom.

'George. Ik ben het.'

Opnieuw gegrom.

Ze deed de deur open en stapte naar binnen. Hij lag op het bed, half slapend. Hij zei: 'O, ben jij het', en hees zich omhoog tot hij zat.

Ze ging op het puntje van de leunstoel zitten. 'George, moet je horen...'

'Het spijt me,' zei George. Hij sprak een beetje met dikke tong. 'Het is onvergeeflijk. Wat ik daarnet heb gedaan. Met je... met je vriend. Met David. Dat had ik echt niet mogen doen.'

'Nee,' zei Jean, 'ik ben degene die...' Ze had moeite met praten.

'Ik was bang.' George scheen niet te luisteren. 'Bang om... eerlijk gezegd weet ik niet precies waar ik bang voor was. Om oud te worden. Om dood te gaan. Aan kanker. In het algemeen. Om die speech te houden. Het werd een beetje wazig allemaal. Ik vergat eigenlijk dat al die andere mensen er zaten.'

'Hoe lang wist je het al?' vroeg Jean.

'Wat?'

'Dat...' Ze kreeg het niet uit haar mond.

'O, dat bedoel je,' zei George. 'Het maakt niet uit.'

'Ik moet het weten.'

George dacht hier enige tijd over na. 'Die dag dat ik naar Cornwall zou gaan.' Hij zat een beetje te schommelen.

'Hoe dan?' vroeg Jean verbaasd.

'Ik ben hier teruggekomen. En toen zag ik jullie. Hier. Op het bed. Staat op het netvlies gebrand. Zoals dat heet.'

Jean werd misselijk.

'Ik had toen eigenlijk wat moeten zeggen. Dan was ik het kwijt geweest.'

'Het spijt me, George. Het spijt me vreselijk.'

Hij legde zijn handen op zijn knieën om zijn evenwicht te hervinden.

Ze zei: 'En wat nu?'

'Hoe bedoel je?'

'Hoe moet het nu met ons?'

'Ik weet het niet precies,' zei George. 'Het is geen situatie waar ik vaak in heb gezeten.'

Jean wist niet of dit grappig bedoeld was.

Ze bleven een tijdje zwijgend zitten.

Hij had hen naakt gezien.

Bij het vrijen.

Bij hun seks.

Het was of ze een gloeiend kooltje in haar hoofd had dat daar brandde en schroeide en ze stond machteloos, want ze kon het tegen niemand zeggen. Niet tegen Katie. Niet tegen Ursula. Ze moest er gewoon mee leven.

Jamie klopte aan. Ze hadden een kort gesprek en hij ging weer weg.

Ze had hem eigenlijk willen bedanken. Ze besefte nu hoe goed het van hem was geweest dat hij die speech had gehouden. Dat moest dan later maar.

Ze keek naar George. Het was heel moeilijk te zeggen wat hij dacht. Of hij iets dacht. Hij ging nog steeds een beetje heen en weer. Hij leek niet helemaal in orde.

'Misschien moet ik koffie voor je gaan halen,' zei Jean. 'Misschien moet ik voor ons allebei koffie gaan halen.'

'Ja, dat lijkt me een heel goed idee.'

Ze haalde twee kopjes koffie in de keuken, die gelukkig leeg was.

George dronk zijn koffie met één lange teug op.

Ze moest het over David hebben. Ze moest uitleggen dat het afgelopen was. Ze moest uitleggen waarom het was gebeurd. Maar ze wist vrij zeker dat George het onderwerp wilde vermijden.

Na een paar minuten zei hij: 'De zalm was lekker, vond ik.'

'Ja,' zei Jean, al kon ze zich niet goed herinneren hoe de zalm had gesmaakt.

'En Katies vrienden leken me heel aardig. Sommigen zal ik wel eerder hebben gezien, maar ik ben niet zo goed in gezichten.'

'Ze leken inderdaad aardig,' zei Jean.

'Wat naar voor die jongedame in die rolstoel,' zei George. 'Zo'n knappe verschijning. Bijzonder spijtig.'

'Ja.'

'Maar goed,' zei George. Hij stond op.

Jean hielp hem.

'Laten we maar naar beneden gaan,' zei George. 'Het draagt vast niet bij. Dat wij hier boven zitten. Dat zal de sfeer wel niet ten goede komen.'

'Goed,' zei Jean.

'Bedankt voor de koffie,' zei George. 'Ik voel me weer wat stabieler.' Bij de deur bleef hij even staan. 'Ga jij maar vast naar beneden. Ik moet nog even een plasje plegen.' En weg was hij.

Dus ging Jean naar beneden en liep de tent in en George had gelijk wat de sfeer betrof, want iedereen scheen op haar te hebben gewacht, waardoor ze zich erg ongemakkelijk voelde. Maar Ursula kwam naar haar toe en omhelsde haar en Douglas en Maureen namen haar mee naar een tafeltje en gaven haar nog een kop koffie en een nieuw glas wijn en een paar minuten later kwam George en ging ergens anders zitten en Jean probeerde zich te concentreren op wat Ursula en Douglas en Maureen zeiden, maar dat viel niet mee. Want het voelde alsof ze net ongedeerd uit een brandend gebouw was gekomen.

Ze keek naar Jamie en Tony en kon alleen maar denken dat de wereld zo enorm veranderd was. Haar eigen vader was twintig jaar lang met de buurvrouw naar bed geweest. Nu danste haar zoon met een man en viel haar leven in duigen.

Ze voelde zich net die man in dat spookverhaal op de tv, die niet doorhad dat hij dood was.

Ze liep naar Katie en Ray toe en bood haar excuses aan. Ze bedankte Jamie voor zijn speech. Ze verontschuldigde zich bij Jacob, die niet begreep waarom. Ze danste met Douglas. En het lukte haar om even rustig met Ursula te praten.

De pijn werd minder naarmate de avond verstreek en de alcohol zijn werk deed en kort na middernacht, toen de avond begon af te lopen, besefte ze dat George weg was. Dus nam ze afscheid waar dat moest en ging naar boven, waar ze hem in diepe slaap aantrof.

Ze probeerde met hem te praten, maar hij was helemaal vertrokken. Ze vroeg zich af of ze in hetzelfde bed mocht slapen. Maar waar moest ze anders slapen?

Dus kleedde ze zich uit en trok haar nachthemd aan en poetste haar tanden en kroop naast hem in bed.

Ze staarde naar het plafond en huilde een beetje, zachtjes, om George niet wakker te maken.

Ze had geen besef meer van de tijd. De disco stopte. De stemmen stierven weg. Ze hoorde voetstappen de trap op en af gaan. Toen stilte.

Ze keek naar de wekker op het nachtkastje. Het was half twee.

Ze stond op, trok haar pantoffels en haar ochtendjas aan en ging naar beneden. Het huis was leeg. Het rook naar sigaretten en verschaalde wijn en dood bier en gestoofde vis. Ze schoof de knip van de keukendeur en liep de tuin in, met het idee om onder de nachthemel een beetje tot zichzelf te komen. Maar het was kouder dan ze had gedacht. Het begon weer te regenen en er waren geen sterren.

Ze ging weer naar binnen, liep naar boven en ging in bed liggen, waar ze uiteindelijk dan toch in slaap viel.

144

George werd met een tevreden, ontspannen gevoel wakker uit een lange, diepe en droomloze slaap. Hij bleef enige ogenblikken naar het plafond liggen kijken. In het stucwerk rond de fitting van de lamp zat een lichte barst die een kleine kaart van Italië leek te vormen. Hij moest naar de wc. Hij zwaaide zijn benen het bed uit, trok zijn pantoffels aan en liep met energieke tred de kamer uit.

Maar op de overloop herinnerde hij zich wat er de vorige dag was gebeurd. Hij werd onpasselijk en moest zich een paar tellen lang aan de leuning vasthouden terwijl hij zich herstelde.

Hij liep de slaapkamer weer in om met Jean te praten. Maar die lag nog te slapen, met haar gezicht naar de muur, zachtjes snurkend. Hij bedacht dat het een moeilijke dag voor haar ging worden, en het leek hem beter als je aan het begin van zo'n dag niet wakker werd geschud. Hij liep de gang weer op en deed de deur voorzichtig achter zich dicht.

Hij rook toast en bacon en koffie en een aantal minder aangename geuren. In een halfvol koffiekopje op de vensterbank dreven verscheidene peuken. Nu hij erbij stilstond, voelde hij zich een beetje versuft. Mogelijk de nawerking van de valium en de alcohol.

Hij moest Katie spreken.

Hij ging naar de badkamer om zijn behoefte te doen en liep vervolgens de trap af.

De eerste die hij door de deuropening van de keuken zag, was echter niet Katie maar Tony. Dat bracht hem enigszins van de wijs. Hij was Tony vergeten.

Tony zat tot genoegen van Jacob van stukjes toast een primitieve hond te bouwen. Had hij met Jamie hier in huis geslapen? Het was nu niet belangrijk, dat besefte George wel. En hij was niet bepaald in een positie om iemand moreel de les te lezen. Maar zijn geest voelde klein en die vraag zat een beetje in de weg.

Toen hij de keuken in liep, stokte het gesprek en draaide iedereen zich naar hem om. Katie, Ray, Jamie, Tony, Jacob. Hij was van plan geweest om Katie even rustig apart te nemen. Dat zat er duidelijk niet in.

'Dag pa,' zei Jamie.

'George,' zei Ray.

Ze klonken nogal stijfjes.

Hij vatte moed. 'Katie. Ray. Ik wil mijn excuses aanbieden voor wat ik gisteren heb gedaan. Ik schaam me diep en het had nooit mogen gebeuren.' Niemand zei iets. 'Als ik het op de een of andere manier goed kan maken...'

Iedereen keek naar Katie. George zag dat ze een broodmes in haar hand had.

Ray zei: 'Je gaat je vader toch niet neersteken?'

Niemand lachte.

Katie keek naar het mes. 'O, sorry. Nee.'

Ze legde het mes neer en er volgde een onbehaaglijke stilte.

Toen stond Tony op en trok zijn stoel achteruit zodat George kon gaan zitten en legde als een ober een theedoek over zijn arm en zei: 'We hebben verse koffie, thee, jus d'orange, volkorentoast, roerei, gekookt ei...'

George vroeg zich af of het misschien homohumor was, maar omdat er niemand lachte vatte hij het aanbod letterlijk op, ging zitten, bedankte Tony en zei dat hij graag zwarte koffie en roerei wilde als dat kon.

'Ik heb een hond van toast,' zei Jacob.

Langzaamaan kwam het gesprek weer op gang. Tony vertelde een verhaal over dat hij op Kreta van zijn brommer was gevallen. Ray legde uit hoe hij het vuurwerk voor Katie had geregeld. Jacob maakte bekend dat zijn toasthond Toasty heette, beet toen zijn kop eraf en schaterde.

Na een minuut of twintig gingen de mannen pakken en bleef George alleen over met zijn dochter.

Katie tikte op haar voorhoofd en vroeg hoe het in de bovenkamer ging. Hij tikte op zijn voorhoofd en zei dat het prima ging in de bovenkamer. Hij legde uit dat de gebeurtenissen van de vorige dag voor helderheid hadden gezorgd. Natuurlijk waren er nog wel wat problemen die hij moest oplossen, maar de paniek was geluwd. Hij had eczeem. Dat begreep hij nu wel.

Ze zweeg en wreef over zijn arm en keek ineens nogal ernstig. George was bang dat ze over Jean en David Symmonds zou beginnen. Daar had hij geen behoefte aan. Hij zou het onderwerp met alle plezier de rest van zijn leven uit de weg gaan.

Hij pakte Katies hand en kneep er even in. 'Kom. Moet jij ook niet gaan pakken?'

'Ja,' zei Katie. 'Ik denk het.'

'Doe dat maar,' zei George. 'Ik was wel af.'

Een halfuur later werd Jean eindelijk wakker. Ze maakte een gekneusde, uitgeputte indruk, als iemand die net een operatie heeft ondergaan. Ze zei heel weinig. Hij vroeg of het ging. Ze zei dat het ging. Hij besloot verder geen vragen te stellen.

Halverwege de ochtend kwamen ze in het halletje bij elkaar om afscheid te nemen. Katie, Ray en Jacob gingen naar Heathrow en Jamie en Tony reden terug naar Londen. Er hing een lichte mineurstemming, en toen ze weg waren voelde het abnormaal stil in huis.

Gelukkig kwam tien minuten later het cateringbedrijf zijn spullen ophalen, gevolgd door mevrouw Jackson en een jonge vrouw met een ringetje door haar lip, die aan de schoonmaak van het huis begonnen.

Toen de huiskamer was gestofzuigd, installeerden Jean en hij zich met een pot thee en een schaal boterhammen op de bank terwijl de keuken werd geschrobd. George verontschuldigde zich nog eens voor zijn gedrag, en Jean deelde hem mee dat ze David niet meer zou zien.

George zei: 'Dank je wel.' Het leek hem wel zo hoffelijk om dat te zeggen.

Jean begon te huilen. George wist niet goed wat hij ermee aan moest. Hij legde zijn hand op haar arm. Het leek geen enkel effect te hebben, dus haalde hij hem weer weg.

Hij zei: 'Ik ga niet bij je weg.'

Jean snoot haar neus in een papieren zakdoekje.

'En jij hoeft ook niet weg te gaan,' voegde George eraan toe, zodat ze precies wist waar ze aan toe was.

Het was sowieso een belachelijk idee. Wat moest hij doen als hij vertrok? Of als Jean vertrok? Hij was te oud om een nieuw leven te beginnen. En Jean ook.

'Goed,' zei Jean.

Hij hield haar de schaal met boterhammen nog eens voor.

's Middags werd de feesttent afgebroken en George kon voor het avondeten een paar uur aan het atelier werken. Hij besefte dat hij teleurgesteld zou zijn als het af was. Hij had dan natuurlijk wel een plek om te tekenen en schilderen. Maar hij zou nieuwe projecten moeten bedenken om zijn tijd mee te vullen, en te oordelen naar zijn confrontatie met de ficus kon het wel een paar maanden duren voor tekenen en schilderen hem bevrediging zouden schenken.

Hij kon een paar keer per week naar het zwembad gaan. Dat leek hem wel een verstandig idee. Het zou hem helpen om fit te blijven en in slaap te komen.

Misschien wou Jean trouwens wel mee. Misschien fleurde ze er een beetje van op. Vroeger op vakantie was ze vaak niet weg te slaan bij het zwembad. Dat was natuurlijk wel wat jaartjes geleden, en het kon zijn dat ze zich liever niet meer in badpak wilde vertonen. Vrouwen, wist hij, zaten meer over zulke dingen in dan mannen. Maar hij zou het toch even noemen om te kijken wat ze van het idee vond.

Of een lang weekend in Brugge. Dat was ook een mogelijkheid. Hij had er pas iets over gelezen in de krant. Dat lag in België, als hij zich goed herinnerde, wat betekende dat ze er konden komen zonder de lucht in te hoeven.

Hij rilde. Het was koud en het werd donker. Dus borg hij het bouwmateriaal netjes op en liep terug naar het huis. Hij kleedde zich boven om en ging weer naar de keuken.

Jean was bezig lasagne te maken. Hij nam een beker koffie, ging aan de tafel zitten en bladerde door de tv-gids.

'Wil je het aluminium steelpannetje even uit de la pakken?' vroeg Jean.

George leunde achterover, pakte het steelpannetje en gaf het haar aan. Daarbij snoof hij een vleugje op van dat bloemenluchtje dat Jean gebruikte. Of misschien was het de sinaasappelshampoo van Sainsbury's. Het rook in elk geval lekker.

Ze bedankte hem en hij keek naar de tv-gids voor hem op tafel. Hij zag een foto van twee jonge vrouwen die met hun hoofd aan elkaar vastzaten. Het was geen gezellige foto en hij kreeg er geen al te prettig gevoel van. Hij begon te lezen. De vrouwen zouden te zien zijn in een documentaire op Channel Four. De documentaire zou eindigen met een operatie om ze te scheiden. Het was een riskante operatie waarbij beide meisjes de kans liepen om dood te gaan. Er stond in het stukje niet bij hoe de operatie was afgelopen.

De keukenvloer kantelde een heel klein beetje.

'Wat wil je bij je lasagne?' vroeg Jean. 'Doperwtjes of broccoli?'

'Wat zeg je?' zei George.

'Doperwtjes of broccoli?' vroeg Jean.

'Broccoli,' zei George. 'En misschien moeten we ook een flesje wijn openmaken.'

'We doen broccoli en wijn,' zei Jean.

George keek weer naar de tv-gids.

Het moest nu maar eens afgelopen zijn met die onzin.

Hij sloeg de bladzijde om en stond op om de kurkentrekker te pakken.